Susanne Mischke
Totenfeuer

PIPER

Zu diesem Buch

Ostersamstag. Der rauchige Geruch des Osterfeuers zieht durch das Dorf. Auch Kommissar Bodo Völxen freut sich auf das traditionelle Fest mit Bier und Schnaps. Doch als die nicht mehr ganz nüchterne Dorfjugend das brennende Feuer umschichtet, liegt auf der Schaufel des Traktors eine bis zur Unkenntlichkeit verkohlte Leiche. Der einzige Hinweis auf die Identität des Toten ist eine ungewöhnliche Gürtelschnalle. Der Mann wurde erschossen, und seine Blutwerte ergeben, dass ihm ein starkes Beruhigungsmittel verabreicht wurde. Niemand will beobachtet haben, wie das Opfer ins Osterfeuer gekommen ist, obwohl die Feuerstelle traditionsgemäß die ganze Nacht über bewacht worden ist. Völxen und seine Kollegen von der Hannoveraner Mordkommission beginnen sofort mit den Ermittlungen. Und stoßen in dem scheinbar so friedlichen Dörfchen auf eine allzu große Reihe von Todsünden, deren Wurzeln mehr als vierzig Jahre in die Vergangenheit zurückreichen.

Susanne Mischke wurde 1960 in Kempten geboren und lebt heute in Wertach. Sie war mehrere Jahre Präsidentin der »Sisters in Crime« und erschrieb sich mit ihren fesselnden Kriminalromanen eine große Fangemeinde. Für das Buch »Wer nicht hören will, muß fühlen« erhielt sie die »Agathe«, den Frauen-Krimi-Preis der Stadt Wiesbaden. Ihre Hannover-Krimis haben über die Grenzen Niedersachsens hinaus großen Erfolg.

Susanne Mischke

TOTENFEUER

Kriminalroman

PIPER

Mehr über unsere Autoren und Bücher:
www.piper.de

Von Susanne Mischke liegen im Piper Verlag vor:

Hannover-Krimis:
Der Tote vom Maschsee
Tod an der Leine
Totenfeuer
Todesspur
Einen Tod musst du sterben
Warte nur ein Weilchen
Alte Sünden
Zärtlich ist der Tod

weitere Kriminalromane:
Töte, wenn du kannst!
Mordskind
Wer nicht hören will, muss
fühlen
Wölfe und Lämmer
Die Eisheilige
Liebeslänglich
Die Mörder, die ich rief
Schwarz ist die Nacht
Kalte Fährte
Der Muttertagsmörder

Ungekürzte Taschenbuchausgabe
ISBN 978-3-492-30212-8
November 2010 (TB 5983)
1. Auflage März 2013
3. Auflage August 2019
© Piper Verlag GmbH, München 2010
Umschlaggestaltung und -abbildung:
Hauptmann & Kompanie Werbeagentur, Zürich
Satz: Kösel, Krugzell
Gesetzt aus der ITC-Stone-Serif
Druck und Bindung: CPI books GmbH, Leck
Printed in the EU

Ostersonntag

»Gib auf, Völxen!«

Na klar, das würde denen so passen. Bodo Völxen um-
krallt den Lenker und tritt mit aller Kraft in die Pedale. Die
Herausforderung, vor die ihn der Vörier Berg stellt, ist größer als vermutet.

»He, Torpedo! Pass auf, dass du nicht umfällst!«

Köpcke hat gut lästern. Der Nachbar und seine beleibte
Frau sind zu Fuß unterwegs. Eine kluge Entscheidung,
erkennt Völxen.

Dabei hat er sich gerade nur verschaltet, das kann bei
einundzwanzig Gängen schon mal passieren. Von den Tü-
cken eines Hightech-Trekkingrades hat dieser stiernackige
Hühnerbaron natürlich keine Ahnung, woher auch, Köpcke
fährt *John Deere* und einen uralten *Benz*.

Aber absteigen und schieben kommt nicht infrage. Verdorben von einschlägigen Fernsehkrimis, erwarten die Bewohner von ihrem Dorf-Schimanski, wie sie ihn hintenherum nennen, eine gewisse körperliche Fitness. Zudem
fürchtet Völxen Sabines und Wandas spöttische Kommen-
tare, die im Falle einer Kapitulation gnadenlos auf ihn nie-
derprasseln würden. Schlimm genug, dass sie ihn bereits
am Fuß der Anhöhe abgehängt haben. Dabei waren es die
beiden, die ihn überredet haben mitzukommen. »Wir müssen uns aktiver am Dorfleben beteiligen«, hat er die Worte
seiner Frau Sabine noch im Ohr.

»Warum müssen wir das?«, hat Völxen wissen wollen,

aber als Antwort nur ein Augenrollen erhalten. Seine Tochter Wanda dagegen meinte, Rad fahren wäre gut für seine Linie. Beim Wort »Linie« vermaßen ihre Blicke die Wölbung seiner Körpermitte auf eine ziemlich respektlose Weise. Wanda war es auch, die kürzlich eine Tabelle an die Badezimmertür geheftet und darauf sein Idealgewicht mit Leuchtstift markiert hat. Von dieser giftgelben Zahl angespornt, hat Völxen dem Unternehmen »Radtour zum Osterfeuer« zugestimmt. Dennoch würde er jetzt viel lieber auf dem Sofa liegen und verfolgen, wie sich Hannover 96 beim HSV schlägt. Was ist schon ein Feuer, auch wenn es ein großes ist? Er war noch nie pyromanisch veranlagt.

Die anderen offenbar schon: Das ganze Dorf ist auf den Beinen und bewegt sich bergwärts. Ziel der Prozession ist eine fette Rauchwolke, die schwarz in den Abendhimmel steigt.

Völxen hustet. Die Luft riecht süßlich-klebrig nach Raps und Brandbeschleuniger. An Letzterem haben die Jungs von der Freiwilligen Feuerwehr wieder einmal nicht gespart, was sie natürlich nie zugeben würden, schon gar nicht vor ihm.

Meter für Meter quält Völxen sich die Straße hinauf, immerhin ist eine Differenz von fünfundsechzig Höhenmetern zu bewältigen. Rechts und links von ihm blühen Tulpen, Narzissen und Forsythien in den Gärten, von Zwergen bewacht, doch dafür hat Völxen keinen Blick übrig. Er beißt die Zähne zusammen, löst sein Gesäß vom Sattel und zieht vorbei an einer alten Dame in Begleitung eines ebenso betagten Dackels und an einem jungen Mann, der einen Kinderwagen die Straße hinaufschiebt. Der Mann muss aus dem kürzlich erschlossenen Neubaugebiet kommen, ein Vertreter dieser neuen Vätergeneration, die sich für alles hergibt, urteilt Völxen, während er sich mit hochrotem Kopf vorankämpft. Kein Wunder, dass seine Kondition heute nicht mehr die allerbeste ist, denn über die Feiertage hat er schwer geschuftet: Er hat die Gelegenheit des Osterfeuers genutzt und rund um sein Anwesen die Hecken und Büsche gestutzt und die Apfelbäume auf der Schafweide beschnitten. Das Schnittgut liegt nun auf dem großen Haufen oben auf dem Hügel. Heute musste der Zaun der Weide ausgebessert werden, danach hat er den vier Schafen und dem Bock die Klauen gesäubert und geschnitten. Eine Schramme an seiner Stirn zeigt, was Amadeus von Fußpflege hält.

Nur noch ein kurzes Stück, los, das schaffst du! Nicht aufgeben, sonst sind Blut, Schweiß und Tränen vergeblich geflossen! Völxen übt sich in stummen Durchhalteparolen, während er den himmelblau bemalten Klowagen am Straßenrand hinter sich lässt. Aus dem Verleih des zur Bedürfnisanstalt umgebauten Bauwagens bezieht der örtliche Gesangverein seine Einkünfte. Das ist lohnender, als wenn sie Gagen für ihre Auftritte verlangen würden. Unzählige Male hat man Völxen in den vergangenen zwanzig Jahren aufgefordert, sich den Sängerknaben anzuschließen, aber Völxen kann und will nicht singen, und er mag keine Vereine.

Schweißgebadet, aber stolz auf seine Leistung erreicht er die Partyzelte am Ende der Straße. Auch ein Löschwagen der Freiwilligen Feuerwehr steht bereit, falls der Brand außer Kontrolle geraten sollte. Aber auch jetzt gibt es hier schon einiges zu löschen. Ein Bierchen geht immer, kleine Schnapsfläschchen werden hinterhergekippt, auf dem Grill bräunen rote und weiße Bratwürste und Schweineschnitzel, angepriesen als Schinkengriller.

Völxen steigt vom Rad. Wie gut es doch tut, wieder eine aufrechte Körperhaltung anzunehmen. Er schließt sein Gefährt an Sabines Hausfrauenrad an, denn man kann nicht vorsichtig genug sein. Sein neues Fortbewegungsmittel hat fast ein halbes Monatsgehalt gekostet.

Die Feuerstelle liegt vom kulinarischen Zentrum ungefähr zweihundert Meter weit weg, was den Vorteil hat, dass man beim Essen und Trinken nicht von Rauch und Funkenflug belästigt wird. Aber im Allgemeinen halten sich die erwachsenen Besucher des Osterfeuers ohnehin nur kurz in der Nähe der Flammen auf, dafür umso länger an den Biertischen. Dorthin zieht es nun auch Völxen. Das Feuer wird er sich ansehen, wenn es dunkel ist und der Haufen richtig brennt, im Augenblick holt man sich dort oben nur eine Rauchvergiftung.

Heute wird die Vereinskasse der Landjugend, die das Feuer organisiert, sicherlich gut aufgefüllt werden, denn bei diesem Anlass wird erfahrungsgemäß reichlich getrunken. Auch das Wetter spielt mit. Der Apriltag war warm und sonnig, noch immer weht ein lauer Wind, der einen Hauch von Schweinemist heranträgt. Der Abendhimmel ist klar, nur über dem Deister hängen ein paar dünne Schleierwolken, rot eingefärbt von der untergehenden Sonne.

Völxen zieht ein großes Stofftaschentuch aus seiner Hosentasche und wischt sich damit den Schweiß von Stirn und Nacken. Was sind das für komische Stiche in der Lunge? Er beschließt, die Zeichen der Überanstrengung einfach zu ignorieren, was ihm nicht schwerfällt, denn nun steigt ihm der Duft von Gegrilltem in die Nase. Er sieht sich um. Seine Frau Sabine unterhält sich mit der Frau des Bürgermeisters und dem Pfarrer, Tochter Wanda flirtet mit einem Mitglied der Feuerwehr – die Damen seines Hauses sind also beschäftigt. Eine gute Gelegenheit, eine Wurst zu essen und zu testen, wie das Bier hier oben, einhundertsiebenundvierzig Meter über Normalnull, so schmeckt. Die Würste allerdings haben ihre Garzeit schon seit einer Weile überschritten und sehen Vanillestangen ähnlicher als Würstchen, also bestellt Völxen lieber einen Schinkengriller. Der jugendliche Grillmeister, der über seiner Tätigkeit fast einzuschlafen droht, reicht ihm ein großes, fettglänzendes Stück Schweinefleisch, eingebettet in zwei Brötchenhälften.

»Senf und Ketchup.« Der Junge deutet auf zwei verschmierte Plastikflaschen auf dem improvisierten Tresen und gähnt dabei unverhohlen.

»Völxen, setz dich zu uns!« Auch Jens Köpcke und seine Frau Hanne sind inzwischen an ihrem Ziel angekommen und haben sich zu drei lodengrün gekleideten Herren und zwei Damen an den Tisch gesetzt. Völxen ist nicht scharf auf die Gesellschaft der Waidmänner, aber die Einladung auszuschlagen wäre ein Affront. Also lässt er sich mit einem Gruß neben Hanne Köpcke auf der Bierbank nieder. Deren Ehemann stellt eine Flasche *Gilde* vor Völxen hin. Ein großer Schluck entschädigt den Kommissar für die zurückliegenden Strapazen, händereibend nimmt er seine Mahlzeit ins Visier. Natürlich ist ihm klar, dass Schweinefleisch eine Todsünde ist, aber diesen Happen hat er sich jetzt redlich verdient. Bei der Bergfahrt haben seine Muskeln garantiert eine Menge Kalorien verbrannt, und für ein paar Minuten wird man eine Diät ja wohl auch mal unterbrechen dürfen.

»Guten Abend zusammen. Rück doch mal, Bodo.« Schon pflanzt sich Sabine neben ihn auf die Bank, und Völxen, der keine Lust auf einen ihrer Vorträge hat, schiebt den Schinkengriller dezent zu Jens Köpcke hinüber. Geistesgegenwärtig erkennt der Nachbar die Brisanz der Situation, zwinkert Völxen komplizenhaft zu, und gleich darauf muss dieser zusehen, wie sein Gegenüber herzhaft in das saftige Fleisch beißt, während es ihm selbst geht wie dem pawlowschen Hund. Für einen sehnsüchtigen Moment denkt der Kommissar an seine Mitarbeiterin Oda Kristensen. Sie hat ihn und Sabine eingeladen, die Ostertage in Frankreich zu verbringen. Im Dorf ihres Vaters gäbe es günstige Ferienwohnungen und zwei exzellente, preiswerte Restaurants, hat sie ihn gelockt und hinzugefügt: »Du musst auch keinen Lammbraten essen, versprochen.« Er hat abgelehnt mit dem Hinweis auf liegen gebliebene Arbeit in Haus und Garten, was ja auch stimmt. Das ehemalige Bauernhaus, das er vor zwanzig Jahren in einem Anflug von Romantik gekauft hat, befindet sich seither im Zustand der Renovierung. Sicher, es ist einiges entstanden: der Kaminofen, der Wintergarten, und doch ist noch so viel zu tun. Und auch die Schafe halten ihn ziemlich auf Trab. Trotzdem – wie schön wäre es, jetzt in einem Restaurant zu sitzen, in Erwartung eines opulenten Menüs.

»Wer sind die Leute?«, fragt er Sabine leise, denn Köpcke hat es versäumt, ihn vorzustellen. Wahrscheinlich nimmt sein Nachbar an, dass Völxen ebenso wie er jeden im Dorf kennt, was jedoch nicht der Fall ist. Ab und zu bekommt er unfreiwillig Klatsch geboten, mit dem ihn Köpcke über den Zaun hinweg versorgt, aber meistens hört er dabei gar nicht richtig hin. Sabine Völxen, seit jeher besser ins Dorfleben integriert, klärt ihren Mann mit flüsternder Stimme auf: »Die zwei Herren am Tischende sind Gutensohn und Lammers, die haben die Jagd hier in der Gegend gepachtet. Lammers ist der Dürre mit dem Pferdegebiss, der massige Mittfünfziger mit den Hängebacken ist Gutensohn. Die Frau mit der Herta-Müller-Frisur gehört zu Lammers und die Blonde da drüben zu Kolbe, den kennst du ja.«

Wolfgang Kolbe, der eine Schreinerei im Dorf hat, ist Völxen allerdings bekannt. »Den kann ich gleich fragen, wo die Bretter für den neuen Zaun so lange bleiben.« Schweigsam, hungrig und etwas gelangweilt lauscht Völxen dem Tischgespräch.

»Hoffentlich gibt es dieses Jahr nicht gar so viele Wildschweine«, seufzt Lammers und streicht sich bekümmert über seinen sorgfältig gestutzten grauen Vollbart.

»Die Hoffnung kannst du begraben«, antwortet Karl-Heinz Gutensohn, der Völxen schräg gegenübersitzt. »Ich habe die Tage eine Bache mit neun Frischlingen beobachtet. Neun Stück!«

»Dann müsst ihr Jäger halt was dagegen tun«, fordert Jens Köpcke forsch.

»Genau. Es ist nicht lustig, wenn sie einem den Gemüsegarten umwühlen«, stößt seine Frau ins gleiche Horn und nickt dazu so heftig, dass ihr Doppelkinn bebt und ihre Glubschaugen jeden Moment aus den Höhlen zu springen drohen. Wenn es um ihre Plantage geht, versteht Hanne Köpcke überhaupt keinen Spaß.

»Das ist leichter gesagt als getan«, beteuert Schreiner Kolbe, ein großer, breitschultriger Typ mit Bauchansatz.

»Wir kommen dieses Jahr einfach nicht nach«, jammert Gutensohn. »Wir haben im Winter schon einige Nächte auf dem Hochsitz verbracht, mein Junge und ich. Aber die Biester sind scheu und verdammt schlau. Gleich morgen werde ich wieder ansitzen«, verkündet er. »Vielleicht gibt's doch noch 'nen fetten Osterbraten.«

»Falls es heute nicht zu viele Bierchen werden«, grinst Köpcke.

»Apropos Bier«, meint Gutensohn und leert die zweite Hälfte seiner Bierflasche, ehe er in Richtung der Zelte ruft: »He, Torsten! Bring uns noch eine Lage!«

Ein großer, kräftig gebauter Junge schlurft wenig später heran und stellt neun Flaschen *Gilde* auf den Tisch. Gutensohn reicht seinem Sohn einen Zwanziger. »Behalt den Rest. Ist ja für eure Kasse.« Der Junge nickt und bewegt sich in Zeitlupe zurück zum Zelt.

»Die sind total übernächtigt«, stellt Frau Lammers fest. Die gut erhaltene Brünette mit der markanten Frisur ist bisher ebenso schweigsam gewesen wie das farblose Wesen neben Schreiner Kolbe.

»Die Jungs haben heute Nacht durchgemacht und das Feuer bewacht«, erklärt Wigbert Lammers und bleckt sein

Pferdegebiss zu einem Lächeln, wobei er den Kopf in Richtung Grill wendet. »Unser Ole schläft beim Würstchenumdrehen auch fast ein.«

Das kann Völxen bestätigen, aber er hält den Mund, um sich nicht bei Sabine zu verraten.

»Die ganze Nacht habe ich schlecht geschlafen und Albträume gehabt, bis der Bengel heute Morgen endlich wohlbehalten zu Hause war«, bekennt Frau Lammers und seufzt so tief, dass die Härchen ihres Fuchskragens in Bewegung geraten. Bestimmt ist dieser Kragen einst quicklebendig um den Süllberg herumgestreift, vermutet Völxen, der dem Waidwerk noch nie viel abgewinnen konnte.

Jeder am Tisch weiß, worauf die Gattin des Jägers anspielt. Es herrscht ein übler Brauch, dem Nachbardorf den Brenngutstapel bereits in der Nacht vor dem Osterfeuer anzustecken. Vor einigen Jahren sind dadurch in einem Dorf bei Northeim fünf Jugendliche verbrannt, die sich zum Schlafen zwischen das gestapelte Schnittgut gelegt hatten.

»Ich dachte immer, die vielen Maisfelder sind schuld daran, dass es so viele Sauen gibt«, lenkt Sabine Völxen von dem traurigen Thema ab.

»Richtig. Mais für Biosprit, der schiere Irrsinn!«, pflichtet ihr Köpcke bei, der damit bei seinem Lieblingsthema angekommen ist: dem Wahnsinn des weltweiten Agrarwesens im Allgemeinen und den Zumutungen der Agrarpolitik der EU im Besonderen.

»Der Mais ist schuld und der Klimawandel, vor allem die milden Winter!«, ergänzt Lammers.

Nachdem man sich lang und breit über die Verfehlungen der EU-Politik verbreitet und auch Völxen eine Lage Bier spendiert hat, meint Sabine: »Wollen wir mal Wanda suchen und zusammen zum Feuer gehen?«

Völxen ist dankbar für diesen Vorschlag. Als er aufsteht, merkt er die drei Bier. »Ich muss was essen!«

»Tu das«, rät ihm Sabine. »Ich koche heute sowieso nicht mehr. Warum hast du denn Köpcke deinen Schinkengriller gegeben?«

Völxen kauft sich eine rote Bratwurst mit viel Senf, die er hastig verschlingt. Wanda kreuzt ihren Weg, und zu dritt gehen sie den Feldweg entlang und nähern sich dem prasselnden Feuer. Auch in diesem Jahr ist wieder ein gewaltiger Haufen Brandgut zusammengekommen, und das Feuer braucht die Konkurrenz der Nachbardörfer nicht zu fürchten. Schön, dass wir mal wieder was zusammen unternehmen, denkt Völxen. Sind selten geworden, diese Anlässe.

Während sich Sabine und Wanda den Flammen nähern, bleibt Völxen am Wegrand stehen und wendet sich nach Norden. Von hier oben hat man einen weiten Blick über die Landeshauptstadt und darüber hinaus. Sein Jagdrevier. Die andere Welt, in die er eintaucht, sobald er dieses Dorf verlässt und den Dienst antritt. Die Stadt funkelt wie ein Teppich aus Tausenden von Lichtern, darüber wölbt sich ein orangefarben leuchtender Himmel. Die dunklen Stellen am Boden sind die Eilenriede, das große Waldgebiet, das Hannover durchzieht, und der Maschsee.

Völxen war ein Stadtkind, aber die Ferien verbrachte er immer bei seinem Großvater auf dem Land. Großvater Friedhelm hatte einen Hof in Isernhagen, züchtete Hannoveraner und baute Obst an. Fragt man Völxen nach dem Beruf seines Vaters, wird er jedoch schweigsam. Von Jugend an war ihm dessen Beruf peinlich, und das ist sogar noch heute so, obwohl sein Vater schon seit fünf Jahren tot ist. Denn es ist Bodo Völxen so oft passiert, dass, kaum dass er das Wort Friseur ausspricht, automatisch – ausgesprochen oder nicht – *die* Frage im Raum steht. *Nein, er war nicht schwul!* Otto Völxen wurde vermutlich nur deshalb Friseur, um sich von seinem dominanten, kernigen Vater abzugrenzen. Friedhelm Völxen war ein kräftiger Hüne, der selbstverständlich einen »richtigen Kerl« aus seinem zarten Ältesten machen wollte – und natürlich einen Bauern. Nein, Otto Völxen war nicht schwul, er war vielmehr ein ziemlicher Hallodri, der Völxens Mutter verließ und zu einer anderen Frau zog, als sein Sohn Bodo fünfzehn war. Ein weiterer Grund, weshalb Völxen nicht gerne über seinen Vater spricht. Ihr Verhältnis war seither getrübt, und was Charakter und Statur betrifft, kommt Völxen ohnehin ganz nach seinem Großvater Friedhelm.

»Jetzt wird mir klar, warum du Polizist geworden bist!«, hat Oda Kristensen seinerzeit ausgerufen, als sie davon erfahren hat. »Abgrenzung, der Klassiker. Ein Machoberuf musste her.«

»Stimmt. Ursprünglich wollte ich Boxer werden.«

»Warum nicht Bauer?«

»Den Hof erbte mein Onkel, der hat ihn im Plümecke versoffen. Und zum Boxer hat es leider nicht gereicht.«

Heute erkennt Völxen sehr wohl die feine Ironie des Schicksals: Als sich Wanda vor gut einem Jahr in einen Bauernsohn verliebte und verkündete, sie wolle Biobäuerin werden, war er derjenige, der sich am meisten darüber aufgeregt hat. Die Beziehung der beiden ging kurz nach Weihnachten in die Brüche, über die Gründe hat sich seine Tochter ausgeschwiegen. Sie hat lediglich verlauten lassen, dass sie nun nicht mehr Landwirtschaft studieren möchte, sondern »was mit Medien«. Zurzeit macht sie ein Praktikum bei *Leine-TV*, einem privaten Fernsehsender, was Völxen wiederum für Zeitverschwendung hält. Allerdings ist er nicht nach seiner Meinung gefragt worden.

Er versucht, im Nachtglühen der Stadt seine Arbeitsstelle auszumachen, die Polizeidirektion Hannover. Schräg links vom Maschsee müsste sie liegen … Als ihm bewusst wird, was er da tut, schimpft er sich einen Idioten, wendet sich ab und nähert sich dem Feuer. Der riesige Haufen ist schon ein gutes Stück heruntergebrannt, in der Mitte hat sich grellgelbe Glut gebildet, oben züngeln die Flammen gierig nach Nahrung. Scheite, die aus dem Haufen stürzen, sprühen Funken. Kinder toben johlend herum und stochern mit qualmenden Stöcken in der Glut, um rasch zurückzuspringen, wenn sie es vor Hitze nicht mehr aushalten. Ihre Köpfe sind knallrot. Mütter und Väter in *Jack Wolfskin*-Parkas und mit Bierflaschen in den Händen unterhalten sich mit ihresgleichen, während sie ihren zündelnden Nachwuchs im Auge behalten.

»Jonas, nicht so nah ans Feuer«, warnt eine Frau mit einer Stimme wie eine Kreissäge, und das nicht zum ersten Mal, dazu bellt ein Hund unaufhörlich. Liebespärchen küssen sich im Schein der Flammen, Jugendliche stehen grüppchenweise beisammen, Bierflaschen klirren aneinander, einer rülpst. Gelächter. Wanda hat Freunde getroffen, man macht Fotos von sich und dem Feuer. Übermorgen wird in den Zeitungen der exzessive Alkoholgenuss der Jugendlichen bei den diversen Osterfeuern beklagt werden, so wie jedes Jahr. Als ob sie dazu das Osterfeuer bräuchten, denkt Völxen und: Wen wundert's, die Alten saufen ihnen ja seit Jahren etwas vor.

»Jonas, geh nicht so nah ans Feuer. Ich sag's nur einmal!«

Völxen wünscht, es wäre so. Er stellt sich neben seine Frau Sabine, die sich ganz der archaischen Faszination der Flammen überlässt. Ihre Wangen sind rot, auch Völxen spürt die Hitze im Gesicht. Er legt den Arm um sie, sie lächeln sich an. Ein kleiner, schwereloser Glücksmoment.

Das Feuer ist inzwischen arg in die Breite gegangen. Ein Trecker wird angeworfen. Der junge Mann hinter dem Steuer scheint noch nüchtern zu sein. Geschickt hantiert er mit der großen Schaufel, um das glühende Brandgut wieder zusammenzuschüren. Es qualmt. Die, die in Windrichtung stehen, fliehen rasch auf die andere Seite.

»Jonas, nicht so nah ans Feuer, sonst gehen wir sofort nach Hause!«

Die Umstehenden husten, während sie den Vorgang interessiert beobachten und Ratschläge erteilen, die der Fahrer ohnehin nicht hören kann.

Völxen fragt sich besorgt, ob die Glut nicht die Reifen des Treckers beschädigt. Aber der Fahrer macht das offensichtlich nicht zum ersten Mal, der wird schon wissen, was er tut. Funken stieben, als er eine größere Ladung glühender Holzstücke auf die Schaufel lädt.

Plötzlich geht ein Schrei durch die Menge, dann noch einer. Instinktiv weichen die Menschen ein paar Schritte zurück, Hände pressen sich auf aufgerissene Münder und verdecken Kinderaugen, Männer fuchteln wild mit den Armen, um dem Fahrer zu bedeuten, dass er die Schaufel nicht über dem Feuer auskippen soll. Endlich scheint der Mann zu verstehen, dass etwas nicht stimmt, er legt den Rückwärtsgang ein. Langsam senkt sich die Schaufel herab, bis sie den Boden berührt. Für einen kurzen Moment hört man nur das Knacken und Knistern des Feuers und den Treckermotor im Leerlauf. Sogar der Köter hat aufgehört zu bellen. Dann kreischt eine Mädchenstimme: »Iiiihhh! Eine Leiche!«

Sie hat recht. Inmitten des glühenden Geästs liegt die verbrannte Leiche eines Menschen. Bodo Völxen stockt der Atem, er verspürt den Impuls, sich abzuwenden, die Augen zu schließen, aber er zwingt sich, hinzusehen.

Der Körper ist verkrümmt. *Fechterstellung* würde Dr. Bächle sagen, *tritt bei Brandopfern durch Zusammenziehen der Sehnen und Schrumpfung der Muskulatur ein.* Nur ein Arm hat sich dieser Regel offenbar widersetzt, er ragt über den Rand der Schaufel hinaus, die Finger sind zur Faust geballt und die zittert gespenstisch im Takt des Motors, als wollte sie den Umstehenden drohen. Die Haut ist schwarz und an einigen Stellen aufgeplatzt. Völxen muss unwillkürlich an die eben verzehrte Wurst denken, die genauso aussah, er kann sich nicht gegen diesen schändlichen Gedanken wehren, obwohl er es versucht, schon aus Selbstschutz. Mit hechelnden Atemstößen kämpft er gegen die aufsteigende Übelkeit an. Er weiß, dass er jetzt etwas tun muss, dass in diesen Augenblicken seine Geistesgegenwart und Umsicht gefragt sind, jetzt oder nie. Schließlich ist er der leitende Hauptkommissar im Dezernat 1.1.K, der Abteilung für *Todesermittlungen und Delikte am Menschen*, das weiß jeder im Dorf, und man erwartet nun mit Recht von ihm, dass er die Situation irgendwie regelt, organisiert, dass er das Kommando übernimmt. Stattdessen steht er da wie ein Schauspieler, der seinen Text vergessen hat. Er kann nicht mehr hinsehen, es geht einfach nicht. Dieser verkohlte menschliche Leib da auf der Schaufel ist nicht die erste verbrannte Leiche, mit der er konfrontiert wird, aber es ist auch nicht der grässliche Anblick, der ihn lähmt und ihm den Magen umdreht, sondern das Gefühl, dass soeben eine Grenze überschritten wurde.

Tod und Gewalt sind Dinge, denen er sonst nur im Dienst begegnet, wohlvorbereitet durch einen Anruf der Leitstelle und die Fahrt zu einem Leichenfundort, wo meistens schon die Spurensicherung auf ihn wartet. Jetzt hat ihn das Grauen völlig überraschend und mit seiner ganzen elementaren Wucht dort getroffen, wo er es am wenigsten erwartet hat: in seinem Refugium, an dem Ort, an dem er sich normalerweise davon erholt. Seine zwei Welten haben sich überschnitten. Schweiß bricht ihm aus allen Poren, er ringt nach Luft. Hektisch reißt er am Kragen seiner Jacke und redet sich ein, dass es an der Hitze des Feuers liegt, dass seine Atemnot mit dem Sauerstoff zu tun hat, den die Flammen verzehren. Dann, ganz langsam, beginnt sein Polizistenhirn wieder zu arbeiten. Die Tragödie mit den verbrannten Jugendlichen, auf die seine Tischgenossin vorhin anspielte, fällt ihm ein. Nein, unmöglich. Dieser Junge müsste ja nicht nur die vorangegangene Nacht, sondern auch den ganzen Tag in dem unbequemen Haufen verbracht haben. So betrunken kann man ja gar nicht sein, oder?

Den Schrecksekunden folgt ein großes Durcheinander. Entsetzte weichen schockiert zurück und prallen auf die ersten Neugierigen, die sich nach vorn drängeln. Schlichtere Gemüter bleiben einfach gaffend stehen, Teenager kreischen, Eltern brüllen hysterisch nach ihren Kindern und zerren sie weg, als würde von dem Leichnam eine unmittelbare Gefahr ausgehen.

Auch Völxen gerät nun endlich in Bewegung. Reflexartig fasst er Sabine bei den Schultern und dreht sie herum. Viel zu spät natürlich. Solche Bilder, das weiß er aus Erfahrung, fräsen sich binnen Sekundenbruchteilen unauslöschlich ins Gehirn. Wanda! Wo ist Wanda? Er kann sie nirgends sehen. Mechanisch zieht er das Handy aus der Brusttasche seiner Jacke und informiert die Leitstelle in kurzen Worten über den Vorfall.

»Mensch, Kalle, mach doch mal den Motor aus!«, ruft jemand. Der verwirrte Fahrer stellt endlich den Trecker ab, springt herab und weicht stolpernd zurück, als er sieht, was er da aus der Glut aufgegabelt hat.

Die ersten Fotoblitze zucken auf. Ein rasch anschwellender Zorn vertreibt nun die letzten Reste von Völxens Lethargie. Denn im selben Moment, in dem er diese widerliche Smartphone-Bande, diese schamlosen, schäbigen Voyeure, denen nichts, aber auch gar nichts mehr heilig ist, verflucht, sieht er seine Tochter Wanda, die ebenfalls ihr Fotohandy auf die Leiche gerichtet hat.

Bodo Völxen hat seine Tochter nie geschlagen, und wenn es ihm doch einmal nötig erschien, hat er den Konflikt an Sabine delegiert. Aber in diesem Moment verspürt er einen sehr starken Drang, das Versäumte nachzuholen. Mit den Worten »Hast du denn überhaupt keinen Anstand mehr?« packt er ihren erhobenen Arm und reißt ihr den Apparat aus der Hand. Wanda will protestieren, aber als sie die unbändige Wut im Gesicht ihres Vaters sieht, hält sie lieber den Mund.

Völxen hat alle Schwäche endgültig überwunden. Er holt tief Luft und brüllt: »Hier spricht Hauptkommissar Völxen von der Polizeidirektion Hannover. Alle Anwesenden verlassen jetzt bitte sofort die Feuerstelle und machen den Weg für die Einsatzfahrzeuge frei!«

Die Mehrzahl der Leute scheint nur darauf gewartet zu haben, dass ihnen jemand sagt, was sie tun sollen. Man weicht zurück. Ein paar hartnäckig Fotografierende brauchen jedoch eine deutlichere Aufforderung: »Verschwindet, ihr Idioten, ehe ich mich vergesse!« Und einen jungen Mann muss Völxen tatsächlich am Kragen packen und ihn unter Androhung wüster Gewalt eigenhändig wegzerren. Als das geschehen ist, wendet er sich um zu Frau und Tochter und raunzt beide an: »Los, steht hier nicht rum. Stellt euch an den Weg und notiert Namen und Adressen der Leute. Das sind alles Zeugen.«

Feiertage sollten abgeschafft werden! Jule Wedekin geht zum Kühlschrank und gießt sich ein Glas *Pinot Grigio* ein. Kein Alkohol vor Sonnenuntergang, diese Regel hat sie sich selbst gesetzt. Aber nun ist es fast dunkel, und ein Glas ist drin, auch wenn sie Dienst hat. Früher hat sie Sonntage und Feiertage herbeigesehnt und genossen, doch seit einigen Monaten sind sie für Jule die schiere Qual. Ostersonntag. Das heißt, morgen droht noch so ein leerer Tag. Ein Tag, an dem Tristesse und Einsamkeit aus den Zimmerecken kriechen, ein endloser Tag, an dem sie zwar deutlich erkennt, dass in ihrem Leben gerade etwas falsch läuft, es aber dennoch nicht fertigbringt, den Kurs zu korrigieren. Sie hätte doch mit ihrer Mutter nach Mallorca fahren sollen, auch wenn diese ihr nach einem halben Tag gründlich auf die Nerven gegangen wäre.

Mit dem Glas in der Hand steht sie auf dem Balkon. Der Abend ist warm. Man könnte hier sitzen, auf den blau lackierten Stühlen, eine Flasche Wein, zwei Gläser, leise Gespräche beim Flackern eines Windlichtes ... Sie blinzelt die Bilder weg. Durch einen Tränenschleier schaut sie hinunter auf die Straße, die von prächtigen Altbauten gesäumt wird. Es ist nicht viel los in der List. An einem solchen Tag sitzen die Familien zusammen und essen Lammbraten. Sie muss an ihren Chef denken, Bodo Völxen, der Schafe als Kuscheltiere hält und sich bei jeder Gelegenheit über »diese verdammte Lämmerfresserei« aufregt.

Selber schuld, ich müsste heute nicht alleine sein, sagt sich Jule. Sie hat die Einladung ihres Vaters zum gemeinsamen Abendessen mit seiner neuen Lebensgefährtin ausgeschlagen. Regelmäßig redet sie sich ein, diese Person nicht leiden zu können. Aber wenn sie ganz ehrlich ist, muss sie zugeben, dass sie dieser Frau unrecht tut. Unter anderen Voraussetzungen würde sich Jule vielleicht sogar ganz gut mit ihr verstehen – sie ist ja nur wenige Jahre älter als sie selbst. Tief in ihrem Inneren weiß Jule, dass bei der Ablehnung dieser Frau nicht nur Solidarität mit ihrer Mutter eine Rolle spielt, sondern auch eine Portion Neid mitschwingt. Was hat sie, das ich nicht habe? Warum verlassen andere Männer, sogar ihr eigener Vater, ihre Frauen, nur *er* nicht? Ob *er* wohl gerade am Tisch sitzt und die Lammkeule anschneidet? Sie verbietet sich den Gedanken an das Familienleben ihres – ja, was eigentlich? Freund? Nein, dafür sieht man sich zu selten und stets heimlich. Liebhaber? Geliebter? Verhältnis? Egal wie man es nennt, es ist ein unbefriedigender Zustand, dessen Beendigung sie sich von Tag zu Tag, von

Woche zu Woche vornimmt. Aber immer wieder schiebt sie die Entscheidung auf oder macht sie so rasch rückgängig, dass ihr Geliebter gar nichts davon merkt. Schon wieder ertappt sie sich dabei, wie sie nach ihrem neuen Mobiltelefon schielt und den Apparat in Gedanken beschwört, doch endlich einen Laut von sich zu geben. Er könnte ja wenigstens eine SMS schicken, ihr zeigen, dass er an sie denkt. Falls er das überhaupt tut.

Okay, Alexa Julia Wedekin, du schwörst jetzt und hier einen heiligen Eid: Wenn er sich bis morgen Abend nicht bei dir gemeldet hat, dann machst du am Dienstag Schluss, und zwar endgültig. Und wenn du noch einen Funken Selbstachtung besitzt, dann hältst du dich dieses Mal daran.

Jule zuckt zusammen, als es klingelt. Es ist nicht ihr Telefon, sondern die Türklingel. Der Wein schwappt aus dem Glas über ihre Hand. Jule stellt es ab und durchquert mit raschen Schritten ihre Wohnung.

Er hat sich loseisen können für ein paar Stunden, er hat sich mit seiner Frau gestritten, er hat sie verlassen, steht mit einem großen Koffer und einem verlegenen Lächeln vor der Tür. Feiertage wirken ja oft wie ein Katalysator auf angeknackste Beziehungen, auch wenn Weihnachten dafür eher prädestiniert ist …

»Na, schöne Frau, bist du fertig?«

Thomas, der in schwarzen Jeans und einem weißen Hemd vor ihr steht, schaut sie prüfend an, um dann festzustellen: »Du hast es vergessen.«

Jule dämmert es. Da war so eine vage Verabredung, neulich, als sie Thomas und Fred im Hausflur getroffen hat. »Verdammt, die Party im Ernst August. Stimmt, tut mir leid.«

Schon steht ihr Nachbar in ihrem Flur. »Macht nichts. Wir sind früh dran, ich genehmige mir ein Weinchen, bis du fertig bist.«

»Ist es schlimm, wenn ich nicht mitkomme? Ich bin gerade gar nicht in der Stimmung für so was, ich ...«

Thomas schließt die Tür hinter sich und schüttelt den Kopf. »Keine Ausreden. Du kommst mit. Oder willst du dir etwa das Oster-Fernsehprogramm reinziehen und dich dazu betrinken?«

»Was spricht dagegen?«

»Los jetzt, wasch dich, schmink dich und zieh dich sexy an, die Konkurrenz schläft nicht.«

Jule seufzt und verschwindet im Bad.

»Na also, geht doch«, bemerkt Thomas zwanzig Minuten später. Jule trägt ein weit ausgeschnittenes brombeerfarbenes T-Shirt, einen kurzen schwarzen Rock und schwarze Sandaletten mit für ihre Verhältnisse schwindelerregend hohen Absätzen. Leonard mag hohe Absätze. Sie packt ihr Handy ein.

»Dein Lover wird sowieso nicht anrufen, der macht in Familie.«

»Ich habe Bereitschaftsdienst.« Das kommt davon, wenn man sich mit diesen Kerlen bekifft und dann Dinge sagt, die man besser für sich behalten hätte. Aber das Gras, das es ein Stockwerk höher zu rauchen gibt, ist wirklich erstklassig, und Jule ist im Grunde froh, Thomas und Fred als Nachbarn zu haben.

»Noch immer dieser Bulle?«, erkundigt sich Thomas, als sie in der Stadtbahn sitzen.

Jule nickt. Ihr Blick wandert zum Fenster, aber sie sieht nur eine junge Frau mit dunklen, kinnlangen Haaren, honigfarbenen Katzenaugen und einem zu roten Lippenstift.

»Dann wird es erst recht Zeit, dass du unter Leute kommst. Wer weiß, vielleicht wartet an der Bar schon dein Ritter auf dem weißen Pferd auf dich.«

»Ich wusste gar nicht, dass Pferde ins Brauhaus dürfen«,

meint Jule und probiert ein Lächeln, das ihr aber kläglich entgleist.

»Scheiß auf den Ritter«, meint Thomas. »Ich finde, wir sollten endlich Sex haben.«

»Du meinst, aus therapeutischen Gründen?«

»Der Grund ist mir egal. Aber ich wette, danach schaust du den Kerl nie mehr an.«

Der Satz könnte auch von ihrem Kollegen Fernando Rodriguez stammen – vielleicht weniger unverblümt, denn hinter seiner Machofassade ist Fernando ein verklemmter Romantiker, der heimlich Bollywoodfilme guckt.

»Ich überleg es mir.«

»Das sagst du seit Monaten. Fred hat sich auch schon darüber beklagt.«

Nicht, dass Jule nicht auch schon daran gedacht hätte, in schwachen Momenten. Es gibt ja nichts, was dagegen spricht. Thomas ist nett und durchaus vorzeigbar, ebenso sein Mitbewohner Fred. Aber Leonard Uhde hat sich in ihr Innerstes gefressen wie ein Krebsgeschwür. Jule ist nicht naiv. Sie weiß, dass es nicht schmerzlos enden wird.

Sie verlassen die Bahn an der Station Marktkirche. Der Wind fegt über den Platz, er ist mild und seidenweich und führt einen verheißungsvollen Duft nach Frühling mit sich. Irgendetwas in Jule zieht sich zusammen, ihr Blick sucht Halt an der Fassade des gewaltigen Kirchenbaus. Sie weist Thomas auf die elegante Backsteingotik aus dem vierzehnten Jahrhundert hin, aber die Aufmerksamkeit ihres Begleiters gilt im Augenblick den Hinterteilen zweier Frauen in sehr kurzen Röcken, die vor ihnen den Kirchplatz überqueren. Die Absätze ihrer hohen Stiefel hacken auf das Pflaster ein, fast klingt es wie Pferdegetrappel. Seufzend über so viel Ignoranz stöckelt Jule neben Thomas her.

Das Brauhaus Ernst August liegt nur ein paar Meter um die Ecke, Jule kennt das Lokal hauptsächlich aus ihrer Zeit als Streifenpolizistin im Revier Mitte. Drinnen läuft ein alter Song von *Nena*. Jule bleibt wie angewurzelt vor dem Eingang stehen. »Das ist nicht dein Ernst, oder?«

»Das ist nur am Anfang so. Später wird die Musik besser, wirklich«, versichert Thomas.

»Ich meine *das* da!« Sie weist auf das Schild neben der Tür: *Single-Oster-Party – Open End*. »Vergiss es, ich geh da nicht rein!«

»Jetzt sei nicht so versnobt.«

»Ich bin nicht versnobt«, sagt Jule wütend. Oder doch? Erst kürzlich hat Fernando sie ein »verwöhntes Professorentöchterchen« genannt – sie hat vergessen, was der Anlass dafür war, sie weiß nur noch, dass sie mit »verzogenes Muttersöhnchen« gekontert hat und dass danach einen halben Tag Funkstille zwischen ihnen im Büro herrschte.

»Du bist doch Single, oder? Wo ist das Problem?«

Das Problem? Das Problem ist, dass der Besuch einer solchen Veranstaltung in Jules Augen einer Kapitulation gleichkommt.

»Geht doch mal weiter, andere wollen auch noch rein«, beschwert sich eine eunuchenhafte Männerstimme hinter ihnen. Jule macht dem Eiligen Platz und taxiert das Publikum. Viel solariumgebräunte nackte Haut, etliche Tattoos, breite Gürtel, billiger Schmuck, ein Muschelkettchen, das eine haarige Brust ziert. Die Stiefelmädchen sind auch schon da und unterhalten sich mit zwei Typen mit rasierten Köpfen und Balkenbrillen. Jule hat genug gesehen. Sie wird jetzt auf der Stelle nach Hause fahren und sich bei einer Flasche Wein *Stirb langsam* ansehen. »Eins ist gut: Seit es *Ed Hardy* gibt, erkennt man die Idioten wenigstens sofort«, meint sie zu Thomas und wendet sich zum Gehen.

Thomas legt ihr die Hand auf die Schulter. »Komm schon, du musst ja keinen von denen heiraten. Aber man kann hier wunderbar ablästern. Ein Bier wenigstens, dann können wir immer noch woanders hin.«

»Woanders hin« klingt gut in Jules Ohren. Eine Kleinigkeit essen wäre auch nicht schlecht. »Okay, *ein* Bier. Und bilde dir ja nicht ein, dass ich hier tanze.«

»Und was machst du so beruflich?« Sandras blaue Puppenaugen sind erwartungsvoll auf Fernando gerichtet.

»Ich bin bei der TUI.«

»Ah.«

Wie – ah? Ah, klasse, oder ah, verdammt? »Ich bin Leiter der Abteilung für Luxushotels.«

»Ah ja.« Sie streicht ihr Blondhaar zurück und piepst: »Musst du diese Hotels denn auch ab und zu selbst testen?«

»Ich muss nicht. Meistens gönne ich meinen Mitarbeitern den kleinen Kurztrip. Aber wenn ich möchte, könnte ich das natürlich. Mit einer so hübschen Begleitung wäre es allerdings noch schöner.« Fernando, der in lässiger Pose an der Bar lehnt, lächelt sie gönnerhaft an. Neben ihm kichert Antonio in seinen Bierkrug. Sandra hebt die zu dünn gezupften Augenbrauen und lächelt. Na also, geht doch! Antonio verdreht die Augen, Fernando tritt ihm heimlich gegen das Schienbein. Der soll ihm bloß nicht die Tour vermasseln!

Sandra. Nettes Stupsnäschen, gut gefüllte Bluse, bisschen zu dicker Hintern, aber noch einigermaßen in Form. Und endlich mal eine, die sogar mit ihren hohen Absätzen noch ein gutes Stück kleiner ist als Fernando.

»Wie heißt du noch mal?«, fragt sie.

»Fernando. Fernando Rodriguez.« Er versäumt nicht, sämtliche Rs seines Namens ausgiebig zu rollen. Frauen finden das sexy.

Prompt beißt Sandra an. »Du bist Spanier?«

»Meine Familie stammt aus Sevilla, der Stadt der Leiden-

schaft. Der Vater meiner Mutter war ein bekannter Stierkämpfer.«

»Stierkämpfer, ja klar!« Sie schnaubt herablassend, nicht
ahnend, dass Fernando gerade den ersten wahren Satz von
sich gegeben hat.

»Seine Mutter hat einen Laden für spanische Weine und
Lebensmittel in Linden«, mischt sich nun Antonio in die
Unterhaltung ein. »Der liegt genau gegenüber von meiner
Autowerkstatt.«

Wenn Antonio ihr erzählt, dass ich mit Mama in einer
Wohnung lebe, breche ich ihm jeden Knochen einzeln, beschließt Fernando und wirft seinem Kumpel einen warnen-
den Blick zu.

»Ich sammle Oldtimer«, protzt Antonio. »Wenn du
willst, kann ich sie dir mal zeigen.«

»Das sind keine Oldtimer, das sind Schrottkisten zum
Ausschlachten«, lästert Fernando. Kann sich Antonio
eigentlich kein eigenes Objekt zum Anbaggern suchen? Ist
doch grob unfair, ihn die ganze Vorarbeit machen zu lassen
und dann sozusagen auf das gesattelte Pferd aufzuspringen.
Fernando zieht die Notbremse: »Möchtest du tanzen, Sandra?«

Sie nickt, und Fernando lotst sie durch das Getümmel.
Hinter seinem Rücken zeigt er Antonio den gestreckten
Mittelfinger. Dieser verdammte Spaghetti soll gefälligst an
seinen Autos rumschrauben, nicht an Fernandos Erobe-
rungen.

Aber das darf doch nicht wahr sein! Eben war der Sound
noch ganz erträglich, jetzt hat der DJ *Marquess* aufgelegt.
Nur kann er jetzt keinen Rückzieher mehr machen. Schon
hüpft Sandra wie ein Flummi zu den pseudospanischen
Rhythmen auf der Tanzfläche herum, und Fernando bleibt
nichts anderes übrig, als hüftwackelnd den feurigen Süd-
länder zu geben. Die nächste Nummer ist von *Shakira* – auch

nicht viel besser. Wann macht der verdammte DJ endlich Schluss mit dieser Tussi-Pussi-Mucke und legt was Cooles auf? Aber es wird noch schlimmer. Als ein Stück von *Silbermond* läuft, ist die Schmerzgrenze definitiv überschritten, und Fernando schlägt vor: »Lass uns kurz an die frische Luft gehen.« Sandra ist einverstanden, beide schleusen sich in Richtung Ausgang. Im Vorbeigehen mustert Fernando zwei blutjunge Mädchen in hohen Stiefeln. Hübsche Beine, doch, ja.

Die beiden bemerken seinen Blick, und Fernando bekommt gerade noch mit, wie die eine naserümpfend zu ihrer Freundin sagt: »Jetzt kommen sie sogar schon zum Sterben hierher.«

Während er noch in Schockstarre verharrt, wird er von einem angetrunkenen Tänzer gegen den Rücken einer Frau geschubst, die an der Bar steht.

»Tschuldigung.« Die Frau fährt herum. »Jule?«

»Nein. Was du siehst, ist mein Avatar.« Ihr Tonfall klingt wenig begeistert, und sie sieht nicht so aus, als würde sie sich über die Begegnung freuen. Aber auch Fernando ist an einer Unterhaltung mit der Kollegin nicht gelegen, überhaupt nicht. »Ja dann – viel Spaß noch«, sagt er und dirigiert Sandra rasch in Richtung Ausgang.

Herrgott, ist das peinlich! Ausgerechnet Fernando muss Jule hier treffen, die größte Klatschbase der ganzen Polizeidirektion. Ihr reicht es jetzt. Nichts wie raus hier. Augenblick – bildet sie sich das ein, oder hat ihre Handtasche gerade vibriert. Leonard? Hektisch wühlt sie nach ihrem Telefon. Tatsächlich, das Ding klingelt, was man bei dem Krach hier drin kaum hört.

»Frau Wedekin?«

Das ist nicht Leonard. Es ist Hauptkommissar Völxen, der ihr etwas von einer verbrannten Leiche in einem Osterfeuer erzählt. Auch wenn Jule es vorgezogen hätte, ein Lebenszeichen von ihrem Geliebten zu hören, so ist sie doch nicht unglücklich über den Anruf. Nicht, dass sie wild auf eine verkohlte Leiche wäre, aber nun hat sie einen trefflichen Grund, diesen Ort zu verlassen. Sie wendet sich an Thomas, der noch immer die beiden Stiefelmädchen anbalzt.

»Zahl bitte meine Cola, ich muss los.«

»Jule, nun sei doch nicht sauer!«

»Ich habe einen Einsatz.« Sie drängelt Richtung Ausgang. Vielleicht wird sie dieser Fall über die tristen Ostertage hinweg beschäftigen, sodass sie nicht mehr pausenlos an *ihn* denken muss.

Draußen steht Fernando neben einer kleinen Blonden, die eine Zigarette raucht. Seine Hand ruht auf der Gesäßtasche ihrer Jeans, die sich wie eine Wursthaut um ihr dralles Hinterteil spannt.

»Los, Rodriguez, *vamos*, hol deine Jacke, wir müssen aufs Land.«

»Was? Wieso?« Hektisch wie Flipperkugeln gleiten seine Blicke zwischen Jule und seiner Begleitung hin und her. Letztere wirkt irritiert.

Jule unterdrückt ein Grinsen. »Völxen hat angerufen. Leichenfund in seinem Dorf.«

»Du bist ein Bulle?« Sandras runde Puppenaugen haben sich in zwei misstrauische Schlitze verwandelt.

»Und zwar der Böse. Der Gute bin ich«, grinst Jule.

»Äh, ich … bin gleich zurück, Sandra!« Fernando eilt ins Lokal.

»Was war er diesmal, NDR-Redakteur oder TUI-Manager?«, erkundigt sich Jule neugierig.

Sandra tritt wütend ihre Zigarette aus. »So ein Arschloch!« Sie stöckelt auf die Eingangstür zu, aus der Fernando gerade wieder herauskommt, mit seiner Lederjacke über dem Arm. »Ich kann das erklären. Weißt du, ich arbeite *undercover*, ich durfte dir gar nicht die Wahrheit ...«

»Verpiss dich!« Ohne ihn noch einmal anzusehen, verschwindet Sandra.

»Mist. Ich war *so* kurz davor«, beschwert sich Fernando und sieht Jule verärgert an.

»Ehrlich währt am längsten«, antwortet diese und ruft ein Taxi heran, das sie zur Dienststelle bringen soll.

»Das hat dir wohl Spaß gemacht, was?«, fragt Fernando, als sie im Wagen sitzen und auf der B 217 Richtung Deister fahren.

»Ich bitte dich«, sagt Jule, die das Steuer übernommen hat. »Woher sollte ich wissen, dass du dem Blondchen die Hucke vollgelogen hast? Warum tust du das eigentlich?«

»Sagst du den Kerlen immer gleich, dass du Polizistin bist?«

»Welchen Kerlen?«

»Na, Typen eben. Die du so kennenlernst.«

»Klar, warum denn nicht? Schließlich war das mal mein Traumberuf.«

»Ha! Und was ist mit deinen Nachbarn? Ich kann mich noch gut erinnern, dass du mich diesem Thomas mal als Kollegen vom – was war's noch gleich? – Landesrechnungshof vorgestellt hast.«

»Das war nur, weil die beiden zu der Zeit noch ihre Hanfplantage auf dem Balkon hatten. Ich wollte sie nicht erschrecken. Aber du lügst ja, um die Mädels ins Bett zu kriegen, das ist was anderes.«

»Ja, klar, bei mir ist das natürlich was ganz anderes als bei dir!«, ereifert sich Fernando.

»Ja, ist es.«

Fernando verteidigt sich: »Ich habe damit schon schlechte Erfahrungen gemacht. Entweder die Leute mögen prinzipiell keine Bullen, dann hat man eh schon verloren. Andere stellen mir tausend Fragen und wollen gruselige Geschichten hören, sobald ich erwähne, wofür ich zuständig bin. Oder die Mädels kommen auf dumme Ideen, von wegen Sex mit Handschellen und solchen Quatsch.«

»Was spricht denn dagegen?«, feixt Jule, die sich im Stillen über Fernando amüsiert. »Es gibt ja doch nur Ärger, wenn es später rauskommt.«

»Es kommt aber ganz oft gar nicht raus.«

»Okay, wenn man nur auf 'nen One-Night-Stand aus ist ...«

»Auf was sollte man denn sonst aus sein, wenn man ins Brauhaus geht?«, entgegnet Fernando.

Jule wirft einen grimmigen Blick zu ihm hinüber. »Wie? Du denkst, ich ...«

»Ich denke gar nichts.« Fernando grinst.

»Nein, es ist nicht so, wie du denkst! Thomas hat mich mitgeschleppt, ich hatte keine Ahnung, was da läuft.« Jule merkt selbst, wie kläglich das klingt.

»Ja, ja, schon gut.« Fernando winkt ab.

Die Knöchel an Jules Händen werden weiß, so fest umklammert sie das Lenkrad. Die Schnellstraße wird einspurig, sie passieren das Ortschild mit der Aufschrift *Holtensen*.

»Immerhin haben sie 'nen *McDonald's*«, stellt Fernando überrascht fest.

»Warst du mal bei Völxen zu Hause?«, fragt Jule, die sich wieder beruhigt hat und gern das Thema wechseln möchte.

»Nein, noch nie. Er erzählt nur immer vom Umbau seines Hofes und von der große Fete, die er machen will, wenn alles fertig ist. Also in ungefähr zwanzig Jahren.«

»Diese Schafe würde ich ja gern mal sehen«, bekennt Jule. »Die haben sogar Namen.«

Fernando schüttelt den Kopf. »Der Mann steckt voller Marotten, wie hält seine Frau das bloß aus?«

»So übel ist er nun auch wieder nicht«, verteidigt Jule ihren Chef.

»Ja, sicher gibt's viel, viel Schlimmere. Aber ich krieg regelmäßig Zustände, wenn er wieder Klopapierfetzen im Gesicht hängen hat, nur weil er sich mit diesem komischen Messer rasiert hat, das noch von seinem Großvater stammt.«

Jule lächelt. »Aber ich mag sein Auto.«

»Die alte DS – ja, die Karre ist große Klasse. Schade, dass er damit nicht mehr zur Dienststelle fahren kann. Verdammte Umweltplakette, wer denkt sich solchen Schwachsinn aus?«

Sie biegen von der Hauptstraße ab und passieren eine angeleuchtete Kirche.

»Hübsch hier«, urteilt Fernando. »Ach, weißt du übrigens schon, dass ich mir wahrscheinlich ein neues Motorrad kaufen werde? Ich muss nur noch den Banker weichklopfen.«

»Eine schwarze Moto Guzzi Bellagio mit 90° V2, Viertaktmotor, 940 ccm Hubraum, 75 PS und einem Sechsganggetriebe – ja, du hast es mal erwähnt«, antwortet Jule. Seit Wochen kennt Fernando kein anderes Gesprächsthema, er nervt die ganze Abteilung damit, und sein Schreibtisch ist bedeckt von Motorradprospekten.

»Hier rechts, den Berg hoch«, sagt Fernando gekränkt.

Jule fährt Schritt, denn auf der Straße kommen ihr zahlreiche Menschen entgegen. »Die reinste Völkerwanderung!«, wundert sie sich. Es handelt sich um Paare und Einzelpersonen, die kleine Kinder an der Hand führen. Die Erwachsenen wirken bedrückt, aber auch die Kinder trotten ungewöhnlich ruhig neben ihnen her. Vermutlich hat Völxen die Leute, die Kinder dabei haben, nach Hause geschickt, kombiniert Jule. Schlimm genug, wenn ein vermeintlich harmloses Sonntagsvergnügen mit dem Anblick einer Leiche endet. Ein Gedanke zuckt auf. Was, wenn *er* hier ist? Ein österlicher Ausflug mit Frau und Kind, hinaus aufs

Land, wo die Osterfeuer größer und prächtiger sind als in der Stadt. Das wäre doch denkbar. Sie ertappt sich dabei, wie sie die entgegenkommenden Leute abscannt und schimpft sich eine dumme Pute. Auf halber Höhe der Straße parken drei Streifenwagen. Jule stellt den Dienst-Audi dahinter ab.

»Der kommt gerade recht!« Fernando springt aus dem Auto und verschwindet rasch im Inneren eines himmelblau gestrichenen Bauwagens, über dessen Eingang *Toiletten* steht. Jule nutzt die Zeit, um Völxen anzurufen und ihm ihre Ankunft mitzuteilen.

»An den Bierständen vorbei, dann links den Feldweg entlang, und dann sehen Sie es schon.«

Sichtlich erleichtert kommt Fernando aus dem Bauwagen, und zusammen gehen sie das letzte Stück den Berg hinauf, wobei Jule ihr unpassendes Schuhwerk verflucht. Die noch verbliebenen Besucher des Osterfeuers haben sich grüppchenweise zusammengerottet, sämtliche Bierbänke und Stehtische sind besetzt, doch die Stimmung ist sehr gedämpft.

Fernando winkt zwei Frauen zu, die zielstrebig auf sie zukommen. Man begrüßt sich, Jule wird vorgestellt.

»Wanda kennen Sie ja noch, Herr Rodriguez?«, fragt Sabine Völxen.

Früher war Wanda oft dabei, wenn der Kommissar Wein im Laden von Fernandos Mutter gekauft hat; ein blondes Gör mit Zahnspange und Babyspeck um die Hüften. Doch inzwischen hat Völxens Tochter die gleiche schlanke Figur wie ihre Mutter und ebenso strahlend blaue Augen. Nur das kräftige Kinn stammt offensichtlich vom Vater – und wenn man diesem glauben darf, dann hat sie wohl auch seinen Dickkopf geerbt.

»Hallo, Wanda!« Ob er sie überhaupt noch duzen darf?

»Hi, Fernando.«

»Mein Mann hat mir schon viel von Ihnen erzählt, Frau

Wedekin«, verrät Sabine Völxen und fügt hinzu: »Aber nur Gutes.«

»Und was erzählt er von mir?«, will Fernando wissen.

»Sagen wir – das meiste davon ist gut.«

Jule unterdrückt ein Grinsen.

»Kommen Sie mit, ich bringe Sie zum Feuer. Wanda, du bleibst hier und kriegst raus, ob von der Landjugend einer fehlt.«

»Zu Befehl, Frau Feldwebel!«

»Wanda, reiß dich zusammen, das ist hier keine Reality-Show!«

»Ja, ja ...«

Schon eilt Sabine Völxen mit energischen Schritten den dunklen Feldweg entlang, gefolgt von Fernando und Jule, die in ihren hohen Schuhen ständig stolpert, sodass sie schließlich sogar Fernandos ritterlich dargebotenen Arm als Stütze akzeptieren muss.

»Stehen dir gut, diese High Heels. Ich mag es, wenn Frauen nicht vor mir fliehen können.«

Jule hat sich nach einem Jahr der Zusammenarbeit mit Fernando angewöhnt, auf seine Machosprüche mit postfeministischer Gelassenheit zu reagieren, jedenfalls meistens, deshalb ignoriert sie seine Worte und sagt: »Völxens Frau macht einen netten Eindruck.« Sie hat sich die Frau ihres Chefs, eine Dozentin für Klarinette an der Musikhochschule, ganz anders vorgestellt. Sie kann nicht genau sagen wie, aber jedenfalls anders. Sabine Völxens bodenständiger Charme und ihre resolute Art haben etwas Gewinnendes.

»Ja, die ist ganz in Ordnung«, stimmt ihr Fernando zu. »Allerdings kann ich mir gut vorstellen, wer bei Völxens zu Hause die Hosen anhat.«

Das muss ausgerechnet Fernando sagen, amüsiert sich Jule, während dieser fortfährt: »Aber, *mi madre*, diese Wanda ist vielleicht ein scharfer Braten geworden.«

»Das lass ihren Vater lieber nicht hören.« Jule schüttelt seinen Arm ab und stolpert das letzte Stück allein den Feldweg entlang.

Die Umgebung der Feuerstelle ist inzwischen mit rot-weißem Flatterband abgesperrt worden. Eine gewaltige Qualmwolke hängt über dem Geschehen, die Freiwillige Feuerwehr ist in Aktion: Scheinwerfer leuchten auf, ein Motor läuft, Kommandos ertönen aus kräftigen Männerkehlen, aus einem Schlauch schießt ein dicker Wasserstrahl auf die Glut. Es zischt. Dampf steigt auf. Immer wieder müssen Gaffer mit Fotoapparaten vertrieben werden. Neben den Lichtkegeln aus den Scheinwerfern des Löschfahrzeugs irrlichtern die Strahlen von einigen Taschenlampen durch die Nacht.

»Er war sich nicht sicher, ob er es löschen oder herunterbrennen lassen sollte«, erklärt Sabine, während sie Ausschau nach ihrem Gatten hält.

»Ich fürchte, man wird so oder so keine Spuren finden«, antwortet Jule.

Die Leiche liegt vor der Feuerstelle am Wegrand, zugedeckt mit einer silbernen Rettungsplane. Zwei uniformierte Polizisten halten davor Wache. Jule macht Anstalten, zu ihnen hinüberzugehen.

»Ersparen Sie sich den Anblick lieber«, meint Sabine Völxen. »Man erkennt gerade noch, dass es mal ein Mensch war, aber das ist auch schon alles. Diesen Anblick werde ich mein Lebtag nicht vergessen.« Sie schaudert.

Sicher ein gut gemeinter Rat, doch es widerstrebt Jule, sich von der Frau ihres Chefs vorschreiben zu lassen, wie sie ihre Arbeit zu machen hat. »Es muss leider sein«, antwortet sie diplomatisch und stakst davon, während Fernando bei Sabine Völxen stehen bleibt und ihr erklärt: »Jule hat mal ein paar Semester Medizin studiert. Sie ist ganz verrückt nach Leichen.«

Jule zeigt den beiden Beamten ihren Dienstausweis und bittet sie, die Plane kurz abzunehmen. Einer reicht ihr eine Taschenlampe. Sabine Völxen hatte recht, der Anblick ist schockierend: verbrannte Hautfetzen, verkohltes Fleisch, das Gesicht ist eine nasenlose Fratze, die Augen sind zu schwarzen Klumpen verkocht. Vom Haar ist nichts übrig, und auch die ursprüngliche Größe dieses Menschen lässt sich nicht bestimmen, nachdem die Hitze den Körper hat schrumpfen lassen. Wie alt die Person war und ob es sich um einen Mann oder eine Frau handelt, wird wohl erst die Rechtsmedizin klären können. Jule gibt dem Beamten die Lampe zurück, und die Plane wird wieder über den Leichnam gelegt. Wie aus dem Boden gewachsen steht plötzlich Völxen hinter ihr. Beinahe hätte Jule ihren Chef nicht erkannt, denn er trägt Jeans und eine Funktionsjacke mit einer eingestickten Pfote auf dem Kragen. Sein Gesicht ist rot, die Augen ebenfalls, Schweiß steht ihm auf der Stirn, seine noch verbliebenen Haare stehen ihm wirr vom Kopf ab. »So eine Schweinerei in *meinem* Dorf!«, begrüßt er seine Mitarbeiterin.

»Hat man denn eine Ahnung, um wen es sich bei der Leiche handeln könnte?«

Völxen winkt ab: »Nur wilde Gerüchte und abenteuerliche Spekulationen.« Ein Fahrzeug nähert sich auf dem holprigen Feldweg. Es ist der Übertragungswagen eines örtlichen Privatfernsehsenders, wie die Aufschrift *Leine-TV* an den Türen verrät. Völxen lässt Jule stehen, hält wie ein Kampfstier auf das Auto zu und ruft: »Sehen Sie nicht, dass hier abgesperrt ist? Verschwinden Sie auf der Stelle, Sie behindern die Arbeit der Feuerwehr und der Polizei!«

Der Fahrer hat angehalten und die Scheibe heruntergelassen. Er entgegnet etwas, das Jule nicht hören kann, dafür versteht sie umso besser das Gebrüll ihres Vorgesetzten:

»Wenn Sie nicht sofort verschwinden, lasse ich Sie auf der Stelle festnehmen!«

Der Fahrer legt den Rückwärtsgang ein, und der Wagen holpert den Feldweg wieder zurück. Jule wundert sich. Es ist schließlich nicht das erste Mal, dass die Presse an einem Tatort oder einem Leichenfundort auftaucht, und für gewöhnlich ist es eher Fernando, der sich mit Reportern anlegt, während ihr Chef sich mit den Herrschaften meist friedlich arrangiert. So wütend und unbeherrscht wie eben hat sie Völxen noch nie erlebt.

Kaum hat sich der Wagen ein paar Meter entfernt, geht Völxen mit großen Schritten auf seine Frau zu, die neben Fernando hinter dem Absperrband stehen geblieben ist. Er zeigt mit dem Finger auf den Wagen. »Hast du das gesehen?«, ruft er anklagend und verkündet dann: »Eins sage ich dir: Wenn Wanda dahinter steckt, dann gnade ihr Gott!«

Sabine Völxen lässt die Drohung ihres Gatten offenbar kalt, sie zuckt nur mit den Schultern. Wieder nähern sich Scheinwerfer. Dieses Mal ist es der Wagen des Bestatters, dicht gefolgt vom VW-Bulli der Spurensicherung.

Völxens Stimme hat wieder einen beherrschten Klang, als er endlich Fernando begrüßt und dann meint: »Gut, dass ihr da seid. Fernando, du knöpfst dir gleich mal die Landjugend vor. Wir müssen vor allen Dingen rauskriegen, wann jemand die Gelegenheit hatte, eine Leiche auf diese perverse Art zu entsorgen.«

Oda Kristensen schließt die Haustür auf und schiebt ihren Koffer durch die Tür. Ihr Rücken schmerzt. Elf Stunden hat die Fahrt von Montélimar bis nach Isernhagen gedauert, dabei musste eine Packung Zigarillos dran glauben. Ursprünglich wollte Oda erst morgen zurückkommen, aber sie hat das Gefühl, dass sie den freien Ostermontag dringend braucht, nach acht Tagen allein mit ihrem Vater. Zum ersten Mal ist Veronika nicht mitgekommen. Eigentlich mag sie ihren französischen Großvater, aber sie meinte, es sei dort so langweilig. Nein, man kann eine Sechzehnjährige nicht dazu zwingen, ihre Ferien zwischen Ziegen und Weinbergen und ohne Highspeed-DSL-Anschluss zu verbringen, das hat Oda schließlich eingesehen.

»Und diese Fresserei! Wenn wir bei Opa sind, wird ununterbrochen gegessen, ich werde viel zu fett davon. Und außerdem muss ich lernen.« Seit Veronika vor einem Jahr dem Rechtsmediziner Dr. Bächle bei einer Sektion zugesehen hat, hat sie den Wunsch, Medizin zu studieren, und verfolgt dieses Ziel mit erstaunlicher Beharrlichkeit.

»Veronika?«

Niemand antwortet, das Haus ist dunkel. Das war zu erwarten, zumal ihre Tochter die SMS nicht beantwortet hat, mit der Oda ihr verfrühtes Kommen angekündigt hat – in der Hoffnung, dadurch zu vermeiden, bei ihrer Ankunft einen Riesensaustall vorzufinden. Bestimmt ist sie mit Freunden unterwegs. Von der Autobahn aus hat Oda ein paar Osterfeuer leuchten sehen, vielleicht nimmt sie an einem der ländlichen Trinkgelage teil. Oda öffnet den Schuhschrank. Die flachen Schuhe sind alle am Platz, es fehlen die Pumps mit den höheren Absätzen. Also ist sie in der Stadt, kombiniert Oda. In einem Klub »feiern«, wie man das heute nennt, denn sie würde es nicht riskieren, ihre neuen Pumps auf irgendeinem Acker zu ruinieren.

Es ist kühl im Haus, Oda fröstelt. Sie lässt den Koffer im Flur stehen, der kann bis morgen warten, und der Wein im Auto auch. Das meiste davon ist ohnehin nicht für sie, sondern für die Nachbarn und ihren Chef, und eine Kiste ist für Jule Wedekin. Auch schon wieder ein Jahr her, dass sie zu uns gekommen ist, fällt Oda ein. Zuerst war sie ziemlich ablehnend und skeptisch, was Jule anging. Die Neue erschien ihr mit gerade mal sechsundzwanzig Jahren sehr jung für diesen Job. Dies und ihre hervorragenden Zeugnisse und ihre Herkunft – alter hannoverscher Geldadel, der Vater Professor für Transplantationschirurgie an der Medizinischen Hochschule, die Mutter eine regional bekannte Pianistin – stimmten Oda höchst misstrauisch. Oda, die sich im Leben alles selbst erkämpfen musste, rechnete mit einem verwöhnten Prinzesschen oder einer kühlen Karrieristin, die allen auf die Nerven gehen und im Ernstfall einknicken würde. Denn was sonst sollte man von einer erwarten, die ihr Medizinstudium nach vier Semestern hingeschmissen hat, um sich vom Papa abzunabeln und wohl nur aus purem Trotz zur Polizei gegangen ist? Da konnte Völxen viel erzählen von Ehrgeiz und Hochbegabung und Jahrgangsbester an der Polizeischule. Wie sollte so ein Fräuleinwunder in ihr Dezernat passen? Aber inzwischen hat sich viel geändert. Oda schätzt die junge Kollegin, die allenfalls dann nervt, wenn man ihr die Gelegenheit bietet, einen Vortrag über ihr Steckenpferd, die Stadtgeschichte Hannovers, vom Stapel zu lassen.

Oda streift ihre Schuhe ab und schlüpft aus der schwarzen Hose. Sie hat die ganze Fahrt über den Reißverschluss offen gelassen, denn was das exzessive Schlemmen anging, hat Veronika absolut recht behalten. Oda schlüpft in ihre Jogginghose, schnappt sich eine Flasche Wein und geht damit in die Küche, um sie zu öffnen. Jetzt nur noch die Glotze an, die Füße hochlegen, zwei Gläser Roten und dann ab ins eigene Bett. Wieso muss ich gerade jetzt an Jule denken, fragt sich Oda. Sicher nicht wegen der Weinkiste im Wagen. Nein, es haben sich inzwischen gewisse Parallelen in ihrer beider Leben ergeben: männerlose Wochenenden. Der Mann, den es seit dem vergangenen Sommer in Odas Leben gibt, hat im Herbst ein Engagement als Regisseur in Zürich angenommen. Nur jedes zweite oder dritte Wochenende verbringen sie zusammen, die anderen widmet Daniel seinem Job oder seinen zwei Kindern, die bei der Exfrau in Hamburg leben. Oda kommt mit dieser Regelung gut zurecht, denn im Grunde kann sie keinen Mann gebrauchen, der ihr Privatleben durcheinanderbringt. Es gibt nur selten Momente, in denen sie sich mehr Nähe wünscht. Jetzt zum Beispiel. Aber Jule ist jedes Wochenende allein und nahezu jeden Abend unter der Woche, und das unfreiwillig. Es schmerzt Oda, mit ansehen zu müssen, wie die sonst so rationale, klar denkende Jule an ihrer Liebe leidet. Oda spürt die inneren Kämpfe, die in Jule toben, sie würde ihr gerne helfen und weiß doch genau, dass sie gar nichts tun kann. Nur abwarten und ihr eine Schulter zum Ausheulen anbieten, wenn es einmal endgültig vorbei ist. Was hoffentlich bald der Fall sein wird. Oda kann den Mann nicht leiden, obwohl er Charme hat und gut aussieht. Ihre Abneigung hat keine moralischen Gründe, sie hatte selbst schon genug verheiratete Geliebte, und sie versteht durchaus, was Jule an diesem Mann so anziehend findet. Aber Oda weiß zu viel über Leonard Uhde, Dezernat 2.1.K, Raub und Erpressung, ausgerechnet, um auch nur einen Hauch Sympathie für ihn zu empfinden.

Wo, zum Teufel, ist der Korkenzieher? Kaum ist man ein paar Tage aus dem Haus, schon ist nichts mehr an seinem Platz. Sie öffnet sämtliche Küchenschubladen und inspiziert mit einem wissenden Lächeln die volle Spülmaschine: zahlreiche Gläser, ein paar Teller mit Pizzaresten. Die dazugehörigen sechs Pizzakartons lagern im Altpapierkorb, daneben das Leergut: eine Flasche finnischer Wodka, eine Flasche Weißwein und etliche Dosen Red Bull. Es gab also eine Party, so so. Nun, warum auch nicht? Dafür sieht die Wohnung sogar noch recht manierlich aus, konstatiert Oda zufrieden und kombiniert mit kriminalistischem Scharfsinn: Folglich fand die Fete in Veronikas Zimmer statt, und dort befindet sich wohl auch der Korkenzieher. Mit müden, schweren Beinen erklimmt Oda die Treppe zur Galerie und betritt das Zimmer ihrer Tochter. Ein paar leere Gläser stehen hier noch herum. Im Bücherregal findet Oda den gesuchten Gegenstand neben einer leeren, leicht zerkratzten CD-Hülle. Auf der Hülle liegt die abgelaufene Kundenkarte eines Videoverleihs im Scheckkartenformat. Ein normaler Mensch hätte an dieser Anordnung womöglich überhaupt nichts Verdächtiges gefunden, aber Oda ist kein normaler Mensch: Sie ist Hauptkommissarin bei der Kripo, diplomierte Psychologin und Mutter. Aus der Sicht einer Sechzehnjährigen wohl die schlimmstmögliche Kombination. Oda knipst die Schreibtischlampe an und hält die CD-Hülle unter den Lichtstrahl. In den Kratzern sind winzige Spuren einer weißen Substanz erkennbar. Ihr Herzschlag beschleunigt, sie will nicht tun, was sie nun tut, aber sie weiß auch, dass sie nicht darum herumkommt. Ihre Zungenspitze fährt diagonal über die Hülle. Sekunden später kommt es Oda vor, als ob jemand ihren Magen umdreht und auswringt wie einen Lappen. Ihr wird übel, aber das kommt nicht von der homöopathischen Dosis des weißen Pulvers, das ihre Zunge kaum merklich betäubt. Nicht direkt jedenfalls.

»Verdammte Scheiße«, flucht Oda laut in die Stille. Sie rennt aus dem Zimmer, die Treppe hinunter, dann wieder hinauf, weil sie den Korkenzieher vergessen hat. Mit fahrigen Bewegungen öffnet sie den Côteaux de Montélimar, ungeschickter als sonst. Während sie sich ein Glas eingießt, bricht sich ihr Sinn für Sarkasmus kurzzeitig Bahn: *Mutter entdeckt, dass Tochter kokst, und spült den Schock mit Alkohol hinunter.* Großartig!

Sie leert ein Glas in einem Zug und setzt sich auf das Sofa, legt die Arme um die Knie, während in ihrem Kopf widersprüchliche Gedanken kreisen: Beruhige dich, Oda, es war eine Party. Es ist nicht einmal gesagt, dass Veronika es war, die von dieser Hülle eine Nase gezogen hat. Und selbst wenn, das ist kein Drama, das ist fast normal. Hast du nicht selbst oft genug gekifft und gekokst und noch ganz andere Sachen ausprobiert? – Ja, verdammt. Aber heute bin ich Polizistin, und ich habe in den letzten sechzehn Jahren genug Leute gesehen, die sich mit Drogen zugrunde gerichtet haben. Und es geht nicht, dass in meiner Wohnung Drogen konsumiert werden, auch nicht auf Partys! Es muss doch selbst eine Sechzehnjährige genug Grips haben, um einzusehen, dass das ein Unding ist. Dass mich das den Job kosten kann.

Sie reißt eine frische Packung Zigarillos auf und zündet sich einen an, obwohl sie sonst nie im Haus raucht – wegen Veronika.

Sie nimmt ein paar gierige Züge und sagt sich dabei: Sie ist deine Tochter, Oda, es wäre ein Wunder, wenn sie so was nicht wenigstens mal ausprobieren würde. Nach dem zweiten Glas Wein hat sich ihre Panik ein wenig gelegt. Zumindest hat das Mädchen Stil, erkennt Oda. Heutzutage muss man ja froh sein, wenn sie gutes altes Koks schniefen und nicht irgendeinen Dreck einwerfen, der ihnen das Hirn auf der Stelle zerfrisst.

Die Landjugend hat sich an einem Biertisch hinter dem Ausschank niedergelassen. Selbstverständlich gibt es auch bei den Jugendlichen nur ein Thema: »Scheiß Leiche. Die Hälfte der Leute ist schon weg, und der Rest steht dumm rum und säuft kaum noch was.«

»Darf ich um eure Aufmerksamkeit bitten?«, fragt Fernando, der an den Tisch getreten ist.

»Ey, ich hab sie gesehen. Sah aus wie ein Zombie.«

»Nee, schlimmer. Ich bin immer noch ganz fertig davon. Gib mir mal 'ne Kippe.«

»Ruhe jetzt!«

Die Gespräche verstummen, acht Augenpaare richten sich auf Fernando.

»Ey, wo bist du denn ausgebrochen?«, fragt schließlich einer, und der Rest kichert.

»Kripo Hannover. Ich muss euch ein paar Fragen stellen.«

»Du bis'n Sheriff?«

»Müssen Bullen nicht größer sein?« Die ganze Bande lacht.

Kein guter Anfang. Fernando, der sich für eins achtzig hält, fixiert den Sprecher, einen blonden Hünen – vermutlich nur ein Sitzriese –, und entgegnet: »In meinem Beruf kommt es mehr auf die geistige Größe an.«

Der Lulatsch scheint der Häuptling der Gruppe zu sein. Sie besteht aus sechs Jungs und zwei Mädchen, die alle weit davon entfernt sind, nüchtern zu sein. Drei von ihnen rauchen, ein Junge hat den Kopf auf den verschränkten Armen abgelegt und sieht aus, als würde er jeden Moment einschlafen. Zahlreiche leere Bierflaschen und kleine Gefäße mit der Aufschrift *Kleiner Feigling* und *Kleiner Keiler* zeugen von regem Konsum.

»Wie ist dein Name?«, fragt Fernando den Blonden.

»Ich bin der Matze.« Matze streckt Fernando leutselig die Hand hin. Der Kerl hat einen Händedruck wie eine Rohrzange. Matze hat die Haare hochgegelt und in die Stirn gezogen, eine Robbie-Williams-Frisur, die ihre Zeit längst hinter sich hat.

»Matthias Kolbe«, souffliert Wanda, die in zwei Metern Abstand an einem Stehtisch lehnt. Sie hat sich Fernando vorhin angeschlossen, als er sich nach den Mitgliedern der Landjugend erkundigt hat.

»Denkst du, ich werde mit ein paar angesoffenen Lümmeln nicht fertig? Schließlich bin ich in Linden aufgewachsen«, hat Fernando ihre Begleitung abgewehrt, aber Wanda hat seinen Einwand schlicht ignoriert. Genauso stur wie ihr Vater, hat Fernando noch gedacht.

Nun drehen sich die Jungs nach Wanda um, und einer mit rötlichem Borstenhaar, das an einen Fußabtreter erinnert, lallt: »Ey, Wanda ... willste mir nich mal einen lutschen?« Gelächter.

Fernando holt Atem, um den Flegel in die Schranken zu weisen, aber Wanda winkt ab: »Lass mal. Robert läuft sowieso nur unter Notbeleuchtung.«

»Wer dir's heut noch will besorgen, den verschiebe nicht auf morgen«, ruft ein Pickelgesicht, und ein Dritter fordert: »Bück dich, heut gibt's Aal!«

»Bohr dir doch ein Loch ins Knie, Basti!«, antwortet Wanda und lächelt nachsichtig, während sich Fernando entsetzt fragt, wie Völxen wohl reagieren würde, wenn er hören könnte, wie man hier mit seiner Tochter spricht. Überhaupt – wie hält sein Chef es seit Jahren hier aus? Zugegeben, die Landschaft ist schön, und in der Stadt wüsste er nicht, wohin mit seinen Schafen, aber dass Wanda noch zu Hause wohnt ... Er unterbricht seine Grübeleien und lauscht wieder der Unterhaltung am Tisch.

»... und wenn wir am Ende des Jahres 365 Gummis verbraucht haben, schmelzen wir sie ein, machen einen Autoreifen draus und schreiben *Good Year* drauf!«, kräht gerade der Rothaarige, und der Rest grölt dazu.

Wanda schleppt einen Plastikklappstuhl heran, und ehe sich Fernando erneut an die Runde wendet, erläutert sie ihm leise, mit wem er es zu tun hat: »Der große Blonde ist Matthias Kolbe, Sohn vom Schreiner, der hält sich für den Platzhirsch, der mit den roten Sauborsten ist Robert Klinger, geistiger Tiefflieger, Vater macht in Gas-Wasser-Scheiße, die Schweinefresse da hinten ist Jan Schwarze, auch Asbach-Trog genannt, das Bleichgesicht mit den Locken ist Ole Lammers aus Lüdersen, Gymnasiast und halbwegs zurechnungsfähig, der Typ gegenüber ist sein Klassenkamerad Torsten Gutensohn – Figur wie ein Panzerschrank, aber harmlos, bis auf die Tatsache, dass er Tiere totschießt, die kleine versoffene Ratte mit der Narbe in der Hackfresse ist Sebastian Koch, Bauernsohn, kifft sich mit Jan regelmäßig das Hirn weg, die kleine Blonde mit dem Mopsgesicht heißt Maren und wohnt in Linderte, die Eltern der Ärmsten sind Lehrer, und die feiste Dunkle heißt Isabella oder auch Dorfmatratze.«

Fernando lauscht halb amüsiert, halb entsetzt Wandas Schilderung und notiert die Namen in sein Moleskine-Notizbuch. »Ruhe bitte!«, fordert er dann erneut mit energischer Stimme, und als es tatsächlich still wird in der Runde, sagt er: »Wie ihr wisst, wurde aus den Flammen des Osterfeuers eine Leiche geborgen. Dazu erst mal die wichtigste Frage: Seid ihr vollzählig?«

»Voll, jawoll!«, grölt es Fernando von rechts ins Ohr.

»Ich kann auch trinken, ohne lustig zu sein!«, schallt es von links.

»Verdammt, jetzt reißt euch doch mal zusammen«, mahnt Wanda, und Fernando wiederholt: »Ich meine damit: Fehlt einer von euch?«

»Julia und Ann-Kathrin. Die sind am Bierausschank«, sagt Maren, ehe sie und ihre Freundin ein Fläschchen *Kleiner Feigling* auf ex hinunterkippen.

»Wenn Weiber schon Bier zapfen ...«, murmelt das Narbengesicht und winkt verächtlich ab.

»Was ist mit Carsten Meier?«, fragt Wanda.

»Der ist heute noch nicht aufgetaucht«, antwortet Ole, ein blasser Junge mit dunklen Locken und noch dunkleren Augenringen.

»Wir ha'm das Feuer bewacht«, erklärt der rothaarige Robert ungefragt.

»Carsten is'n Weichei!«, murmelt Isabella, zwirbelt

neckisch eine Haarsträhne zwischen ihren French-Nails und wirft Fernando dabei einen schmachtenden Blick zu, dem dieser rasch ausweicht.

»Hatte heute jemand von euch Kontakt zu diesem Carsten?«

Ein paar schütteln langsam die Köpfe, dann nuckeln sie wie auf ein stummes Kommando an ihren Bierflaschen.

»Du da«, Fernando schaut den Jungen namens Ole an, der ihm noch halbwegs zurechnungsfähig vorkommt. »Du rufst diesen Carsten jetzt mal an. Oder seine Eltern. Ich muss wissen, ob er in Ordnung ist.«

»Wer is in Ordnung?« Jan Schwarze, ein dicklicher Junge mit rosigem Gesicht, glotzt Fernando aus wässrig-trüben Augen an. »Was is mit Carsten?«, hakt der Betrunkene nach.

»Der Bulle glaubt, Carsten ist die Leiche, du Funz«, erklärt Matze seinem Kameraden.

»Carsten? Nee, niemals. Der sieht anners aus. Außer… außer er war zu lang unterm Solarium.«

Jan Schweinegesicht lacht über seinen eigenen Witz, ein paar kichern mit, aber Ole fährt dazwischen: »Das ist nicht lustig, verdammt!«

»Mach hier nicht den Dicken, Ole«, erwidert Jan, dessen Stimmung urplötzlich von bierselig zu angriffslustig umschwingt.

»Leck mich doch, du Pfosten.« Ole steht auf und fummelt sein Handy aus der Hosentasche.

Auch Jan macht Anstalten aufzustehen, wird aber von seinem Nachbarn Matze am Kragen gepackt und zurück auf die Bank gedrückt: »Hinsetzen, Fresse halten, Gießkanne.«

Die Anweisung wird ohne Widerrede befolgt. Offenbar kommt man hier mit bündig formulierten Befehlen am weitesten. Fernando fährt fort: »Wir müssen klären, wann und wie diese Leiche in das Osterfeuer gekommen ist. Dazu brauche ich eure Hilfe.«

»Wir waren das nicht!«, ruft Robert entrüstet.

»Nee, das is doch wohl klah«, bekräftigt Sebastian Koch, das Narbengesicht, mit deutlichem Zungenschlag und rülpst zur Bekräftigung.

»Basti, du Sau«, rügt ihn Wanda, und Fernando fragt sich, ob es nicht klüger wäre, die ganze Bande morgen, wenn alle wieder einigermaßen nüchtern sind, auf die Direktion zu bestellen. Er ballt die Fäuste unter dem Tisch und nimmt einen neuen Anlauf: »Ihr von der Landjugend organisiert also das Osterfeuer...«

»Ja. Den Bierausschank, die Würste, die Steaks. Und natürlich das Feuer«, erklärt Matthias Kolbe alias Matze stolz. »Wir hängen Plakate auf, auf denen steht, wann die Leute ihr Brenngut an die Straße legen sollen.«

»Gebündelt aber, wenn ich bitten darf!«, krakeelt Jan.

»Wann habt ihr also das Brenngut aufgesammelt?«

»Seit Donnerstag«, antwortet einer mit breitem Kreuz und Bürstenhaarschnitt, dessen Namen Fernando mit Torsten Gutensohn notiert hat.

»Und wie macht ihr das?«

»Mit'm Trecker«, grölen Robert und Sebastian im Chor und geben sich daraufhin High Five.

Sebastian Koch fügt hinzu: »Mit'm ollen Fendt von mei'm Vadder!«

Erneut schaltet sich Wanda ein: »Es läuft so: Man legt seine Gartenabfälle an den Straßenrand, und die Jungs holen sie ab, werfen sie auf den Hänger und karren sie hier rauf aufs Feld. Das geht über mehrere Tage, die letzte Fuhre war am Samstag – stimmt doch, oder?«

Matze nickt: »Viele Leute fahren ihr Brenngut aber auch selber mit dem Hänger hier rauf. Dann müssen sie es nicht bündeln.«

»Ja. Und dann schmeißen sie allen möglichen Dreck dazu!«, beklagt sich Sebastian.

»Leichen und so was«, kichert Maren.

»Aber 'ne Leiche wär' uns schon aufgefallen, Herr Kommissar«, versichert Robert treuherzig, legt den Kopf zurück und schüttet sich den Rest seiner Bierflasche in den Verdauungstrakt.

»Wie geht das genau vor sich? Kommt das Zeug immer oben drauf auf den Haufen?« Fernando, der in Linden-Mitte aufgewachsen ist, hat wenig Ahnung von ländlichen Gebräuchen.

»Nein, es wird erst am Samstag mit dem Trecker und der Gabel zu einem großen Haufen aufgeschichtet«, erklärt Wanda.

»Das macht mein Vadder«, ruft Sebastian dazwischen.

Und Matze ergänzt: »Dabei wird auch gleich aussortiert, was nicht hineingehört. Die Leute laden ja alles Mögliche ab: Autoreifen und alte Möbel und so was. Der Ortsbrandmeister kommt vorbei und kontrolliert das. Ich bin übrigens auch bei der Feuerwehr«, verkündet er stolz.

»Ich auch«, sagt Robert.

»Und ich und der Jan auch«, meldet sich Sebastian voller Stolz. Er steht auf, schwankt. »Ich hol mal Nachschub. Auch 'n Bierchen, der Herr Kommissar?«

Fernando verneint. Er hätte gerne eine Cola, hat aber die Befürchtung, sich damit zum Gegenstand des Gespötts zu machen.

Robert nuschelt: »Der Willem kontrolliert das vorher. Sonst heiß es hinnerher, wenn's 'n büschen stinkt, wir hätten Autoreifen verbrannt oder so was.«

»Dieser Willem ist der Ortsbrandmeister?«, hakt Fernando nach.

»Ja, schon seit zwanzig Jahren!«, sagt Matze, offenbar entsetzt über die Wissenslücken des Kommissars.

»Wilhelm Lenthe«, souffliert Wanda.

Fernando notiert sich den Namen und fragt weiter:

»Wann am Samstag war der Haufen denn nun fertig aufge-schichtet?«

»Am Nachmittag, so gegen vier«, antwortet Matze. »Da-nach ist noch Kalle gekommen mit 'ner Fuhre Strohballen. Die werden rundrum gelegt, die brennen wie Zunder.«

»Wer ist Kalle?«

»Karl Koch. Der ältere Bruder von Sebastian. Die Kochs liefern immer das Stroh zum Anfeuern«, erklärt Wanda, offenbar bestens vertraut mit den Abläufen. Inzwischen ist Fernando froh, dass sie dabei ist.

»Der Kalle hat ja auch die Leiche aufgegabelt«, kichert Sebastian, der gerade acht *Gilde* auf den Tisch knallt. Die Jugendlichen stürzen sich darauf wie Piranhas auf einen nackt badenden Missionar.

»Wann war er damit fertig?«

»So um fünf etwa.«

»Und von da an habt ihr den Haufen also bewacht?«

»Nein, guter Mann, wo denkst du hin?«, protestiert Ro-bert, und alle lachen. »Dann haben wir erst mal Bier und geistige Getränke geholt – für die Nachtwache.«

»Da war Eile angesagt. Um sechs macht hier der Ge-tränkemarkt zu«, ergänzt Matze und hebt seine Flasche. »Prost, Männer – Ladys! Wie lautet unser Motto?«

»Einer für alle, alle für einen!«, skandiert der ganze Tisch. Die Flaschen klirren aneinander. »Zicke, zacke ...«

»Hey!«, brüllt Fernando aus Leibeskräften. »Könnt ihr euch mal zusammenreißen? Das ist eine polizeiliche Befra-gung!«

»Ouuu, Spielverderber!« – »Reg dich ab, Bulle!« Unter Protestgemurmel wird erst mal getrunken, dann kehrt wie-der Ruhe ein.

Fernando fährt fort: »Als ihr Getränke kaufen wart, war niemand von euch hier oben an der Feuerstelle?«

Alle schütteln mit den Köpfen. Wer nicht in Matzes Auto

passte, fuhr mit dem Moped oder dem Fahrrad hinterher, zum Getränkemarkt, das stellt sich nach etlichen Nachfragen heraus.

»Wenn die Bredenbecker oder die Vörier uns den Haufen anzünden wollten, dann würden sie das in der Nacht versuchen«, erklärt Maren.

»Genau. Tagsüber gildet's nicht!«, bekräftigt Isabella und zündet sich eine Zigarette an. Ihre Wimperntusche ist verlaufen, sie sieht aus wie ein Panda, was sie jedoch nicht daran hindert, durch den Rauch in Fernandos Richtung zu klimpern.

Ihre Avancen ignorierend, fragt der Kommissar: »Wann wart ihr wieder zurück an der Feuerstelle?«

»Um halb acht, so ungefähr«, gibt der blonde Hüne an. »Wir mussten ja auch noch den Grill holen.«

»Carsten geht nicht ans Handy, und auf dem Festnetz meldet sich keiner«, verkündet Ole Lammers.

»Verdammt«, knurrt Fernando beunruhigt, fährt jedoch erst einmal mit der Befragung fort: »Ist der Haufen von diesem Zeitpunkt an bis zum Anzünden heute Abend noch mal umgedreht worden?«

»Nö, wozu das denn?«, entgegnet Matze, erstaunt über die seltsamen Fragen des Städters.

»Wir sind ja froh, wenn er mal steht«, wiehert Jan. Dem Satz folgt ein allgemeiner Heiterkeitsausbruch.

Fernando spürt, wie er immer ungeduldiger wird. »Die Nachtwache: Ich muss wissen, wer beim Feuer war und wie lange.«

Es entspinnt sich eine längere Diskussion, bei der es im Wesentlichen darum zu gehen scheint, wer wie viel *Osborne*-Cola getrunken hat und wie besoffen der jeweils andere war.

»Jan hat nur eine Mische getrunken und schon gekotzt wie 'n Reiher!«

»Quatsch. Erzähl das deinem Pfleger.«

»Doch, auf meinen Schlafsack, weißt du das nicht mehr?«

»Ole, Torsten und Carsten Meier hatten die letzte Schicht«, sagt Matze schließlich.

»Stimmt das?«, wendet sich Fernando an Torsten und Ole.

»Ja, das stimmt«, murmelt Torsten und sieht dabei seinen Freund Ole an, der bestätigt: »Ja, wir drei waren bis zum Sonnenaufgang da.«

»Was genau heißt Sonnenaufgang?«

»Das ist, wenn's hell wird, am Morgen«, feixt Robert. Eine halb gerauchte Zigarette hängt dem Witzbold lässig im Mundwinkel.

Fernando runzelt die Augenbrauen. »Ich meine die genaue Uhrzeit«, entgegnet er mühsam beherrscht.

»Die Sonne geht zurzeit um halb sieben auf, aber es dämmert schon eine Stunde vorher«, erläutert Torsten. »Wir waren bis kurz vor sieben auf dem Berg, so genau habe ich nicht darauf geachtet. Dann sind wir nach Hause.«

»Wie?«

»Mit den Mopeds, wie sonst?«

»Ab wann wart nur noch ihr drei beim Feuer?«

»So ab drei vielleicht«, antwortet Ole und schaut dabei fragend in die Runde.

»Also laut meiner Alten war ich um drei zu Hause. Angeblich soll ich Lärm gemacht haben«, meint Jan grinsend.

»Kann man sich gar nicht vorstellen«, behauptet Robert und sagt: »Ich war auch so etwa um drei in der Kiste. Mann, war mir kalt.«

»Hättest mehr saufen sollen«, entgegnet Sebastian.

Maren ist mit ihrem Freund Matze ebenfalls um drei gegangen, Sebastian hat Isabella schon gegen zwei »abgeschleppt«, wie es sein Kumpel Jan ausdrückt.

»Und ihr beide und dieser Carsten, ihr habt also bis zum Morgen Wache gehalten?«, wendet sich Fernando erneut an Ole und Torsten. Die beiden nicken synchron.

»Ihr habt nicht geschlafen – abwechselnd vielleicht?«

Torsten schüttelt den Kopf.

»Ihr trinkt den ganzen Abend *Osborne*-Cola und wollt dann bis zum Morgen ununterbrochen wach geblieben sein? Das kauf ich euch nicht ab.«

»Wir haben nicht so viel getrunken«, antwortet Ole.

»Tunte!« – »Weichei!«– »Vegetarier!«, tönt es am Tisch.

»Haltet doch mal den Rand«, herrscht Fernando die Zwischenrufer an.

»Ich bin es gewohnt, bis in die Morgenstunden wach zu bleiben«, behauptet Torsten Gutensohn. »Ich sitze oft mit meinem Vater nachts auf Sauen an und schlaf dabei auch nicht ein.«

»Und du?«, sagt er zu Ole Lammers. »Jagst du auch?«

»Nein«, kommt es mit Überzeugung. »Ich schieße nicht auf Tiere.«

»Also war das Brandgut ungefähr ab sieben Uhr früh unbewacht. Für wie lange?«

»Nicht lange«, brummt Matze. »Um neun Uhr haben die Rentner vom Gesangverein schon ihren Klowagen aufgestellt, damit sie danach in die Kirche gehen können.«

»Ja, und ab elf haben wir angefangen, die Zelte und die Tische aufzubauen und den Grill. Hier war dann eigentlich den ganzen Tag was los«, erklärt Torsten.

In Marens Jackentasche piept es. Sie zieht ihr Mobiltelefon aus der Tasche, kichert und verdreht die Augen. »Das ist Carsten. Er hat bis jetzt gepennt und will wissen, wie die Stimmung ist und ob es sich noch lohnt, vorbeizukommen.«

Es ist kurz nach elf, als Fernando nach Hause kommt. Er hat noch mit dem Treckerfahrer Kalle Koch – was für ein

Name! – gesprochen, der zwar nüchtern, aber zu schockiert war, um klare Angaben machen zu können. Brandmeister Wilhelm Lenthe hat ihm versichert, dass ihm an dem Haufen nichts Ungewöhnliches aufgefallen sei, als er ihn am Sonntagabend zum Anzünden freigegeben hat.

Jule ist mit Fernando zurück in die Stadt gefahren. Er hat sie eingeladen zu der Lammkeule, die er heute Morgen im Kühlschrank entdeckt hat, eingelegt in Olivenöl und frische Kräuter, aber Jule hat abgelehnt und behauptet, sie wäre müde, und der Appetit wäre ihr vergangen. Dabei hat Fernando sie schon in Situationen essen sehen, in denen er noch nicht mal daran denken konnte, sich irgendwas in den Mund zu stecken. Sie ist in dieser Richtung recht hartgesotten, das muss wohl in der Familie liegen. Jules Appetitlosigkeit hat einen anderen Grund. Bestimmt sitzt sie in ihrer Wohnung, betrinkt sich und wartet, bis dieses Arschloch Uhde anruft, vermutet Fernando. Frauen, auch intelligente, können ja so dämlich sein!

Er selbst ist ebenfalls erschöpft, aber auch hungrig. Auf die Lammkeule freut er sich schon. Manchmal hat es doch auch Vorteile, wenn man bei seiner Mutter wohnt, denkt Fernando, da können Jule und Oda lästern, wie sie wollen. Er schließt die Tür auf.

Schon im Flur bemerkt er einen fremdartigen Geruch. Es riecht nicht nach gebratenem Lamm, sondern irgendwie abgestanden, verrottet, muffig, als würde man die Nase in eine alte Vase stecken. Oder in eine Gruft. Irgendwoher kennt er diesen Geruch, es ist ein Geruch aus seiner Kindheit, und das Gefühl, das er hervorruft, ist nicht angenehm. Ehe er sich den Kopf darüber zerbrechen kann, klärt sich die Sache auf: »Nando! Da bist du ja endlich!«, ruft Pedra Rodriguez vorwurfsvoll. »Sag deiner Großtante Esmeralda guten Tag.«

Himmel, das hat er ja völlig vergessen: Esmeralda hat ihren Besuch angekündigt. Schwarz, dürr und aufrecht sitzt sie auf dem Sofa, unter ihrem Spitzenkopftuch sticht die Nase hervor wie die Klinge einer Sense. Wann hat er sie zum letzten Mal gesehen? Es muss bei der Beerdigung seines Vaters gewesen sein, vor über zwanzig Jahren. Diese krähenartige Frau ist ihm schon damals, mit dreizehn, nicht geheuer gewesen. Bei jeder Begegnung pflegte sie Fernando mit ihren klauenartigen Fingern in die Wange zu zwicken und sich über sein Wachstum zu äußern. Man kann nur hoffen, dass sie diese Angewohnheit inzwischen abgelegt hat. Wie alt mag sie sein? Achtzig? Hundert? Jedenfalls sieht sie aus, als wäre sie soeben einem Sarg entstiegen.

»¡Bienvenido, tia Esmeralda!« Seiner Mutter zuliebe überwindet er sich und haucht einen Kuss auf ihre Pergamentwangen. Sie riecht tatsächlich wie eine alte Blumenvase, schon als Kind mochte er diesen Geruch nicht. Jetzt erinnert er Fernando an den Tod. Wenn der Tod weiblich wäre, würde er aussehen und riechen wie Tante Esmeralda.

Ihre kleinen Äuglein, dunkel wie Schattenmorellen, mustern ihn kritisch, als sie auf Spanisch sagt: »Fernando. Du bist ja nicht viel größer als damals mit dreizehn.«

Eine Stimme wie ein Kolkrabe.

»Wir haben mit dem Essen auf dich gewartet, Nando, eine Ewigkeit, aber dann haben wir doch angefangen. Wir sind alt, wir können nicht erst um Mitternacht essen, das vertragen unsere Mägen nicht«, lamentiert seine Mutter, die neben ihrer Tante aussieht wie das blühende Leben. Leise und auf Deutsch fügt sie hinzu: »Drüben ist noch was von der Lammkeule, bedien dich selbst. Und sei nett zu deiner Großtante, sonst erben meine Cousinen alles.«

Nur zu gern verschwindet Fernando in der Küche, aber als er an den Resten der Lammkeule herumsäbelt, hört er Esmeralda krächzen: »Warum ist er eigentlich noch nicht verheiratet, stimmt was nicht mit ihm?«

Ostermontag

Ein grausiger Fund hat den Bürgern der Gemeinde Wennigsen im Ortsteil Holtensen am Sonntagabend die fröhliche Osterstimmung verdorben. Als ein Treckerfahrer das traditionelle Osterfeuer umschürte, kam ein menschlicher Leichnam zutage. Augenzeugen berichten von einem schrecklichen Anblick...

»Ja, ja, grausig, schrecklich, furchtbar«, murmelt Bodo Völxen vor sich hin. Er sitzt in seinem gestreiften Bademantel im Sessel und schaut sich die Lokalnachrichten auf *Leine-TV* an. »Aber wenigstens zur Abwechslung mal nicht supi oder mega.«

»Das ist der Horror, dass meine Kinder so was sehen mussten«, beschwert sich eine Frau mit weinerlicher Stimme. »Und das bei uns im Dorf!« Es folgen noch einige weitere solcher Kurzinterviews mit schockierten Bürgern.

Zwar konnte der Hauptkommissar verhindern, dass die Leiche gefilmt wird, aber immer wieder wird die Rettungsplane gezeigt, unter der der verbrannte Körper verborgen ist.

»Wenn wir die Leiche haben wollten, dann wäre das kein Problem. Schon drei Handyfilmer haben mir ihr Material angeboten, inklusive Leiche in Großaufnahme«, hat ihm der Aufnahmeleiter gestern Abend lakonisch erklärt und hinzugefügt: »Inzwischen ist es fast nicht mehr notwendig, selbst vorbeizukommen. Sie können sicher sein, dass schon zig MMS an die *Bild*-Redaktion geschickt wurden, und morgen früh kann man sich die Leiche auf *YouTube* ansehen.«

Der Bericht zeigt nun wild lodernde Flammen. »Wollte jemand einen Mord vertuschen? Noch tappen die Ermittlungsbehörden im Dunkeln…«, bemüht die Stimme aus dem Off eine weitere häufig strapazierte Metapher, die Völxen dazu veranlasst, angewidert den Mund zu verziehen.

Die Flammen müssen Archivaufnahmen sein, denn als *Leine-TV* gefilmt hat, waren die Löscharbeiten schon längst im Gange, es gab nur noch Dampf und Qualm. »Da kann man mal wieder sehen, wie getürkt das alles ist«, mault Völxen.

»Bodo, möchtest du ein Spiegelei?« Sabine ist dabei, das Frühstück zuzubereiten, was normalerweise an Wochenenden seine Aufgabe ist. Aber er muss sich schließlich auf dem Laufenden halten, wie die Presse den Fall behandelt. Wanda ist um diese Zeit, es ist neun Uhr, natürlich noch im Bett. Sie hat gestern hoch und heilig geschworen, dass nicht sie es war, die *Leine-TV* auf den Plan gerufen hat.

»Nein, danke. Ich muss gleich zur Besprechung.«

Nun wird es vollends unerträglich, jetzt kommt er selbst ins Bild. Das Gesicht knallrot und glänzend vor Schweiß, die Miene bärbeißig. Mein Gott, ich sehe ja zum Fürchten aus! Und so fett bin ich doch in Wirklichkeit gar nicht, oder?

Eine junge Frau hält ihm ein Puschelmikrofon vor die Nase. »Ich spreche mit Hauptkommissar Völxen von der Polizeidirektion Hannover. Herr Kommissar, Sie sind privat hier, haben aber sofort die nötigen Maßnahmen eingeleitet…«

»Ja, was hätte ich denn sonst tun sollen, Däumchen drehen?«, hat Völxen darauf geantwortet, aber dieser Satz wurde offensichtlich herausgeschnitten. Ebenso seine Klage über die aufdringlichen, pietätlosen Handyfilmer und seine Warnung an diese: »Es wird Konsequenzen haben, sollten die Bilder des Leichnams im Internet auftauchen! Es ist die Aufgabe der Polizei, dafür zu sorgen, dass in einem Unglücksfall die Persönlichkeitsrechte von Opfern und Betroffenen gewahrt werden. Auch von Toten«, hat Völxen mit Nachdruck erklärt, und allein diese grimmige Warnung, die er unbedingt loswerden wollte, war der Grund, weshalb er überhaupt ein Interview gegeben hat. Normalerweise überlässt er solche Auftritte dem Pressesprecher der PD, für einen Kripobeamten ist es schließlich nicht von Vorteil, wenn jeder sein Gesicht kennt.

Von seinem Interview ist am Ende nur die Versicherung übriggeblieben, dass er selbstverständlich alles tun werde, um diese Angelegenheit so rasch wie möglich aufzuklären. Mit diesen Worten und einem letzten Schwenk auf die Löscharbeiten der Feuerwehr endet der Bericht.

»Das darf doch nicht wahr sein, diese verfluchte Pressebande! Na, denen werde ich was erzählen«, sagt er zu Sabine, die nun im Türrahmen lehnt und sich ebenfalls die Lokalnachrichten ansieht.

Sie meint nur: »Diese Jacke kleidet dich sehr unvorteilhaft, Bodo, die solltest du entsorgen.«

»Nach allem, was von dieser Landjugend-Truppe in Erfahrung zu bringen war, könnte jemand am Samstag zwischen fünf und halb acht Uhr abends die Gelegenheit gehabt haben, eine Leiche zwischen dem Brandgut verschwinden zu lassen, oder aber am Sonntag von sieben Uhr am Morgen bis etwa neun Uhr«, beendet Fernando seinen Bericht.

Zehn Uhr, Morgensitzung in Völxens Büro. Fernando und Jule sitzen auf den Besucherstühlen, Oda Kristensen und Eva Holzwarth, die Staatsanwältin, teilen sich das kleine Ledersofa. Richard Nowotny, der wegen eines Hüftleidens keinen Außendienst mehr macht, dafür aber die wichtige Aufgabe der Aktenführung übernimmt, thront auf Völxens rückenfreundlichem Sessel, während Völxen selbst mit halbem Hinterteil auf der Kante seines Schreibtisches balanciert. Nun ergreift er das Wort: »Zu bedenken ist, dass die Gegend da oben auf dem Vörier Berg und dem Wolfsberg beliebt ist bei Spaziergängern und Freizeitsportlern, besonders an Wochenenden. Außerdem hätten am Samstagabend jederzeit Leute vorbeikommen können, die noch im letzten Moment ihr Gestrüpp für das Osterfeuer abladen wollen.« Er nimmt einen Schluck Tee und verzieht das Gesicht. Wieso schmeckt der wie Gras? *Green Dream* steht auf dem Etikett am Teebeutel. Ein Fehlgriff, Frau Cebulla, die Abteilungssekretärin, ist nicht da. Die hätte Bescheid gewusst. Er verabscheut grünen Tee ebenso wie diese Tasse mit den kopulierenden Schafen darauf, aber eine andere hat er nicht gefunden.

Seit auf der Dienststelle bekannt war, dass er Schafe hält, tauchten überall Gegenstände mit Schafmotiven auf: Tassen, Teller, Kalender, Bleistiftspitzer, Postkarten, Mousepads und natürlich Plüschschafe. Irgendwann ist dem Dezernatsleiter der Kragen geplatzt, er hat sein Büro zur schaffreien Zone erklärt, und der ganze Plunder landete bei Frau Cebulla. Die hat es nicht übers Herz gebracht, das Zeug einfach wegzuwerfen, weshalb es auf den Schränken und Regalen ihres Büros von Schafen nur so wimmelt.

Völxen schiebt das Getränk von sich und gesteht: »Ich selbst bin am frühen Samstagabend noch schnell dort raufgefahren und habe einen Hänger voll alter Zaunlatten abgeladen. Das Brandgut war zu dem Zeitpunkt bereits aufgeschichtet, und kein Mensch war vor Ort. Ich hätte problemlos eine Leiche unter dem Stapel verschwinden lassen können.«

»So problemlos auch wieder nicht. Du konntest nicht

mit Sicherheit wissen, dass keiner vorbeikommt«, entgegnet Fernando.

»Das stimmt«, gibt ihm Völxen recht. Die Mission war in der Tat heikel und mindestens so aufregend, als hätte er sich tatsächlich einer Leiche entledigt. Die alten Zaunlatten waren nämlich dick mit grüner Farbe lackiert, was den Umweltauflagen, die für Osterfeuer gelten, zuwiderläuft. Klammheimlich hat Völxen die Latten tief unter das Gestrüpp geschoben, um sie auf diese Weise den prüfenden Blicken des Ortsbrandmeisters zu entziehen. Dazu musste er sogar noch einen der schweren Strohballen wegzerren und nachher wieder an seine Stelle wuchten. Eine Heidenarbeit, die ihm keine Anerkennung einbrachte, denn als er beim Abendessen stolz von seinem Coup erzählt hat, meinte Wanda: »Papa, du bist ein Umweltschwein.«

»Das heißt, wer immer die Leiche dort abgeladen hat, ist entweder sehr naiv oder sehr kaltblütig vorgegangen«, fasst Oda zusammen.

»Oder er hatte einfach Glück«, ergänzt Fernando.

»Was sagt denn die Spurensicherung?«, will die Staatsanwältin wissen.

»Noch gar nichts«, antwortet Völxen. »Die Spurenlage ist natürlich eine Katastrophe. Zig Leute sind da oben herumgetrampelt, ein rangierender Trecker, dazu das Feuer und dann noch das Löschwasser.«

Eva Holzwarth nickt nur griesgrämig. Die Staatsanwältin macht erst gar nicht den Versuch, ihren Unmut darüber zu verbergen, dass ihr der Leichenfund die Feiertagspläne verhagelt hat.

»Außerdem kann man wahrscheinlich erst heute damit anfangen, die Feuerstelle gründlich zu untersuchen, es gibt immer noch Glutnester darin«, erklärt Jule, die vorhin mit Rolf Fiedler, dem Leiter der Spurensicherung, telefoniert hat.

Völxen ist angespannt. Den Leichenfund in *seinem* Dorf, noch dazu unter so makabren Umständen, nimmt er geradezu persönlich, aber sein Tatendrang wurde schon heute Morgen gebremst: »Die Feiertagsbesetzung ist nur für Notfälle da. Sektionen werden erst wieder ab Dienstag vorgenommen«, hat man ihm im rechtsmedizinischen Institut der MHH, der Medizinischen Hochschule Hannover, erklärt.

»Ich werde mir die Jungs von der Landjugend, die zuletzt Wache geschoben haben, noch mal gründlich vorknöpfen. Ich glaube denen nicht, dass die die ganze Zeit wach waren«, verkündet Fernando.

»Selbst wenn – es gehört schon eine gehörige Portion Frechheit dazu, ihnen im Schlaf eine Leiche sozusagen unterzuschieben. Um diese dorthin zu schaffen, braucht man ja wohl ein Fahrzeug, oder? Und das macht Lärm«, gibt die Staatsanwältin zu bedenken.

»Und es müsste sich jemand zudem recht gut mit den ländlichen Sitten auskennen«, pflichtet ihr Oda bei.

»Die organisatorischen Abläufe rund um das Osterfeuer kennt im Grunde jeder im Dorf«, erklärt Völxen.

»Die wichtigste Frage ist doch, ob der Fundort auch der Tatort ist«, stellt Richard Nowotny fest. »Wenn wir mal davon ausgehen, dass es keine besonders abartige Form von Selbstmord war.«

»Richtig. Was, wenn gar kein Fahrzeug nötig war?«, überlegt Jule, die heute besonders eifrig wirkt. »Angenommen, ein Jugendlicher aus einem der Nachbardörfer hat versucht, das Feuer vorzeitig anzuzünden. Er wird entdeckt, es gibt eine Schlägerei, alle sind ja betrunken genug, und plötzlich liegt einer da und ist tot. Was liegt näher, als ihn gemeinsam unter den Haufen zu schaffen, den man am Abend ohnehin anzünden wird?«

Nach diesen Worten herrscht für einen Moment eine

Stimmung wie im Western, kurz nachdem der Schurke den Saloon betreten hat: Der Pianist hört auf zu spielen, die Pokerspieler lassen die Karten sinken, der Barmann stellt schon mal die Flaschen runter. Alle sehen Jule an. Fernando schluckt, Nowotny befühlt seine Glatze, als hoffe er, doch noch ein Haar darauf zu finden, Oda runzelt die Stirn, und die Staatsanwältin zerknüllt ein kleines rotes Kissen mit einem aufgedruckten Schafbock und der Aufschrift *Ich bin Schaaf.* Das Kissen gehört zu den wenigen Schafaccessoires, die Völxen weiterhin in seinem Büro duldet.

Völxen streicht sich über die nachlässig rasierten Wangen. Ein düsteres Bild, das seine jüngste Kommissarin da gerade gezeichnet hat. Können Jugendliche so grausam, kaltblütig und abgebrüht sein? Selbstverständlich.

Aber dann räuspert sich Oda, schüttelt den Kopf und meint: »Diese Art Streiche werden nicht im Alleingang verübt, sondern von Gruppen. Die Tat verlangt schließlich nach Applaus und Publikum. Selbst wenn man sich einen Einzelnen ausguckt, der sich anschleichen und den Haufen anzünden soll, dann warten seine Kumpels garantiert mit der Bierflasche in der Hand hinterm nächsten Baum. Sie wollen es ja brennen sehen und ihren Triumph gemeinsam feiern. Und die würden ja wohl nachsehen gehen, wenn ihr Kumpel nicht zurückkommt oder wenn es eine Prügelei gibt.«

»Das ist auch wieder wahr.« Jule ärgert sich, dass sie nicht genug nachgedacht hat, ehe sie ihre Theorie herausposaunt hat.

»Aber völlig ausgeschlossen ist es natürlich nicht«, räumt Oda ein. »Vielleicht wollte einer im Suff allein den Helden spielen.«

»Dann gäbe es aber doch bestimmt eine Vermisstenmeldung aus einem der Nachbardörfer«, wirft Fernando ein.

»Gibt es bis jetzt aber nicht. Es gab überhaupt keine Vermisstenmeldung in den letzten Tagen«, verkündet Richard Nowotny.

»Theoretisch kann jemand die Leiche auch monatelang in der Tiefkühltruhe aufbewahrt und auf diese günstige Gelegenheit zur Entsorgung gewartet haben«, überlegt Jule.

»Quasi zum Auftauen«, entschlüpft es Fernando, was ihm einen scharfen Blick von Völxen einbringt.

»So wie unser Chef mit seinen Zaunlatten«, fügt Oda hinzu.

Hätte ich nur meinen Mund gehalten, ärgert sich Völxen und schüttelt unwirsch mit dem Kopf. »Leute, das hat keinen Zweck. Wir können hier noch lange sitzen und die wildesten Szenarien entwerfen. Es bleibt uns nichts anderes übrig, als erst einmal die Identität dieser Leiche zu klären. In der Zwischenzeit werden Frau Wedekin und ich die Anwohner befragen. Vielleicht ist jemandem etwas aufgefallen zu den fraglichen Zeiten. Fernando, du hältst hier die Stellung, falls Hinweise eintreffen.«

Fernando hat nichts dagegen. Nach Hause zieht ihn jedenfalls nichts. Heute Morgen hat er seine Mutter gefragt, wie lange Tante Esmeralda denn bleiben wird.

»Das hat sie nicht gesagt.«

»Dann frag sie doch.«

»Das wäre unhöflich.«

»Sie ist deine Tante, kein Staatsgast!«

»Das verstehst du nicht. Und wieso willst du das überhaupt wissen? Sie stört dich doch nicht, oder?«

Doch, das tut sie. Inzwischen riecht die ganze Wohnung wie eine Gruft. Aber er hat geschwiegen, denn zwischen ihren Augen stand diese strenge Falte, und für einen Moment sah seine Mutter ihrer Tante sehr ähnlich. Die saß in der Küche, düster und aufrecht wie eine Pinie, und Fernando hatte den Eindruck, dass sie genau wusste, worüber er und Pedra redeten, obwohl er flüsterte und sie Deutsch sprachen. Vielleicht ist es wirklich an der Zeit, langsam ans Ausziehen zu denken. Mit fast fünfunddreißig wäre das ja auch nicht mehr zu früh. Bisher hat Fernando auf die richtige Frau gewartet, um mit ihr einen eigenen Hausstand zu gründen, doch allmählich hat er das Gefühl, dass es dazu niemals kommen wird, wenn er noch länger bei seiner Mutter wohnt. Frauen haben da irgendwie ganz seltsame Vorurteile.

»Was genau meinen Sie mit ›etwas aufgefallen‹?«, fragt Jule während der Fahrt aufs Land.

»Ich weiß es selbst nicht«, gibt Völxen zu. »So diese kleinen Dinge eben. Sachen, auf die keiner groß was gibt, die das Geschehen aber durchaus erhellen können.«

»Aha«, sagt Jule, die den Wagen steuert. Hoffentlich dauert das nicht allzu lange. Leonard hat heute Morgen angerufen. Er würde eventuell am Abend auf eine Stunde bei ihr vorbeikommen. Eine Stunde. Eventuell. Wie erbärmlich, denkt Jule, aber sie hat geantwortet: »Schön. Ich freu mich.«

Oda geht in ihr Büro und zündet sich einen Zigarillo an. Es ist ja keiner da, der sie deswegen anschnauzen könnte. Sie greift zum Telefon, wählt Dr. Bächles Handynummer und zirpt: »Einen wunderschönen guten Morgen, Dr. Bächle.«

»Frau Krischtensen? Was führt Sie denn in meine Leitung?«, klingt es gut gelaunt.

Oda erläutert ihm den Grund ihres Anrufs.

»A Leich' im Oschderfeuer?«, wiederholt Dr. Bächle ungläubig. »Heilig's Blechle!«

»Eben. Und ich dachte, ich frag mal nach, ob Sie vielleicht ausnahmsweise heute noch …«

»Werte Frau Kommissarin, Sie wissen aber schon, dass mir Oschdermontag hend?«, unterbricht sie Dr. Bächle, schon nicht mehr ganz so fröhlich. »Wie stelled Sie sich des vor, so ganz ohne Assischdenz? Und außerdem schteh i grad in Hameln auf'm Golfplatz.«

»Seit wann spielen Sie denn Golf?«, staunt Oda.

»Seit Freitag. Drei Dag' Schnupperkurs. Nachher gibt's ein Paddingturnier und ein Essen und die Siegerehrung.«

»Und? Machen Sie Fortschritte?«, erkundigt sich Oda neugierig.

Bächle verfällt in einen Flüsterton, der es nicht gerade einfacher macht, seinen schwäbischen Akzent zu verstehen. »Es isch a Kreiz, der Ball isch viel z' kloi.«

»Wie bitte?«

»Es ischt ein Kreuz, der Ball ischt zu klein«, wiederholt der Schwabe. Dann dringt ein tiefer Seufzer aus dem Hörer. »Frau Krischtensen, großes Indianerehrenwort: Morgen in aller Herrgottsfrüh schau i als Erschtes nach Ihrer Leich'.«

»Danke, Sie sind ein Schatz«, antwortet Oda und wünscht Dr. Bächle viel Erfolg beim Putten.

Eigentlich könnte sie jetzt nach Hause gehen, stattdessen starrt sie rauchend aus dem Fenster. Ihre Gedanken sind schon längst wieder woanders. Sie hat beschlossen, ihre Tochter vorerst nicht zur Rede zu stellen, sondern sie in nächster Zeit aufmerksam zu beobachten. Ihr notfalls sogar nachzuspionieren. Nicht, dass sie das gerne tun würde, aber es erscheint ihr besser, als mit einer falschen Anschuldigung einen Bruch zu riskieren. Vielleicht war diese Kokserei ja eine einmalige Sache, ein Partygag, der es gar nicht wert ist, dass sie sich darüber aufregt.

»Du bist noch da?« Fernando lehnt in der Tür.

»Ich hab mit Bächle gesprochen, er spielt neuerdings Golf.«

»Tiger Bächle? Der ist ja kaum größer als der Schläger.«

Fernando gehört mit eins fünfundsiebzig auch nicht gerade zu den Hünen, aber Oda verkneift sich eine diesbezügliche Bemerkung. »Fernando, ich muss dich was fragen.«

»Nur zu.«

»Hast du noch Kontakte zur Drogenszene?«

»Ja, schon. Warum, brauchst du was?«

»Idiot«, faucht Oda.

»Geht's um Veronika?«

»Wie kommst du darauf?«, fragt Oda erschrocken.

»Weil du reagierst wie eine Furie, und das ist sonst nicht deine Art.«

Oda bringt nur ein resigniertes Nicken zustande.

»Reg dich nicht auf, Oda. Du warst doch bestimmt auch keine Heilige, oder? Haben wir nicht letztes Jahr zusammen mit Jule ...«

»Ja, ja, schon gut, ich erinnere mich«, winkt Oda rasch ab. »Aber das ist doch ganz was anderes.«

»Wieso?«

»Weil ich vierzig bin, und sie ist sechzehn. Und sie muss mir ja nicht alles nachmachen.«

»Was ist denn passiert?«

»Ich habe Reste einer Line in ihrem Zimmer entdeckt.«

Fernando setzt sich auf die Schreibtischkante. »Hm« ist alles, was ihm dazu einfällt.

»Sie hat seit Kurzem einen neuen Freund, er heißt Jo und ist Musiker, spielt Bass. Musiker koksen doch, was das Zeug hält, oder ist das ein Klischee?«

»Kommt drauf an. Macht er Schlager oder Volksmusik?«

»Nein, natürlich nicht. Die Band heißt *Chorprobe* und ist eher eine lokale Berühmtheit. Tritt mal im Faust auf oder im Chez Heinz oder im Pavillon.«

»Dann kann er sich's gar nicht leisten. Soll ich mich trotzdem mal umhören?« Es ist zwar schon vier Jahre her, dass Fernando als Undercover für das Rauschgiftdezernat gearbeitet hat, aber er hat noch immer Verbindungen zur Szene.

Oda drückt ihren Zigarillo aus, steht auf, schaut aus dem Fenster und nickt dabei. »Ja. Danke.«

Fernando lächelt sie aufmunternd an. »Kopf hoch, Oda. Schau, sogar aus mir ist noch was halbwegs Anständiges geworden, und ich war früher wirklich ein übles Früchtchen.«

»Deine Mutter hatte das Glück, dass sie so gut wie nichts davon mitbekommen hat.«

»Stimmt«, gibt Fernando zu. »Und dann hat sie mir Völxen auf den Hals gehetzt. Ich muss sagen, irgendwie bin ich ihr heute noch dankbar dafür.«

Oda versucht ein Lächeln, was ihr nicht gelingt. In ihren Gletscheraugen glitzert es verdächtig. Fernando ist erschüttert. Oda war für ihn stets die Abgeklärtheit in Person. Er hat einen Höllenrespekt vor ihr, er bewundert ihre Klugheit und ihre Fähigkeit, Menschen zu durchschauen. Ihr scharfes Mundwerk ist in der ganzen PD gefürchtet. Doch nun kann Fernando es nicht ertragen, sie weinen zu sehen. Er kann überhaupt keine Frauen weinen sehen. Einem Impuls gehorchend nimmt er sie in den Arm. »Mach dir nicht zu viel Sorgen. Das ist bestimmt harmloser, als es scheint«, sagt er, während er ihr unbeholfen auf die Schulter klopft. In dem Moment geht die Tür auf, und beide blicken in die rot verweinten Augen einer jungen Frau.

»Dahinter steckt bestimmt die Mafia«, meint die Dame mit den sorgfältig ondulierten Haaren. Sie bittet Völxen und Jule in ihren Wintergarten: »Ich habe gerade Kaffee gemacht, um drei kommt meine Tochter mit den Enkeln. Möchten Sie auch eine Tasse?«

Völxen lehnt dankend ab, ebenso Jule. Sie hat mittlerweile aufgehört zu zählen, in wie vielen Häusern sie schon waren. Überall sind sie freundlich empfangen worden, sie haben Kaffee, Kuchen und Ostereier angeboten bekommen und Schnäpse und Likör. Die Dorfbewohner sind noch immer entsetzt über den schrecklichen Vorfall in ihrem Ort und äußern dies auch gern bereitwillig und wortreich. Völxen hört sich die Klagen und Theorien mit scheinbarer Engelsgeduld an, ehe er die Leute fragt, ob ihnen am frühen Samstagabend oder am Sonntagmorgen etwas Ungewöhnliches aufgefallen ist: ortsfremde Fahrzeuge, fremde Personen, irgendetwas. Natürlich sind am Samstagabend etliche Autos den Berg hinauf- und wieder hinuntergefahren: Nachbarn, Osterbesuch der Nachbarn oder Leute aus dem Dorf, die an der Feuerstelle noch Schnittgut abgeladen haben. Völxen selbst war ja einer davon. Die Dame, die oben an der Bergstraße wohnt, meint, sie habe am frühen Morgen einen Knall gehört. »Wahrscheinlich ein Schuss. Das ist aber nichts Besonderes, die Jäger ballern hier ja öfter mal herum«, fügt sie hinzu.

»Ist nicht Schonzeit?«, wundert sich Jule.

»Nicht für Füchse und streunende Katzen«, erwidert Völxen und fragt die Rentnerin, ob der Schuss in der Nähe des Osterfeuers gefallen sein könnte.

»Nein, das war bestimmt weiter weg.«

»Und die Uhrzeit?«

»Das weiß ich nicht. Ich war noch im Bett.«

»War es schon hell?«

»Kann ich nicht sagen, ich hatte die Rollos unten.«

Keiner der Befragten hat eine Idee, um wen es sich bei der Leiche handeln könnte. Man ist sich lediglich darüber einig, dass das Böse von außen kommen muss, entweder aus den Nachbarorten oder aus der Stadt: Mafia, Satanisten, Islamisten, organisiertes Verbrechen. Ein wenig ergiebiger sind die Hundebesitzer. Etliche von ihnen sind mit ihren Tieren zu den fraglichen Zeiten auf dem Vörier Berg spazieren gegangen, allein fünf von ihnen in den frühen Abendstunden des Samstags.

Jochen Raufeisen, ein älterer Herr, der mitten im Dorf wohnt und Besitzer eines schwarzen Monstrums ist, berichtet, er habe die bewusste Stelle am Sonntagmorgen zwischen halb sechs und Viertel vor sechs passiert und die Jungs von der Landjugend tief schlummernd auf ihren Isomatten liegend vorgefunden. »Beinahe hätte der Hund einen Schlafsack angepisst.« Seine Frau, die beim Spaziergang nicht dabei war, begleitet den Bericht mit beifälligem Nicken, während sie Silberbesteck in eine Schublade sortiert und dabei jedes Stück noch einmal mit einem weißen Leinentuch poliert. Sie hört die Geschichte offenbar nicht zum ersten Mal.

»Haben Sie da oben ein Fahrzeug gesehen?«, fragt Völxen. »Ein fahrendes oder auch ein parkendes?«

Nein, ein Fahrzeug ist dem Frühaufsteher nicht aufgefallen, und auch Völxens Frage nach einem Schuss verneint der Mann, allerdings mit dem Hinweis, dass er sein Hörgerät nicht getragen habe. »Da oben ist es immer windig, und das rauscht dann so unangenehm.«

»Dass der Hund an dem Gestrüpp rumschnüffelt, ist ja klar, aber wer denkt denn an so was?«, meint eine Dackelbesitzerin, die am Sonntagmorgen gegen acht Uhr auf dem Lüderser Weg entlangspazierte. »Bis zu den Windmühlen und zurück.« Von der Landjugend sei um diese Zeit keiner mehr dagewesen. »Nur eine Menge Müll lag rum, ein Saustall war das. Auf dem Rückweg habe ich den Willi dann angeleint.«

Eine Frau Schlote aus der Neubausiedlung berichtet, nachdem sie ihre beiden Kinder nach oben geschickt hat: »Ich bin am Sonntag um acht Uhr mit Cora rausgegangen. Auf dem Hinweg hat sie den Haufen angebellt wie verrückt. Das hat sie die Tage vorher nie gemacht. Als sie anfing, darin rumzuscharren, habe ich sie weggezogen. Ich dachte, vielleicht ist ein Tier da drin, ein Marder oder so. Hätte ich geahnt...« Die Hausbesitzerin sieht Völxen schaudernd an, während sich die Schnauze des Golden Retriever über den Tisch schiebt und Kurs auf einen Teller mit Süßigkeiten nimmt. Von oben hört man Kinderstimmen und Fußgetrappel.

Jule betrachtet die österlichen Fensterbilder und die bunten Notiz- und Werbezettel, die mit Magneten an der Seite des Edelstahlkühlschranks festgehalten werden. *Kinderturnen, Osterbasar, Power-Yoga, Lammbraten griechisch...* Eine Familie wie aus der Bausparkassenwerbung. Ob es bei Leonard zu Hause ähnlich aussieht? Angeblich lebt er mit seiner Frau nur noch wegen des zehnjährigen Sohnes zusammen. Aber wenn das tatsächlich so wäre, dann müssten sie sich nicht so klammheimlich treffen. Und wenn Völxen heute noch jeden Haushalt in diesem Ort abklappern will, dann kann sie ihr Date in den Wind schreiben, verdammt noch mal! Es ist sinnlos, was wir hier tun, findet Jule und ist zum ersten Mal verärgert über ihren Chef. Normalerweise ist Bodo Völxen derjenige, der sich an das Wilhelm-Busch-Wort *Wer rudert, sieht den Grund nicht* hält und erst einmal Ermittlungsergebnisse abwartet, ehe er aktiv wird. Aber in diesem Fall legt er eine geradezu fiebrige Verbissenheit an den Tag, um nicht zu sagen: blinden Aktionismus. Wäre wenigstens die Leiche bereits identifiziert, dann könnte man gezielte Fragen stellen, aber so? Auf Jules vorsichtige Nachfrage hat Völxen erklärt: »Heute, am Feiertag, sind die Leute zu Hause, und die Erinnerungen sind noch frisch.«

Da mag etwas dran sein, aber wahrscheinlicher ist, dass er seinen Nachbarn beweisen möchte, wie ernst er diese Sache nimmt, vermutet Jule.

»Wann war das genau, als Sie die Feuerstelle passiert haben?«, fragt Jule nun die junge Mutter. Die schaut auf die

Wanduhr – ein Modell von *Ikea*, das Jule aus ihrer eigenen Küche kennt –, als würde sie dort die Antwort finden. Anscheinend klappt das auch, denn sie sagt: »Das erste Mal war es etwa zehn nach acht, das zweite Mal zehn, fünfzehn Minuten später. Auf dem Rückweg hatte ich Cora aber dann schon angeleint, damit sie sich nicht wieder so aufführt und das ganze Dorf wachbellt.«

»Wohin genau sind Sie gegangen?«, will Völxen wissen.

»Ganz einfach: die Straße hoch, dann links auf dem Berg lang bis kurz vor Lüdersen. Dann dieselbe Strecke zurück.«

»Ist Ihnen irgendwann ein Auto begegnet?«

Zwar ist der Weg, der über den Vörier Berg ins höher gelegene Dorf Lüdersen führt, für den öffentlichen Verkehr gesperrt, aber jemand, der eine Leiche verschwinden lassen möchte, kümmert sich wohl kaum um die Straßenverkehrsordnung.

Die Frau schüttelt den Kopf. »Da oben bestimmt nicht. Im Dorf habe ich nicht darauf geachtet.«

»Vielleicht ein parkender Wagen?«, insistiert der Kommissar.

»Nein. Seit dem 1. April ist ja offiziell wieder Leinenzwang, und da achte ich immer ganz besonders darauf, ob ich die Autos der Jäger irgendwo stehen sehe.«

»Haben Sie in den frühen Morgenstunden einen Knall gehört?«

»Nein, da habe ich geschlafen.«

Jule und Völxen verabschieden sich. Draußen resümiert Völxen: »Fernando sagt, gegen sieben Uhr wären die Jungs, die am Feuer Wache gehalten haben, weggefahren. Um acht war die Frau mit dem Dackel da, und kurz danach hat der Hund von Frau Schlote angeschlagen. Demnach ist es am wahrscheinlichsten, dass die Leiche zwischen sieben und acht in den Haufen gekommen ist – wie auch immer. Ich denke, am Samstagabend war zu viel los hier oben.«

»Aber genau dann würde ein Auto mehr oder weniger, das hier rauffährt, nicht besonders auffallen«, gibt Jule zu bedenken. »Niemand denkt sich etwas dabei, wenn einer hier anhält, den Kofferraum öffnet und was Schweres rausholt. Man muss nur alleine sein, wenn man gerade die Leiche ablädt.«

Der Kommissar überlegt. »Stimmt. Als ich da war, war sonst keiner da. Aber mit Abladen allein ist es nicht getan, man muss die Leiche ja auch gut verstecken. Dazu muss man mindestens einen dieser schweren Strohballen entfernen, Gestrüpp unten herausziehen, die Leiche, die ja auch nicht gerade leicht ist, irgendwie in die Lücke stopfen, und zwar weit genug rein, dass sie nicht gesehen wird. Das allein stelle ich mir schon recht schwierig vor.«

»Viel schwieriger als Zaunlatten«, bemerkt Jule süffisant.

»Genau. Danach muss man sie wieder gut verbergen. Das alles ist mühsam und dauert seine Zeit.«

»Zumindest, wenn man alleine ist«, gibt ihm Jule recht.

»Sie denken an mehrere Täter?«

»Ich denke gar nichts. Wir wissen einfach noch viel zu wenig«, antwortet Jule.

»Das ist leider wahr«, seufzt Völxen. Er schaut auf die Uhr und sagt: »Nehmen Sie den Dienstwagen, und machen Sie für heute Feierabend, Frau Wedekin. Ich hoffe, Sie kommen noch rechtzeitig zu Ihrem Rendezvous.«

Jule läuft flammend rot an. »Woher wissen Sie ...«

»Ich bitte Sie! Sie schielen andauernd auf die Uhr. Ich spreche noch mit den Leuten von der Feuerwehr. Dazu werde ich wohl ein paar Klare trinken müssen, um die Ermittlungsarbeit nicht zu gefährden, und dem möchte ich Sie lieber nicht aussetzen.«

»Dafür bin ich Ihnen sehr dankbar«, grinst Jule. »Ich

fahr noch mal da rauf und sehe mir die Umgebung ein bisschen genauer an. Gestern war es ja stockfinster.«

»Und Sie hatten die falschen Schuhe an«, bemerkt Völxen. »Zwar chic, aber äußerst unpassend.«

Die junge Frau ist dreiundzwanzig, heißt Anna Felk, und sie vermisst seit gestern ihren Vater Roland Felk, geboren am 26. April 1949.

»Den ganzen Sonntag über wollte ich ihn anrufen, aber er ging nicht ans Telefon. Ich hatte eigentlich damit gerechnet, dass er bei mir vorbeikommt. Na gut, dachte ich, dann wird er sich vielleicht morgen melden – also heute. Aber dann habe ich vorhin diesen Bericht im Fernsehen gesehen, in den Lokalnachrichten. Von dieser… dieser…«

»… über den oder die Tote im Osterfeuer«, beendet Oda den Satz für sie. »Wo wohnt Ihr Vater?«

»In Holtensen.«

Oda fängt an zu begreifen. »Haben Sie schon mit den umliegenden Krankenhäusern telefoniert?«

»Heute früh. Nichts.« Anna Felk streicht sich eine nussbraune Haarsträhne aus dem geröteten Gesicht. »Danach war ich bei ihm im Haus, ich habe einen Schlüssel.« Sie gibt an, im Haus, in dem ihr Vater allein lebe, sei alles in Ordnung gewesen, die Tür abgeschlossen. Nur seinen *Volvo* hätte sie nirgends entdecken können.

»Wissen Sie das Kennzeichen?«

»H und dann CH, die Zahl weiß ich nicht. Verzeihen Sie, ich bin so durcheinander. Vielleicht fällt es mir später wieder ein.«

»Lassen Sie nur, das kriegen wir schon raus«, versichert Fernando und fragt: »Könnte er einfach nur spontan verreist sein?«

Ihr Nein kommt sehr entschieden.

»Wann haben Sie ihn denn zuletzt gesehen oder gesprochen?«

»Am Karfreitag. Am Abend haben wir dann noch mal telefoniert.«

»Hat Ihr Vater ein Handy?«, will Oda wissen.

»Nein.« Sie schüttelt den Kopf. »Er will so was nicht. Wegen der Strahlung.«

Oda und Fernando wechseln einen heimlichen Blick.

»Mein Vater hat eine Praxis für Naturheilverfahren in der Südstadt«, erklärt Anna Felk, und es kommt Oda vor, als würde sie diese Auskunft etwas verlegen machen.

»Er ist Heilpraktiker?«

»Eigentlich ist er Internist. Er war Oberarzt am Oststadtkrankenhaus.« Die junge Frau macht eine Pause, schnäuzt in ein Papiertaschentuch. »Aber vor vier Jahren hat er sich selbstständig gemacht und sich auf natürliche Heilmethoden spezialisiert.«

Oda zieht verwundert ihre Augenbrauen hoch.

»Meine Mutter ist vor fünf Jahren an Krebs gestorben. Es hat ihn sehr mitgenommen. Danach hat er sich von der Schulmedizin abgewandt.«

»Könnte es sein, dass Ihr Vater in seiner Praxis ist?«, mischt sich Fernando ins Gespräch.

»Nein, dort bin ich gerade gewesen, da war alles dicht. Die Praxis ist über Ostern geschlossen. Ich habe Tian angerufen, aber der wusste auch von nichts.«

»Wer ist Tian?«

»Tian Tang. Er betreibt die Praxis mit meinem Vater zusammen.

»Hat Ihr Vater eine Freundin oder Lebensgefährtin?«

»Nein. Er lebt allein.«

»Das war nicht ganz die Frage«, setzt Oda nach.

Sie schüttelt den Kopf. »Nichts von Bedeutung jedenfalls, sonst wüsste ich davon.«

Ist das so?, zweifelt Oda. Hält ein Mann von sechzig Jahren seine erwachsene Tochter, die nicht mehr bei ihm lebt, über sein Liebesleben auf dem Laufenden? Der Wagen ist nicht da – vielleicht hat sich ihr Vater spontan zu einem österlichen Kurzurlaub entschlossen?

Offenbar hat Anna Felk Odas Gedanken erraten, denn sie sagt: »Er ist auch nicht verreist, bestimmt nicht. Mein Großvater ist am Freitag gestorben.«

»Oh, das tut mir leid. War das der Vater Ihres Vaters?«

Sie nickt, und insgeheim gibt Oda der jungen Frau recht. Kein guter Zeitpunkt für Lustreisen.

Anna Felk sieht Oda Hilfe suchend an. Ihre Augen sind salbeigrün und füllen sich nun erneut mit Tränen, als sie sagt: »Und Oscar ist auch weg.«

»Wer ist Oscar?«

»Das ist sein Hund.«

Fernando parkt vor einem Haus mit leicht maroder Jugendstilfassade in der Nordstadt. Er hat Anna Felk davon überzeugen können, ihren alten *Fiesta* stehen zu lassen und sich von ihm in einem der Dienstwagen nach Hause fahren zu lassen. »Sie sind viel zu nervös, Sie bauen sonst noch einen Unfall.«

Im Hintergrund hat Oda die Augen verdreht und gesagt: »Wir werden nach dem Wagen Ihres Vaters suchen lassen. Die Obduktion des bewussten Leichnams findet erst morgen früh statt. Danach wissen wir bestimmt mehr.« Dann hat sie Anna Felk noch um die Handynummer dieses Herrn Tang gebeten.

»Wohnen Sie alleine?«, fragt Fernando, als er den Motor abstellt.

»Im Moment ja.«

»Sind Sie sicher, dass Sie jetzt allein sein wollen?« Als Fernando merkt, wie sich das anhört, fügt er rasch hinzu:

»Ich meine – haben Sie vielleicht Verwandte oder Freunde, die Sie anrufen könnten?« Oder einen Freund, fügt er in Gedanken hinzu.

Sie schüttelt den Kopf. »Es geht schon.«

»Kann ich noch was für Sie tun? Haben Sie heute schon was gegessen?« Fernando merkt, dass er selbst langsam Hunger bekommt. Ihm tut die junge Frau leid. Außerdem ist sie sehr hübsch.

»Ich möchte nichts. Ich muss jetzt meine Katze versorgen.«

»Na dann ...« Fernando geht um den Wagen herum und öffnet ihr die Beifahrertür. Sie steigt aus, langsam, als würde sie jede Muskelbewegung eine Menge Kraft kosten. Vor der Haustür hat sie anscheinend ihre Meinung geändert, sie dreht sich um und ruft Fernando zu: »Wenn Sie noch Zeit haben – ich könnte uns eine Tasse Tee machen.«

»Gute Idee«, meint Fernando, der Tee verabscheut, und macht sofort wieder kehrt. Sie steigen hinauf in den vierten Stock, Anna sperrt die Tür auf.

Eine schwarze Katze kommt angelaufen, mustert Fernando misstrauisch und rast davon. »Nero ist ein bisschen ängstlich.«

Er folgt ihr durch einen langen Flur in die Küche mit Blick zum Hinterhof. Ein großer Tisch aus dunklem Holz steht vor dem Fenster, darauf Reste eines einsamen Frühstücks und ein Korb mit Eiern in sanften Pastellfarben. Anna Felk setzt Wasser auf, Fernando räumt ein paar Zeitschriften von einem Stuhl und setzt sich hin. An der Wand hängen gerahmte Fotografien: Häuser, von denen die Farbe und der Putz abbröselt, und alte Straßenkreuzer. »Ist das Kuba?«

»Ja, Havanna. Ich war vor zwei Jahren dort.«

»Das ist eine schöne Wohnung.« Sie ähnelt der Lindener Altbauwohnung, die er mit seiner Mutter bewohnt: hohe

Räume, der Dielenboden etwas abgenutzt, Leitungen auf Putz, der Charme des Altbaus ist erhalten geblieben, auch wenn die neuen Fenster aus Kunststoff sind. Die Einrichtung hingegen ist ganz anders, keine düsteren spanischen Möbel, wie bei Fernando zu Hause, sondern ein solider, moderner Landhausstil, der nicht so ganz in diesen Altbau und zu einer jungen Frau passt, wie Fernando findet, aber andererseits hat er für Einrichtung wenig Sinn. In seinem Zimmer stehen noch immer Möbel, die seine Mutter vor dreißig Jahren für ihn angeschafft hat.

»Ja, die Wohnung ist schön und nah an der Uni. Nur ein Balkon fehlt. Aber allein ist sie mir zu groß und zu teuer. Wenn Sie jemanden wissen, der das große Zimmer am Ende des Flurs haben möchte – meine Mitbewohnerin hat leider vor zwei Wochen einen Studienplatz in Berlin angenommen.«

»Ich werde mal rumfragen«, meint Fernando und beobachtet, wie sie mit eingeübten Bewegungen Katzenfutter aus einer Dose auf einen Teller häuft.

»Nero, mein Süßer, komm schon, lecker.« Aber der Kater lässt sich nicht blicken. Das Katzenfutter stinkt nach vergammeltem Fisch.

Anna gießt Tee auf, wobei sie erzählt: »Mein Großvater stand mir beinahe näher als mein Vater. Wir haben uns viel über die Vergangenheit unterhalten. Er hat so viel gewusst. Und je älter er wurde, desto präziser wurden seine Erinnerungen an seine Jugendzeit. Er fand es gut, dass ich Geschichte studiere. Er hat immer Tucholsky zitiert: *Wer die Enge seiner Heimat begreifen will, der reise. Wer die Enge seiner Zeit ermessen will, studiere Geschichte.*«

»Das klingt sehr klug.«

»Das war er auch. Obwohl er immer von sich behauptete, er sei nur ein dummer Bauer.«

Fernando schweigt und nippt an seinem Tee. Er ist rot

und schmeckt säuerlich, er schaufelt drei Löffel Zucker in die Tasse.

»Sein Tod kam vollkommen überraschend. Ich weiß, das hört sich seltsam an, er war ja schon neunzig. Aber er war völlig gesund! Wenn er mich besuchte, kam er die Treppen ohne Probleme rauf. Gut, er hat manchmal abends nicht mehr gewusst, was es mittags zu essen gegeben hat, aber was macht das schon?«

»Wie hieß denn Ihr Großvater«, erkundigt sich Fernando. Nicht, dass ihn das übermäßig interessieren würde, aber offenbar tut es ihr gut, über ihren Großvater zu reden, und er hört ihr gerne zu. Sie hat eine angenehme, weiche Stimme.

»Heiner Felk hieß er. Er hatte zwei Söhne, Onkel Ernst und Roland, meinen Vater.«

Fernando probiert den Tee, der jetzt pappsüß schmeckt. »Wo wohnt Ihr Onkel?«

»Auf dem Gut, nach wie vor. Es ist ein Gestüt. Er und seine Frau Martha züchten Pferde. Es liegt in Linderte, unterhalb des Wolfsbergs.«

Wolfsberg? Hat nicht Völxen heute Morgen von diesem Berg gesprochen?

»Helfen Sie mir, ich bin eine Niete in Heimatkunde. Wo liegt noch mal dieser Wolfsberg?«, hakt Fernando nach.

»Direkt neben dem Vörier Berg. Die beiden bilden praktisch einen Höhenzug. Wenn Sie vom Holtenser Osterfeuer aus weitergehen, an den Windrädern vorbei bis kurz vor Lüdersen, dann stehen Sie auf dem Wolfsberg. Deshalb nennt sich Lüdersen ja auch Bergdorf. Das Dorfwappen ist ein über drei Berge springender Wolf, und die drei Berge sind der Wolfsberg, der Vörier Berg und der Süllberg südöstlich der Ortschaft. Der Nordhang des Wolfsbergs ist bewaldet, und unterhalb gibt es eine Quelle, die Wolfsquelle.«

»Sie kennen sich da ja wirklich gut aus.«

»Ich war als Kind fast jeden Tag auf dem Gut. Mein Großvater hat mir viel über die Gegend erzählt, er hat ja dort sein Leben verbracht. Er ist vor drei Jahren von dort weg und in ein Altenheim gezogen. Ich an seiner Stelle wäre schon viel früher abgehauen. Tante Martha ist ein echter Drachen. Opa sagte immer, das käme daher, dass sie keine Kinder hat.« Sie blinzelt ein paar Tränen weg und putzt sich die Nase.

Fernandos Magen knurrt laut, was ihm peinlich ist.

»Am Karfreitag fanden sie ihn plötzlich morgens tot in seinem Bett. Am Tag zuvor bin ich noch bei ihm gewesen, da war alles ganz normal. Wir sind sogar im Garten spazieren gegangen. Herzversagen steht im Totenschein. Ich versuche, mich damit zu trösten, dass er wenigstens nicht leiden musste.«

Fernando fällt gerade auf, dass sie, seit sie hier sitzen, fast ununterbrochen über Tote reden. Aber worüber auch sonst? Small Talk verbietet sich ja wohl in dieser Situation. Es wäre einfacher, wenn bereits sicher wäre, dass der Tote Annas Vater ist. Dann könnte er ihr die üblichen Fragen stellen: Hatte er Feinde? Hatte er eine Lebensversicherung? Wer erbt was? Aber im Augenblick wären solche Fragen taktlos, würden sie doch verraten, was Fernando vermutet: dass Anna Felk recht hat mit ihrer Befürchtung. Andererseits müsste er sie dann aber auch in den Kreis der Verdächtigen aufnehmen und ihr Fragen stellen, auf die er jetzt noch verzichten kann. Sein Magen knurrt erneut.

»Möchten Sie ein Osterei? Es sind Bioeier, mit Pflanzenfarben gefärbt.«

Fernando nimmt dankend an und wählt ein zartgrünes Ei. Anna bringt einen Teller und den Salzstreuer. Ihre graugrünen Augen – exakt die Farbe des Ostereis, wie Fernando entzückt feststellt – sehen ihn beschwörend an, als sie sagt: »Ich glaube, meine Tante Martha steckt dahinter.«

»Hinter was?«

»Hinter dem Tod meines Großvaters. Und nun hat sie womöglich auch noch Papa auf dem Gewissen ...«

Fernando holt tief Luft und hebt die Hand. »Jetzt mal ganz langsam. Noch wissen wir gar nichts über Ihren Vater. Aus welchem Grund sollte Ihre Tante denn gleich zwei Morde kurz nacheinander begehen?«

Sie zieht die Schultern hoch, aber statt einer Antwort schlingt sie die Arme um die Knie und schaut stumm zum Fenster hinaus. Im Hof gurren Tauben.

»Haben Sie eigentlich auch noch Verwandte mütterlicherseits?«, versucht Fernando sie abzulenken und hofft, während er das Ei pellt, dass wenigstens diese nicht auch schon gestorben sind.

»Zwei Tanten, die wohnen in Hessen. Da kommt meine Mutter her.«

Ihre Mutter. Verdammt, noch eine Tote. Dieses Mädchen hat es wirklich nicht leicht. Aus dem Streuer kommt zu viel Salz.

»Mein Vater starb, als ich dreizehn war«, erzählt Fernando, um zu zeigen, dass ihm ihre Lage nicht unvertraut ist. »Danach dachte ich, ich müsste die Familie ernähren, und habe allerhand krumme Dinger gedreht. Dass ich meiner Mutter dadurch noch mehr Schwierigkeiten gemacht habe, habe ich in meinem jugendlichen Eifer nicht bedacht.«

»Und trotzdem sind Sie Polizist geworden.«

»Ja, ich habe gerade noch die Kurve gekriegt. Es ist gar nicht schlecht, wenn man die andere Seite aus eigener Erfahrung kennt.«

Sie muss die Eier stundenlang gekocht haben. Der winzige Dotter – ist das typisch für Bioeier? – ist quasi mumifiziert und nur noch ein graugrünes Pulver.

»Was macht Ihre Mutter?«, will Anna wissen.

Das staubtrockene Ei verstopft ihm die Kehle, er muss

mit Tee nachspülen, ehe er antworten kann: »Sie hat einen Laden in Linden, spanische Lebensmittel und Weine. Sie müssen mal vorbeikommen, dort gibt es die besten Tapas der ganzen Stadt.«

»Darf ich Sie was fragen?«

»Sicher.«

»Was betrachten Sie als Ihre Heimat, Spanien oder Deutschland?«

»Linden.«

Sie lächelt. »War nett von Ihnen, dass Sie mit raufgekommen sind.«

War das die Aufforderung an ihn, nun zu gehen? Es klang so. Verstohlen wirft er einen Blick zu ihr hinüber. Sie hält ihre Teetasse umklammert, schaut wieder geistesabwesend zum Fenster hinaus und wirkt dabei so verloren, als säße sie allein auf dem Grund eines Brunnens.

»Danke für den Tee. Sie können mich jederzeit anrufen.« Fernando legt seine Karte auf den Tisch neben die Zuckerdose und steht auf.

Sie sieht ihn an, als hätte er sie aus tiefem Schlaf geweckt. Dann lächelt sie. »Für einen Bullen sind Sie ganz nett.«

»Ach, noch etwas: Würden Sie mir den Schlüssel für das Haus Ihres Vaters überlassen? Nur für den Fall, dass ...«

»Klar.« Sie geht voraus, macht das Licht im Flur an und holt den Schlüssel aus ihrer Jacke, die an einem Haken der Garderobe hängt.

Fernando ist ein paar Schritte weitergegangen und steht in der Tür zu einem großen, hellen Zimmer. Bis auf eine Lampe aus Japanpapier und ein klapprig wirkendes Bücherregal ist der Raum leer. Er ist groß, bestimmt an die dreißig Quadratmeter, und verfügt über zwei hohe Fenster, die nach Westen zeigen. Die Bodendielen haben ein paar Schrammen, und eine Wand ist in einem kitschigen Lila gestrichen. Ob der Haushalt wohl über einen vernünftigen

DSL-Anschluss verfügt? Aber das ist vermutlich nicht der Moment für solche Fragen. Nur eine Sache muss unbedingt geklärt werden: »Suchen Sie eigentlich ausschließlich nach einer weiblichen Mitbewohnerin?«

»Nein. Mir ist jeder recht, der im Sitzen pinkelt. Warum, kennen Sie jemanden?«

Fernandos Handy klingelt, ehe er antworten kann. Es ist Oda. »Eine Streife hat gerade den Wagen von Roland Felk gefunden.«

»Wo?«

»Am Parkplatz vom Friedhof eines Ortes namens Linderte.«

Fernando wiederholt Odas Worte für Anna. »Können Sie damit was anfangen?«

Anna sieht ihn mit großen Augen an, dann nickt sie. »Ja. Von dort aus führt ein Weg den Wolfsberg hinauf. Mein Vater stellt dort manchmal den Wagen ab, wenn er ins Revier geht.«

»Welches Revier?«

»Er geht dort oben manchmal auf Pirschgang. Und weil er nicht mit der Waffe durchs Dorf laufen will, nimmt er den Wagen und stellt ihn dort ab.«

»Ihr Vater ist Jäger?«

»Ja. Sagte ich das noch nicht?«

Veronika steht vor dem Spiegel im Flur und betrachtet sich kritisch von allen Seiten. Im Gegensatz zu Oda, deren Garderobe ausschließlich aus schwarzen Sachen besteht, bevorzugt Veronika in letzter Zeit kräftige Farben. Dieses eisblaue, viel zu weit ausgeschnittene Etwas betont die Farbe ihrer Augen, die sie noch immer gerne dick schwarz umrahmt. Aber bis auf einen kleinen Ring am Ende der rechten Augenbraue ist ihr Gesicht inzwischen frei von Metall, und auch ihre Ohren sehen nicht mehr aus wie eine Gardinenstange.

»Wo geht's denn hin?«, erkundigt sich Oda.

»Weiß noch nicht.« Sie nimmt die Bürste, fährt sich durch ihr Haar und schüttelt dann den Kopf wie ein nasser Hund.

»Sag mal, was macht dieser Jo eigentlich, ich meine, außer Musik – davon kann er doch nicht leben, oder?«

Veronika legt die Bürste weg, stemmt die Hände in die Seiten und sieht ihre Mutter vorwurfsvoll an. »Was ist denn das jetzt für eine Frage?«

»Wieso? Das ist eine ganz normale Frage.«

»Das ist eine Muttifrage«, meint Veronika verächtlich und zieht sich ihre Lippen purpurrot nach.

»Gut, dann ist es eben eine Muttifrage. Mutti ist eben daran interessiert, mit wem ihre Tochter des Nachts um die Häuser zieht«, antwortet Oda und bemüht sich um einen lockeren Tonfall.

»Drogenhändler.«

»Wie bitte?«

»War ein Scherz.«

»Sehr witzig.«

»Er hat keinen festen Job. Ab und zu gibt er Gitarrenunterricht. Hey, ich will ihn nicht heiraten, ja?«

»Hoffentlich«, entfährt es Oda, was sie sofort bereut, denn schon braust Veronika auf.

»Immer hast du was gegen meine Freunde. Mal sind sie dir zu schwarz angezogen – dabei solltest du mal selbst in den Spiegel gucken –, mal schnappst du dir meinen Typen selber ...«

»Augenblick mal!«, unterbricht Oda ihre Tochter. »Diese Gruftis findest du ja inzwischen selber lächerlich, und was Daniel angeht – er war nie *dein* Typ. Er war dein Regisseur beim Jugendtheater und eine pubertäre Schwärmerei, nichts weiter, das hast du doch selbst eingesehen.«

»Ja, Mama.«

»Ich habe nichts gegen Jo, ich wollte nur wissen, was er so macht.«

»Ja, Mama.«

»Hör schon auf mit diesem blöden ›Ja, Mama‹.«

»Schön, Mama. Du hast gefragt, und ich habe es dir gesagt. Kann ich jetzt gehen?«, fragt Veronika schnippisch. »Sonst verpasse ich den Bus.«

»Ich wollte dich nicht aufhalten«, antwortet Oda kühl.

»Ciao.«

Die Tür fällt ins Schloss, Oda lehnt sich gegen die Wand und ballt die Fäuste. Verdammt! Genau so hätte es nicht laufen sollen, genau so nicht! Wie kriege ich das nur immer hin? Ich habe ein Diplom in Psychologie, ich finde bei fast jedem Zeugen oder Verdächtigen auf der Dienststelle den richtigen Ton, aber nie bei meiner eigenen Tochter. Warum nur müssen Veronika und ich ständig aneinandergeraten? Und wenigstens könnte sie ihre Haarbürste wieder ins Bad… Oda stutzt. Haare… Lieber Himmel, Oda, das kannst du doch nicht machen! Und warum nicht? Vertrauen ist bekanntlich gut, aber Kontrolle noch besser. Dann hätte sie Gewissheit, und zwar ohne Fragen, ohne Streit. Sie holt einen Gefrierbeutel aus dem Küchenschrank und zupft ein paar lange Haare aus den Borsten. Den Beutel verschließt sie und packt ihn in ihre Handtasche. Sie kann sich das ja bis morgen noch einmal überlegen.

Die Tagesschau ist zu Ende, doch Jule hat nicht ein Wort vom Weltgeschehen an diesem Ostermontag mitbekommen. Sie starrt auf ihr Handy, das vor ihr auf dem Couchtisch liegt und sie seit Stunden anschweigt. Wenigstens eine SMS könnte er schicken, verdammt! Geduld! Vielleicht muss er noch seinen Sohn ins Bett bringen, vielleicht hat er danach Zeit, mich wenigstens anzurufen, wenn er schon nicht kommt.

Wie hat Oda seinerzeit zu ihr gesagt: »Genieße es, solange es dauert.« Aber wenn sie ehrlich ist – ein Genuss war es nie. Sicher, es gab einige Glücksmomente, doch der Rest ist Warten, Grübeln, Hoffen, Heulen, Sichbetrinken. Auch jetzt hat sie bereits die halbe Flasche geleert, die sie eigentlich mit Leonard zusammen trinken wollte. Ich werde noch zur Alkoholikerin. Was diese Affäre betrifft, hat ausnahmsweise einmal Fernando, ausgerechnet Fernando, recht behalten, der damals meinte, sie sei nicht der Typ für so etwas.

Okay, Jule, du machst jetzt Folgendes: Wenn er sich bis neun Uhr nicht gemeldet hat, dann schickst du ihm eine SMS, dass Schluss ist. Sie schaut auf die Uhr, während sie zu zählen versucht, wie viele Ultimaten ähnlicher Art schon folgenlos abgelaufen sind. Aber dieses Mal nicht! Dieses Mal machst du Ernst. Wirklich.

Elektrisiert springt Jule auf, als es klingelt. Ganz ruhig! Es ist sicher wieder nur Thomas oder Fred oder Frau Pühringer von oben, die sich über irgendetwas beschweren möchte, oder die Zeugen Jehovas oder die GEZ.

Schon so oft hat sie sich diese Situation zurechtgeträumt, wie Leonard vor ihrer Tür steht, mit einem großen Koffer und sagt: Ich hab's getan, ich habe sie verlassen, ich will ab jetzt mit dir leben. Oder so ähnlich, vielleicht mit weniger Pathos, er neigt ja eher zur Lässigkeit. Jetzt hat er lediglich eine große Sporttasche bei sich, er wirkt abgekämpft wie nach einem Sprint und sagt mit düsterer Miene und fast tonloser Stimme: »Sie hat's rausgekriegt.«

»Seid ihr weitergekommen?«, fragt Sabine während des Abendessens. Es gibt Hühnerbrustfilets mit Gemüse und Reis, ein Gericht, bei dem Völxen nach dem Essen immer das Gefühl hat, hungrig vom Tisch aufzustehen.

»Geht so.«

Die Unterhaltung mit den Männern, die neben der

Landjugend am Aufbau des Osterfeuers beteiligt waren, hat immerhin ergeben, dass am frühen Samstagnachmittag noch keine Leiche da oben gelegen haben kann. »Wir haben den Haufen von Grund auf neu aufgeschichtet, das waren nur Äste und Gesträuch, ein paar dürre Weihnachtsbäume und das übliche Gerümpel, das all diese Idioten immer noch heimlich dazuschmeißen: alte Stühle, Autoreifen, ein Sofa, einen Karnickelstall«, hat Kalle Koch, der unglückselige Treckerfahrer, aufgezählt.

Und Ortsbrandmeister Lenthe hat hinzugefügt: »Ich bin sogar am Samstagabend extra noch mal raufgefahren, um alles zu kontrollieren, und was soll ich sagen: Da hat uns doch schon wieder so ein Saukerl ein paar lackierte Zaunlatten untergeschoben!«

»Sagt dir der Name Roland Felk etwas? Dr. Roland Felk?«

»Ein Arzt?«, fragt Sabine zurück.

»Früher mal. Jetzt macht er in Naturheilkunde. Hat eine Praxis in der Südstadt. Sein Wohnhaus steht an der Hauptstraße, etwas zurückversetzt«, antwortet Völxen, der vorhin, auf dem Weg von der S-Bahn-Station nach Hause, mit dem Rad an dem Haus vorbeigefahren ist.

»Warum? Ist das die Leiche?«, erkundigt sich Wanda.

»Möglicherweise.«

»Die mit den Pferden heißen doch Felk«, sagt Wanda. »Dieser schöne große Hof, der am Rand von Linderte liegt. Ich bin da als Kind im Sommer ab und zu hingeradelt und habe den Pferden altes Brot gegeben. Einmal hat mich so ein älterer Typ angemotzt«, erinnert sich Wanda.

»Das muss dann wohl Verwandtschaft sein.« Völxen hat das gepflegte, weitläufige Anwesen am Rand des Nachbardorfes deutlich vor Augen. Schon oft hat er sich an dem Anblick der eleganten Hannoveraner erfreut, die rings um das Gut auf verschiedenen Weiden stehen, und jedes Mal ist er dabei ein bisschen wehmütig geworden, weil ihn die prächtigen Tiere an die Zucht seines Großvaters und damit an die schönsten Tage seiner Jugend erinnert haben.

»Frag doch Hanne Köpcke nach diesem Doktor, die weiß alles über jeden im Dorf«, schlägt Sabine vor.

»Unmöglich. Die würde doch nie dichthalten. Stell dir den Schlamassel vor, wenn er es nicht ist! Ich wäre Zeit meines Lebens das Gespött des Ortes.«

»Kann Dr. Bächle das nicht rauskriegen? DNA und so ...«, fragt Wanda.

»Ja, natürlich, aber der fängt ja erst morgen damit an.«

»Dann warte doch einfach ab«, rät Sabine. »Du bist doch sonst nicht so ungeduldig.«

»Sonst liegen die Leichen auch nicht vor der Haustür«, grantelt Völxen und steht auf. »Ich sehe mal nach den Schafen.«

»Die Zaunlatte zu Köpcke rüber hat das Biest übrigens schon wieder runtergerissen«, sagt Sabine.

»Amadeus hat eben Frühlingsgefühle, ich mach sie gleich wieder fest und stell den Elektrozaun davor.« Völxen schlüpft in seine Gummistiefel. Ehe er geht, schaut er seine Tochter mit eisernem Blick an. »Wenn auch nur ein einziges Wort von dem, was gerade in diesem Zimmer gesprochen wurde, in die Welt hinausgemailt, -getwittert oder -gesimst wird, dann wirst du enterbt, ist das klar?«

»Du könntest den neuen Medien gegenüber ruhig etwas aufgeschlossener sein!«

»Ob das klar ist?«

»Ja doch.« Wanda verdreht die Augen.

Schrecklich, denkt Völxen im Hinausgehen, wenn man den Feind im eigenen Haus sitzen hat.

»Warte! Nimm das für sie mit, das mögen sie.« Wanda ist ihrem Vater nachgerannt und reicht ihm eine Tüte, die sie aus dem Küchenschrank genommen hat.

»Was ist das?«

»Marshmallows. Da stehen sie unheimlich drauf. Amadeus mag am liebsten die rosaroten.«

Fassungslos schnappt sich Völxen die Tüte und geht durch den Garten zu seinem Lieblingsplatz. Unterwegs holt er noch Hammer und Nägel aus dem Schuppen.

Fast jeden Abend und manchmal auch schon früh am Morgen, wenn ihn die Kreuzschmerzen nicht mehr schlafen lassen, steht er hier am Zaun der holprigen Weide, betrachtet die vier Schafe und den Bock und hängt seinen Gedanken nach. Auch jetzt ist sein kleines Paradies wieder einmal wunderschön anzusehen. Die Abendsonne versinkt gerade als orangeroter Ball hinter dem Deister, der Apfelbaum wirft lange Schatten, die Schafe schweben wie helle, wattige Wolken über dem frischen Gras, über dem ein Hauch von Nebel liegt. Es riecht nach Erde, Gras und Dung. Aber noch ist keine Zeit für Müßiggang, das letzte Abendlicht will genutzt sein. Völxen öffnet die Pforte, überquert die Weide und untersucht die schadhafte Stelle im Zaun. Er hat bei Schreiner Kolbe neue Bretter und Pfosten bestellt, schon vor drei Wochen, aber sie sind immer noch nicht da. Amadeus, der seinen Namen wegen seines gezwirbelten Gehörns trägt, kommt langsam auf ihn zu. In seiner Haltung spiegelt sich eine Mischung aus Angriffslust, Übermut und Vorsicht. Völxen dreht sich um und hebt drohend die Faust. Der Bock bleibt stehen und scharrt verlegen mit den Vorderhufen. Völxen vermeidet es, Amadeus den Rücken zuzuwenden. Auch während er nun die herunterhängende Zaunlatte wieder annagelt, behält er das Tier im Auge, jederzeit bereit für den rettenden Sprung über den Zaun. Die Hammerschläge sind dem Bock nicht geheuer, er bleibt auf Abstand. Doch kaum ist Völxen fertig, kommt das Tier langsam näher. Der Bock und der Kommissar fixieren einander. Amadeus senkt den Kopf wie ein Kampfstier. Völxen besinnt sich auf seine Geheimwaffe, raschelt mit der Tüte und nimmt eines der weichen Schaumkissen heraus. Die Wirkung ist verblüffend. Augenblicklich ändert sich die Haltung des Bocks, er hebt den Kopf, wittert und kommt dann wie ein Schoßhündchen auf Völxen zugetrabt. Auch Doris, Salomé, Mathilde und Angelina haben etwas bemerkt, und im Nu ist Völxen umringt von friedlich Marshmallows kauenden Paarhufern.

»Davon kriegen sie Karies!«

Auf der anderen Seite des Zauns erscheint Jens Köpcke, in jeder Hand einen Eimer Hühnerfutter. Vorsichtshalber klettert Völxen nun doch über den Zaun. Die Tüte mit den Süßigkeiten stopft er rasch in seine Hosentasche.

»Heute Nacht gibt's Regen«, verkündet Köpcke und stellt die Eimer hin.

»Sagen dir das deine Hühner oder dein Rheuma?«

»Sven Plöger von der Tagesschau. Gibt es schon was Neues von der Leiche?«

»Nicht viel. Feiertage. Da dauert alles etwas länger.«

Köpcke nickt bedächtig, dann fasst er in die Brusttasche seiner speckigen blauen Latzhose. »Auch 'n *Herry*? Hab's extra für dich aus dem Kühlschrank geholt.«

»Na dann. Her damit.«

Das Licht wird heller, der Applaus verklingt, die letzten Pfiffe verhallen, ein paar Groupies haben sich noch nicht wieder beruhigt, doch die Qual ist vorbei. Fernando dröhnen die Ohren. Oda hat ja keine Ahnung, was ich für sie auf mich nehme, ergeht sich Fernando in Selbstmitleid. Das Publikum ist im Schnitt gut zehn Jahre jünger als er. Fernando stellt fest, dass er sich in letzter Zeit häufiger alt vorkommt. Vielleicht bewege ich mich in den falschen Kreisen, überlegt er. Heute Abend jedenfalls ganz bestimmt, und zu den Fans von *Chorprobe* wird er sich auch in Zukunft nicht zählen, so viel ist sicher. Drum 'n' Bass! Er kann sich nicht vorstellen, dass man eine derartige Musik zustande bringt, ohne was genommen zu haben. Wenigstens war die Sängerin ganz niedlich, auch wenn sie kaum mehr als bei drei Nummern ein paar Wortfetzen von sich gegeben hat. Unschlüssig bleibt Fernando im Foyer stehen und beobachtet die Leute, die aus dem Saal kommen. Viele sind hungrig geworden und gehen gleich nach nebenan ins Mezzo, einige stehen noch herum und unterhalten sich. Da! Ist das nicht Veronika? Er hat das Mädchen über ein Jahr nicht gesehen, früher kam sie ab und zu auf die Dienststelle und hat mit ihrer Mutter in der Cafeteria zu Mittag gegessen. Sie geht an ihm vorbei und dann den Gang hinunter. Dort befinden sich der Backstagebereich und die Künstlergarderoben, Räumlichkeiten, die nach Fernandos Erfahrungen beim Rauschgiftdezernat gerne einmal genutzt werden, um Drogen aller Art zu konsumieren. Fernando folgt dem schwarzhaarigen Mädchen, das hinter einer Tür verschwunden ist. Aus dem Zimmer hört man Stimmen und Gelächter. Die Tür steht einen Spalt offen, und gerade als Fernando sich nähern will, um einen Blick hineinzuwerfen, wird sie zugezogen.

Fernando sieht sich um, es ist niemand da. Er bückt sich und schaut durch das Schlüsselloch, das groß genug ist, um ihm einen Blick in den Teil des Raumes zu erlauben, an dem die vier Musiker, die Sängerin und Odas Tochter um einen Tisch herum sitzen. Sekunden später kommt sich Fernando vor wie in einem schlechten Film, als er sieht, wie dort drinnen in Bilderbuchmanier ein weißer Brocken zerkleinert wird. Er hofft, dass wenigstens Veronika ablehnen wird, aber auch sie zieht sich die Line mit einem aufgerollten Zwanziger gekonnt in die Nase.

Fernando hat genug gesehen, er richtet sich auf, gerade rechtzeitig, denn ein baumlanger Kerl kommt den Gang entlang auf ihn zu. Fernando erkennt ihn wieder, es ist der,

der vorhin am Mischpult gesessen hat und also zu einem guten Teil dafür verantwortlich ist, dass Fernando haarscharf an einem Hörsturz vorbeigeschlittert ist. Der Soundmann schaut ihn misstrauisch an.

»Hi, guter Sound, große Klasse«, sagt Fernando.

Der Lange murmelt »danke« und geht an ihm vorbei in die Künstlergarderobe. Trotz seines strapazierten Gehörs kann Fernando verstehen, wie er drinnen sagt: »Leute, lasst lieber mal den Schnee verschwinden. Da draußen lungert einer rum, und ich will der Weihnachtsmann sein, wenn das kein Bulle ist.«

Fernando sieht zu, dass er wegkommt. Im Mezzo bestellt er sich ein Bier, aber es schmeckt ihm nicht so recht. Was tun? Er könnte natürlich seine alten Kollegen vom Rauschgiftdezernat anrufen, aber dann wäre Veronika mit dran, und Oda als deren Erziehungsberechtigte würde eine Menge Ärger bekommen. Schöne Scheiße! Nein, im Moment kann er nichts unternehmen. Für den Rest des Abends zerbricht er sich den Kopf darüber, ob und wie er Oda das beibringen soll.

Dienstag

»Das ist der Stand der Dinge: Wir haben eine Vermissten-meldung, ein gewisser Dr. Roland Felk, wohnhaft in Holten-sen. Seine Tochter, eine Studentin, die in Hannover wohnt, vermisst ihn seit dem Ostersonntag, es ist noch unklar, wann der Mann zuletzt gesehen wurde. Sein Wagen wurde gestern am Friedhof Linderte entdeckt, vermutlich ist er von dort zu einem Pirschgang aufgebrochen, er ist Jäger. Gleich nachher werden ... Herrgott, was ist denn?«

Frau Cebulla hat kurz angeklopft und steckt, ohne ein »Herein« abzuwarten, den Kopf durch die Tür. »Herr Haupt-kommissar, Telefon für Sie.«

»Wer ist denn dran?« Völxen schätzt es überhaupt nicht, wenn die Morgenbesprechung gestört wird. Er stellt dann sein Handy auf lautlos und verlangt dies auch vom Rest der Anwesenden. Frau Cebulla hat die Order, nur den Polizei-präsidenten oder den Vizepräsidenten durchzustellen.

»Es ist Ihre Frau.«

»Sabine?«, wundert sich Völxen. Sabine ruft ihn höchst selten bei der Arbeit an, und im Lauf seiner gesamten Dienstzeit hat sie ihn nur ganze drei Mal aus einer Bespre-chung ans Telefon holen lassen: Das eine Mal, als die Ge-burtswehen eingesetzt hatten, das zweite Mal war sein Vater gestorben, und beim dritten Mal hatte es im Haus einen Rohrbruch gegeben, und das Erdgeschoss stand schon eine Handbreit unter Wasser.

»Haben Sie sonst noch eine?«, versetzt Frau Cebulla.

»Oda, mach du weiter«, sagt der Hauptkommissar und folgt, nichts Gutes ahnend, der Spur von Frau Cebullas *Birkenstock*-Schlappen.

»Polizeidirektion Hannover, Dezernat 1.1.K, Kristensen.«

»Frau Krischtensen, einen wunderschönen guten Morgen wünsche ich.«

»Ebenso, Herr Doktor. Wie war das Golfspiel? Waren Sie siegreich beim Puttingturnier?«

»Ha noi, ganz miserabel. Net ums Veregge wär der Ball in des Loch neig'falle!«

»Das tut mir aber leid«, säuselt Oda. »Aber wie heißt es so schön, es ist noch kein Meister vom Himmel gefallen.«

»Ja, veräpplet Sie mi no recht.«

»Nichts liegt mir ferner, als Sie zu veräppeln. Und? Sagen Sie bloß, Sie sind mit der Leichenschau schon fertig?«

»Ha noi, no net hudle! I wollt' Ihne' bloß an Zwischenbericht gäbe', Sie händ's doch allweil so pressant. Also: männliche Leiche, circa eins vierundachtzig bis eins sechsundachtzig groß, Alter zwischen Ende fünfzig und Anfang sechzig. Könned Sie damit ebbes a'fange', Frau Krischtensen?«

»Allerdings, wir haben eine passende Vermisstenmeldung vorliegen. Sagen Sie, nur so aus Neugier, wie findet man bei einem derart verbrannten Leichnam eigentlich das Alter heraus?«

»Des isch ganz oifach, Frau Kommissarin: Ma' sägt 'n in der Mitte durch und zählt die Ringe.«

»Ich bin ein Heiler, Geistheiler, Lebensberater, Physiotherapeut und Reikilehrer. Geistheilung bedeutet Heilung mit dem Geist und ist eine uralte Heilmethode. Ich sehe mich als Kanal für die universelle Lebensenergie, mein Anliegen ist es, feinstoffliche und spirituelle Zusammenhänge individuell verständlich zu ver-

mitteln. Gesundheit und Krankheit existieren als Energieformen, und zwar lange bevor sie sich als Symptom zeigen. Kranke Energieformen entstehen durch Blockaden des Energiefeldes, denen wiederum Traumata und Schuldgefühle zugrunde liegen. Der Heiler kann diese Störungen im Energiefeld des Patienten erspüren, sie ihm bewusst machen und sie transformieren und lösen, sodass der Mensch wieder in Harmonie mit seinem Leben ist. Die Wahrheit heilt! Beim geistigen Heilen sehe ich mich als Kanal für die universelle Lebensenergie, die Engel und anderen positiven Kräfte. Dazu vereinige ich mich mit der Seele meiner Klienten, betrachte deren Aura, die Chakren ...«

Oda unterbricht ihre Lektüre, steckt sich einen Zigarillo an und bemerkt: »Starker Tobak, diese Webseite.«

Hinter ihr stehen Jule und Fernando, die sie mit den Worten: »Kinder, das müsst ihr euch ansehen« in ihr Büro gelockt hat.

»Ob man mit so was wohl mehr Geld verdient als vorher als Arzt?«, überlegt Fernando.

»Hier, das ist auch schön.« Jule liest laut: »*Je nach Notwendigkeit trete ich auch mit dem Schutzengel des Menschen in Verbindung. Lichtwesen, auch als Engel bezeichnet, sind Splitter Gottes, die in höheren Ebenen weilen. Sie nehmen durch das Channeln mit den Menschen und anderen Lebewesen auf Erden Kontakt auf und können ihnen hilfreich zur Seite stehen.*«

»*Splitter Gottes*, mich laust der Affe!«, ruft Fernando.

»Hat er auch Exorzismus im Angebot?«, fragt Oda.

»Nein, aber Raucherentwöhnung«, grinst Jule. Sie ist angespannt und aufgekratzt. Sie hat kaum geschlafen, wie auch, neben einem Mann, der sich die halbe Nacht ruhelos im Bett herumwälzt. Als er dann doch endlich eingeschlafen ist, hat er geschnarcht. Um sechs Uhr ist Jule aufgestanden und hat Frühstück gemacht: Rührei mit Speck, Orangensaft, Milchkaffee. Sie ist sogar zum Kiosk gerannt und hat frische Croissants und die Tageszeitung geholt – natürlich ist die Leiche aus dem Osterfeuer die Titelstory des Lokalteils –, während sie sich gefragt hat, ob mit ihr eigentlich noch alles in Ordnung ist.

»Daran könnte ich mich gewöhnen«, lautete der Kommentar ihres Geliebten, als er aus der Dusche kam, und zum ersten Mal seit dem Vorabend lächelte er. Dann rief er seinen Chef an, um sich krankzumelden. Zu Jule sagte er: »Ich muss nachdenken und einiges regeln.«

Jule ahnt, dass der Kampf noch lange nicht gewonnen ist, aber wenigstens ist Bewegung in die Sache gekommen. »Wenn dieser Doktor jetzt noch 'nen Liebeszauber parat hat, dann ist er mein Mann!«, verkündet sie nun und schränkt bekümmert ein: »Aber leider steht ja zu befürchten, dass unser Wunderheiler tot ist.«

Oda nickt: »Tja, eben noch mit den Splittern Gottes geplaudert, und – schwupps – schon ist er selbst im Jenseits.«

Ein Räuspern ertönt, und durch die Rauchwolke von Odas Zigarillo wird der kompakte Umriss von Hauptkommissar Völxen im Türrahmen sichtbar. »Meine Herrschaften, ich muss doch bitten.«

»Entschuldige, es war zu verlockend«, gesteht Oda.

»Und wie oft muss ich eigentlich noch darauf hinweisen, dass in diesem Gebäude Rauchverbot herrscht?«

»Das ist mir bekannt, aber ich erwarte ja jede Sekunde weitere Anrufe von unserem schwäbischen Leichenfledderer. Das nächste Mal geh ich runter, versprochen.«

Längst kennt Völxen Odas Ausreden in allen Varianten. Er geht nicht darauf ein, sondern sagt: »Ich kenne diese Webseite auch. Sag mir bitte einer, wie ein studierter Mediziner umschwenken kann auf solche ... solche ...«

»Du meinst auf die Hardcore-Eso-Schiene?« Fernando zuckt die Achseln.

»Mir scheint, im Moment erlebt der Okkultismus ohnehin eine Hochblüte wie seit dem Mittelalter nicht mehr«, meint Jule.

Und Oda spekuliert: »Vielleicht war er frustriert darüber, dass die Schulmedizin bis heute keinen Sieg über den Krebs erringen konnte, an dem ja seine Frau starb. Vielleicht trieb ihn diese Hilflosigkeit dazu, sich von den Pfaden der Vernunft auf die des Okkulten zu begeben.«

»Das hast du jetzt sehr schön ausgedrückt«, lobt Völxen.

»Außerdem scheint es sich zu lohnen«, bemerkt Jule nüchtern und fährt fort: »Aber die Grenze zwischen Medizin und Esoterik ist ohnehin fließend. Man muss sich nur mal die IGeL-Listen der Praxen ansehen, da wird auch so manche grenzwertige Tortur verhökert, und damit verdienen sich inzwischen viele scheinbar seriöse Ärzte ein fettes Zubrot.«

»Was ist denn eine Igel-Liste?«, will Fernando wissen.

»*Individuelle Gesundheitsleistungen*, also Sachen, die die Krankenkasse nicht bezahlt. Irgendwelche überflüssigen, aber angeblich ganz wichtigen Untersuchungen zum Beispiel, oder die beliebten ›Aufbauspritzen‹ für betuchte ältere Damen. Die meisten dieser Angebote sind weit eher ökonomisch als medizinisch indiziert. Das behauptet zumindest mein Vater.«

»Das stimmt«, bestätigt Völxen. »Mein Orthopäde wollte mir neulich eine pulsierende Magnetfeldtherapie gegen meine Rückenbeschwerden aufschwatzen. Für 200 Euro!«

»Und? Haben Sie es ausprobiert?«, erkundigt sich Jule neugierig.

»Natürlich nicht.«

»Ein Schaffell hilft bei Rückenschmerzen auch viel besser«, weiß Oda.

»Aber das Schaf muss bei Vollmond geschlachtet worden sein«, ergänzt Fernando.

Völxen winkt entnervt ab, in dem Moment schrillt Odas altes Tischtelefon los, und alle vier fahren zusammen.

»Kann man das Monstrum nicht endlich mal leiser stellen?«, mault Völxen.

»Polizeidirektion Hannover ...«

»Bächle hier. Frau Krischtensen, i hob ebbes für Sie.«

»Ich höre.«

»Schrotkörner.«

»Schrotkörner?«

»Jawohl. Fünferpatrone, drei Millimeter Körnung. Der klassische Hasenschrot. In großer Dichte im verbrannten Gewebe des Bruschtbereichs und im Bruschtbein und in den Rippen. Der Schütze war koine drei Meter von seinem Ziel entfernt und hat ihn frontal erwischt.«

»Was meint ihr, schaffen sie den Klassenerhalt?«, fragt Fernando.

Die drei Jungs, die brav aufgereiht neben Fernandos Schreibtisch sitzen und einen guten Blick auf die großflächige Hannover-96-Fahne haben, die hinter ihm an der Wand hängt, äußern sich skeptisch: »Nur wenn sie am Samstag Schalke schlagen.«

»Das wird schwierig.«

»Glaub ich auch.«

Ole Lammers und Torsten Gutensohn sehen deutlich erholter und ausgeschlafener aus als am Sonntagabend. Carsten Meier ist ein schmächtiger, pickliger Junge mit einem blond gefärbten Hahnenkamm. Auf der anderen Seite der beiden zusammengeschobenen Schreibtische liest Jule Wedekin scheinbar unbeteiligt in einer Akte. Fernando nimmt die Personalien auf. Ole und Torsten sind beide siebzehn und besuchen den gymnasialen Zweig der Gesamtschule in Empelde. Carsten Maier macht eine Lehre als Landmaschinenmechaniker.

»Ihr drei habt also die letzte Nachtwache an der Feuerstelle geschoben, und zwar von drei Uhr bis ungefähr kurz vor sieben«, hält Fernando noch einmal fest. »Stimmt das so?«

Alle drei bejahen die Frage.

»Und ihr wart alle drei wach, die ganze Zeit?«

»Ja«, antwortet Torsten.

»Du auch, Ole?«

Der Angesprochene sieht Fernando ein wenig erschrocken an, dann versichert er eilig: »Ja.«

»Carsten? Was ist mit dir?«

»Ja.«

»Was – ja?«

»Ja, ich habe auch mit aufgepasst.«

»Was habt ihr gemacht in der ganzen Zeit?«

»Auf dem Stroh gesessen, gequatscht, bisschen getrunken«, antwortet Ole.

»Wir haben ein Stück weiter weg von dem großen Haufen ein kleines Lagerfeuer gemacht«, erzählt Torsten.

»Das war doch sicher recht langweilig, als die anderen weg waren, oder?«

Die drei sehen sich an, zucken mit den Schultern. »Ging so«, murmelt Carsten.

»Habt ihr was gehört? War irgendwas?«, erkundigt sich Fernando.

»Nö«, meint Torsten.

»Nein«, sagt Ole.

Und Carsten fragt: »Was sollen wir denn gehört haben?«

»Eines ist jetzt aber seltsam«, mischt sich Jule mit sanfter Stimme ein, woraufhin sich ihr alle drei Köpfe ruckartig zuwenden. »Ein Mann mit einem schwarzen Hund, der noch vor Sonnenaufgang dort oben spazieren gegangen ist, hat nämlich gesagt, er hätte euch dort liegen sehen, tief und fest schlafend.«

Betretenes Schweigen folgt diesen Worten. Jule kann riechen, wie den dreien der Schweiß ausbricht. Ihr Kopf verschwindet wieder hinter ihrer Akte, als sei nichts gewesen.

Fernando haut mit der Faust auf die Tischplatte. »Also Jungs, jetzt mal Klartext!«

Die drei wechseln erneut Blicke, dann sagt Carsten: »Okay. Ich glaube, es könnte sein, dass ich irgendwann kurz eingenickt bin.«

»Wie kurz?«

»Weiß ich nicht. Ich bin wach geworden, als es hell war und Torsten gemeint hat, wir könnten jetzt gehen.«

»Torsten hat dich also geweckt?«

»Ja.«

»Also habt ihr bis jetzt gelogen. Warum?«

Erneut Schweigen. Fernando schaut das Trio der Reihe nach streng an. Ole presst die Lippen zusammen, sein Freund Torsten läuft rot an, Carsten fixiert seine abgekauten Fingernägel. Fernando findet, dass es nun Zeit wird, andere Saiten aufzuziehen: »Freunde, es geht hier um Mord. Und eure Lügerei macht euch verdächtig, ist euch das klar? Wenn ihr jetzt nicht mit der Wahrheit rausrückt, dann wandert ihr von hier direkt in U-Haft.«

Offenbar eingeschüchtert, räumt Torsten Gutensohn ein: »Ja, gut, es kann sein, dass wir ein bisschen gepennt haben.«

»Was sagst du dazu, Ole?«

»Ja, kann sein.« Ole fährt sich verlegen durch sein Haar, das einem verlassenen Krähennest gleicht.

»Von wann bis wann habt ihr geschlafen?«, will Fernando wissen.

»Weiß ich nicht. Ich habe doch nicht auf die Uhr gesehen, als ich eingeschlafen bin«, meint Torsten, schon wieder eine Spur aufmüpfig.

»Vielleicht so gegen fünf«, murmelt Ole kleinlaut.

»Dafür seid ihr dann aber früh aufgestanden«, bemerkt Jule hinter ihrer Akte. »Wovon seid ihr wach geworden?«

»Mir war kalt«, antwortet Torsten. »Da bin ich aufgestanden und rumgelaufen, und davon ist dann Ole aufgewacht, und dann haben wir Carsten geweckt und sind gefahren. Weil es ja schon hell war.«

»Stimmt, so war es«, sagt Carsten und wirkt erleichtert.

»Das müssen die anderen aber nicht erfahren, oder?«, vergewissert sich Torsten. »Die reiben uns das sonst das ganze Jahr unter die Nase.«

»Von mir nicht«, antwortet Fernando. Er vermutet, dass mit »die« ihr Anführer Matze gemeint ist. »Dann nehme ich eure Aussage jetzt so zu Protokoll.« Er beginnt zu tippen.

»Wenn sich in der Zeit jemand an dem Haufen zu schaffen gemacht hätte, hätten wir das aber garantiert gemerkt«, versichert Ole.

»Hundertprozentig«, bekräftigt Torsten, und Carsten nickt dazu wie ein Wackeldackel.

»Dann habt ihr ja sicher auch diesen Schuss gehört«, sagt Jule.

»Was für einen Schuss denn?«, erwidert Torsten erschrocken.

»Eine Anwohnerin hat gegen Morgen einen Schuss gehört.«

»Hm. Da haben wir wohl doch ein bisschen fester geschlafen, als wir gedacht haben«, räumt Torsten ein.

»Wieso wir?«, fragt Jule zurück.

»Na ja, wir drei eben.«

»*Du* hast vielleicht keinen Schuss gehört«, versetzt Jule. »Aber woher willst du wissen, was deine Freunde gehört haben?«

»Ja, was ist mit euch, habt ihr einen Schuss gehört?«, reißt Fernando die Befragung wieder an sich.

»Nein«, sagt Ole.

»Nein«, versichert Carsten wie ein Echo.

Jule runzelt zweifelnd die Stirn, verzichtet aber auf eine Bemerkung.

»Können wir dann gehen?«, fragt Torsten, der sich offensichtlich unwohl fühlt.

»Nein«, sagt Fernando. Er lässt die drei ein wenig schmoren, während er das Protokoll tippt und sich daran erinnert, wie seine Mutter früher die allergrößte Mühe hatte, ihn morgens zu wecken, wenn er als Jugendlicher mit seinen Freunden auf Strecke gewesen war. Weckerklingeln und Rufen waren völlig zwecklos gewesen, sie musste ihn jedes Mal wachrütteln. Allerdings hatte er in einem warmen, weichen Bett gelegen und nicht auf einer Isomatte im Freien. Als er fertig ist, fragt er: »Sagt euch der Name Roland Felk etwas?«

Carsten Meier platzt heraus: »Das ist doch der durchgeknallte Doktor.«

»Wie, durchgeknallt?«, wiederholt Fernando.

»Der macht so eigenartige Sachen in seiner Praxis in Hannover. Sagt jedenfalls mein Vater.«

»Dein Vater kennt den Mann besser?«

»Mein Vater kennt jeden, er ist der Bezirksschornsteinfeger«, erklärt Carsten.

»Ist das die Leiche?«, fragt Torsten Gutensohn neugierig.

»Möglich«, antwortet Fernando.

»Ich kenn den auch. Der hat ein Begehungsrecht im Revier meines Vater«, sagt Ole.

»Was ist ein Begehungsrecht?«, will Fernando wissen.

»Er darf dort jagen. Aber nicht alles, nur nach Absprache.«

Carsten Meier grinst über sein ganzes Pickelgesicht. »Mann, das wär ja ein Ding, wenn das der durchgeknallte Doc ist …«

»Wieso wäre das ›ein Ding‹«, fragt Jule, der man ihren Unmut nun deutlich ansieht.

»Äh ... ich meine ja nur ...«, stottert Carsten.

»Krieg dich wieder ein, ja?«, fährt Ole seinen Kumpel an. Und Torsten rammt ihm seinen Ellbogen zwischen die Rippen und zischt: »Ja, halt einfach mal die Klappe.«

»Warum?«, fragt Jule und schaut Ole und Torsten an. »Warum soll er die Klappe halten?«

»Ich find es halt scheiße, wenn man so über Tote redet«, behauptet Ole, und Torsten bekräftigt dies durch ein beifälliges Nicken.

»Plötzlich so sensibel, ja?«, bemerkt Jule scharf. Die drei senken den Blick wie kuschende Hunde.

Fernando druckt die Protokolle aus und entlässt die drei Jungs, nachdem sie sie unterzeichnet haben. »Du warst aber ganz schön streng zu denen«, sagt er zu Jule.

Jule reißt das Fenster auf und sagt: »Ich lass mich doch nicht von ein paar halbwüchsigen Dorflümmeln verarschen.«

»Ich versteh das schon«, verteidigt Fernando die drei Jungs. »Es ist wohl eine Frage der Ehre, dass man bei der Wache nicht einschläft. Sie fürchten den Spott von ihrem Anführer Matze.«

»Wieso? Was ist das für einer?«

»So ein Großmaul halt. Aber du hättest es mir ruhig vorher sagen können, dass jemand sie beim Schlafen beobachtet hat. Dann hätte ich vor denen nicht so alt ausgesehen.«

»Es steht in meinem Bericht, und der liegt bei Nowotny in der Akte«, antwortet Jule. »Dafür sind Berichte und Akten da – dass man sie auch mal liest.«

»Streberin!«

Wenig später sitzen Jule und Fernando im Dienstwagen und fahren in Richtung Deister. Es herrscht sprichwörtliches Aprilwetter, im Moment sticht die Sonne herunter und lässt die nasse Straße dampfen, aber die nächsten finsteren Wolkengebirge lauern schon über dem langgestreckten Kamm des Mittelgebirges. Aus einer Wolke sieht man den Regen bereits als weißgrauen Schleier niedergehen.

»Was meinst du, soll ich zu Hause ausziehen?«, fragt Fernando unvermittelt.

»Bei mir ist kein Platz.«

»Bei dir? Wie kommst du denn auf die Idee?«

»Ich sag's ja nur. Wieso? Hast du mal wieder Knatsch mit deiner Frau Mama?«

»Nein. Aber ich bin jetzt Mitte dreißig, und so langsam wäre es an der Zeit, oder?«

»Durchaus. Und wo willst du hinziehen?«

»Bei Anna Felk in der WG ist gerade ein Zimmer frei geworden.«

»Ist sie hübsch?«

»Was hat das denn damit zu tun?«, erwidert Fernando ärgerlich.

»Eine Menge, wie ich dich kenne«, grinst Jule.

»Du hältst wohl nicht viel von mir, was?«, fragt Fernando.

»Ist das jetzt eine ernst gemeinte Frage?«

Fernando, der am Steuer sitzt, setzt seine dunkle Sonnenbrille auf und knirscht: »Vergiss es.«

»Fernando, sie ist eine Angehörige unseres Mordopfers und gehört damit in den engsten Kreis der Verdächtigen.«

»Ja, schon klar. Es hat ja noch ein paar Tage Zeit, und bis dahin ist der Fall hoffentlich gelöst. Und ich gehe mal davon aus, dass sie es nicht war.«

»Warum? Weil sie hübsche blaue Augen hat?«

»Grüne. Sie hat graugrüne.«

Jule stößt einen tiefen Seufzer aus. Typisch Fernando. Kaum sieht ein Mädchen halbwegs manierlich aus, kochen dem schon wieder die Eier.

»Sie hat mir erzählt, dass ihr Großvater erst jetzt gerade, am Karfreitag, gestorben ist. Sie verdächtigt ihre Tante, ihn umgebracht zu haben. Ihn und womöglich auch ihren Vater.«

»Beweise? Motive?«, fragt Jule.

»Keine Ahnung, ich bin nicht darauf eingegangen. Mir reicht schon *ein* Mordfall.«

»Ist sie vielleicht ein bisschen hysterisch?«

»Wie kannst du das sagen, du kennst sie doch gar nicht!«, echauffiert sich Fernando.

»Ich habe ja nur gefragt. Mimose.«

»Und ich wollte nur, dass du darüber Bescheid weißt, wenn wir mit diesem Felks reden«, erklärt Fernando eingeschnappt.

»Gut, ich werde die Sache mit dem Großvater im Hinterkopf behalten, ist das okay für dich?«

»Jule, bitte rede nicht wie mit einem Idioten mit mir!«

»Heute kann man dir aber auch wirklich nichts recht machen!«

»Das ist nicht wahr«, verteidigt sich Fernando. »Umgekehrt wird ein Schuh draus: Seit du mit diesem verheirateten Kerl rummachst, bist du unerträglich. Hat er dich gestern wieder sitzen lassen, bist du deshalb so schlecht gelaunt?«

»Das verbitte ich mir! Was geht dich mein Privatleben an?«

»Dein Privatleben kennt inzwischen die ganze PD.«

»Ja, weil du es überall rumposaunst!«

»Ich? Kein Wort. Aber ihr solltet vielleicht etwas vorsichtiger sein, wenn ihr es in der Tiefgarage treibt!«

»Wer behauptet denn so was? Ich habe nie … ach, das habe ich doch gar nicht nötig, mich zu derart kindischem Geschwätz zu äußern.«

»Dann ist es ja gut.«

»Und nur damit du Bescheid weißt: Er hat gestern seine

Frau verlassen und ist bei mir eingezogen.« Bereits eine Millisekunde, nachdem sie die Worte ausgesprochen hat, bereut sie sie auch schon. Verdammt, sie hat sich von Fernando provozieren lassen.

Dieser schaut sie verblüfft an. »Ist das wahr?«

»He, pass doch auf!« Beinahe wäre Fernando in den Graben gefahren. »Ich möchte nicht, dass du es gleich an die große Glocke hängst, klar?« Jule schaut in den Rückspiegel. Hinter ihnen fährt ein Streifenwagen. Falls die Kollegen Fernandos Manöver überhaupt mitbekommen haben, scheint es sie nicht zu interessieren.

»Klar«, sagt Fernando. Dann herrscht angespanntes Schweigen im Wagen. Der Schauer hat sie eingeholt, Regennadeln erschweren die Sicht. Auf der Höhe der »amerikanischen Botschaft«, wie Bodo Völxen die *McDonald's*-Filiale zu nennen pflegt, begegnet ihnen ein weiterer Streifenwagen, und als sie an der Kirche vorbeifahren, ein dritter.

»Hier muss ein Nest sein«, bemerkt Fernando. »Was da wohl los ist?«

»Frau Krischtensen! Sie kommen zu spät, ich bin schon fertig«, begrüßt der kleine weißhaarige Rechtsmediziner die Kommissarin. Sie stehen vor der Tür zum Seziersaal. »Aber des macht nix, i schreib ins Protokoll, dass Sie bei der Obduktion anwesend waren. So a verbrannte Leich' isch ja wirklich koi schöner Anblick, des verschteh i scho.«

»Herr Dr. Bächle, ich komme nicht wegen dieser Leiche, ich…« Oda merkt, wie heiße Wellen durch ihren Körper jagen. Aber jetzt gibt es kein Zurück mehr. »… ich habe ein privates Anliegen.«

Dr. Bächle furcht seine Denkerstirn noch stärker als sonst und sieht sie erwartungsvoll an. »No, raus damit!«

Oda weiß nicht, wie sie anfangen soll. Dr. Bächle bemerkt ihre Verlegenheit und bittet sie in sein Büro. Sie dürfe dort auch rauchen. »Ausnahmsweise, weil Sie 's sind. Warten S', i hol Ihne' an Kaffee.«

Oda folgt ihm den Gang hinunter in sein kleines Reich. Der Schreibtisch ist tadellos aufgeräumt, in den Regalen ordentlich aufgereihte Fachliteratur. Nichts Persönliches, keine Fotos, nur ein Wandkalender von einer Pharmafirma. *Die schönsten Golfplätze.* Obwohl man schon seit Jahren miteinander zu tun hat, weiß Oda von Dr. Bächle eigentlich nur, dass er aus Stuttgart stammt, ledig ist und neuerdings Golf spielt.

Er serviert ihr den Kaffee, und Oda verzichtet ihm zuliebe auf den Zigarillo, obwohl gerade jetzt der Drang danach geradezu überwältigend ist. Sie holt die Tüte aus der Handtasche. »Könnten Sie für mich irgendwie unter der Hand eine Haaranalyse durchführen?«

»Worum geht es?«

»Um den Nachweis von Drogen, vorzugsweise Kokain. Ich komme auch für die Kosten auf. Es sollte nur unter uns bleiben.« Beschämt senkt Oda den Blick in ihre Tasse.

»Geht es um Ihre Tochter?«, ahnt Dr. Bächle.

Oda nickt. »Ich weiß mir keinen anderen Rat. Wenn ich sie falsch verdächtige, bin ich die böse Polizistenmutter, dann hängt der Haussegen für alle Zeiten schief. Deshalb hätte ich einfach gerne Gewissheit.«

»Aber Frau Krischtensen, Ihre Tochter isch doch so ein famoses junges Fräulein. Will sie nicht sogar Medizin schdudieren?«, erinnert sich Dr. Bächle. »Jedenfalls hat sie letztes Jahr bei der Obduktion eine sehr gute Figur gemacht.«

»Ja, schon«, sagt Oda. »Aber der Umgang, den sie in letzter Zeit hat ...«

Dr. Bächle seufzt. »Selbschtverschtändlich mach i die Analyse für Sie. Aber beschtimmt irren Sie sich.«

»Ich hoffe es«, sagt Oda und steht auf. Sie fühlt sich unwohl, und sie möchte jetzt so rasch wie möglich dieses Büro verlassen. »Ich danke Ihnen«, sagt sie und merkt, wie sie den Tränen schon wieder bedenklich nahe ist.

»Moment! I hob no ebbes für Sie!« Bächle verschwindet kurz im Seziersaal und kommt mit einem durchsichtigen Plastikbeutel in der Hand zurück. »Des isch die Uhr von Ihrer Leich'. Eine goldene *Omega*. Vielleicht hilft se Ihne' weiter, bis die DNA-Analyse fertig ischt.«

»Bestimmt. Ich danke Ihnen.«

»Sie goht aber nimmer, 's Glas isch hi'.«

»Wie bitte?«

»Sie geht nicht mehr, das Glas ischt kaputt«, übersetzt Bächle sich selbst.

Rasch verlässt Oda das Rechtsmedizinische Institut. Auf dem Weg zum Parkplatz zündet sie sich mit flatternden Händen einen Zigarillo an. Sie hat ganz vergessen zu fragen, wie lange diese Haaruntersuchung dauern wird.

Roland Felks Haus im alten Dorfkern ist ein einstöckiger, älterer Bau, der mit einer dicken Isolierschicht versehen und neu verputzt wurde. Er liegt bescheiden geduckt und etwas nach hinten versetzt zwischen zwei größeren Gebäuden. Die Stirnseite ziert ein Spalierbaum mit unzähligen weißen Blüten, in denen Bienen summen. Hinter dem Haus befindet sich der Garten, in dem eine Mischung aus Blumen, Sträuchern, Gemüse und Kräutern wächst. Die einzelnen Beete sind durch niedrige Buchsbaumhecken voneinander abgetrennt, ein Weg aus kleinen Pflastersteinen läuft in verspieltem Bogen auf einen Teich zu, in den ein kleiner Wasserlauf mündet. Jule muss sich eingestehen, dass dieser Garten um einiges schöner ist als der ihres Elternhauses in Bothfeld, den ein eigens angeheuerter Gartenarchitekt letztes Jahr auf Japanisch getrimmt hat. Auf einer Bank neben der Haustür sitzt Anna Felk.

»Ist das die Tochter? Was will die denn hier?«, fragt Jule.

»Keine Ahnung«, bekennt Fernando. »Eigentlich wollte ihr Völxen die Todesnachricht schonend überbringen.«

Anna Felk starrt auf ihre bestickten Mokassins und blickt erst auf, als die beiden Beamten vor ihr stehen. Ihre Lider sind rot und geschwollen, aber sie bemüht sich um Haltung.

Jule stellt sich vor und spricht der jungen Frau ihr Beileid aus.

»Herr Völxen hat mich hier abgesetzt. Ich soll Ihnen sagen, ob eventuell was fehlt«, erklärt sie.

»Warum ist er nicht mitgekommen?«, wundert sich Fernando.

»Er sagte, er müsse noch was Dringendes erledigen und würde Sie dann anrufen.« Sie steht auf und geht durch die Haustür.

Fernando und Jule wechseln einen erstaunten Blick, ehe sie der jungen Frau folgen.

Das kleine Haus wurde offenbar gründlich modernisiert. Der Kaminofen in der Mitte hat ein hippes Design. Dem Zeitgeist gehorchend sind Küche, Ess- und Wohnzimmer eine Einheit. Die Decke wurde herausgenommen, man hat einen freien Blick auf die dunklen alten Dachbalken, den Boden bedecken breite Landhausdielen. Die Einrichtung ist in ruhigen, warmen Erdfarben gehalten, die Wände sehen aus, als würde noch Farbe fehlen. »Das ist Lehmputz«, erklärt Anna, der Jules Blick nicht entgangen ist. »Es ist ein Niedrigenergiehaus.«

Einziger Farbtupfer ist ein riesiges rotes Sofa, von dem aus man einen Blick auf einen Fernseher älterer Bauart hat. In einem verglasten Erker stehen ein antiker Schreibtisch aus Mahagoni und Pflanzen in Tonkübeln. Fernando bewundert die edle Stereoanlage von *Bang & Olufsen*. Dazu gibt es eine respektable Sammlung von CDs – Jazz, Weltmusik, Klassik – und zwei hohe Bücherregale: medizinische Fachbücher neben Werken aus allen nur denkbaren Bereichen der Esoterik und einer Handvoll Fantasyromanen.

Bis auf eine Tasse und eine Müslischale in der Spüle ist die Küche sauber und aufgeräumt, ebenso der Rest des Zimmers. Jule fällt auf, dass es nirgends einen Computer gibt. »Besitzt Ihr Vater einen Laptop?«, fragt sie Anna.

»Soweit ich weiß, nicht. Aber es gibt einen Computer in der Praxis.«

»Chic hier«, bemerkt Fernando.

»Nachdem meine Mutter gestorben ist, hat er alles renoviert und verändert, sonst hätte er es hier nicht ausgehalten. Einige von den alten Möbeln habe ich behalten. Mein früheres Zimmer ist jetzt die Waffenkammer.«

»Die würde uns besonders interessieren«, greift Fernando das Stichwort auf.

Vor dem Fenster steht ein schmales Bett, das die gesamte Breite des ehemaligen Kinderzimmers einnimmt. Die Wolldecke darauf ist gespickt mit Hundehaaren, an der Wand hängen ein paar Gehörne von Rehböcken. Neben einem Kleiderschrank steht ein stählerner Waffenschrank.

»Wissen Sie, wo der Schlüssel dazu ist?«, fragt Jule.

»Wahrscheinlich im Schreibtisch.« Anna geht den Schlüssel suchen.

»Vielleicht ist der Hund auch erschossen worden und im Feuer gelandet«, flüstert Fernando.

»Das glaube ich nicht«, widerspricht Jule leise. »Die alte Dame sprach von *einem* Schuss. Ich habe Fiedler außerdem darauf hingewiesen, dass sie auf Reste von Hundeknochen achten sollen, aber da war nichts. Ich werde nachher mal die Tierheime anrufen, erinnere mich daran.«

Nebenan befindet sich das Schlafzimmer. Ein paar Kleidungsstücke liegen auf dem Futon. Jule betrachtet die gerahmten Familienfotos an der Wand über einer Kommode. Die kleine Anna mit Mama und Papa und diversen Verwandten, Anna als Schulkind, ein paar Ferienbilder an Stränden, eines in den Bergen. Felks verstorbene Frau war eine attraktive Kopie von Anna, aber auch Roland Felk macht etwas her. Athletische Figur, hellbraune Locken, auf den späteren Aufnahmen ins Grau übergehend. Ein Frauentyp. Eine Aufnahme zeigt Felk hinter einem erlegten Rehbock kniend, neben ihm sein Hund, ein braun-schwarz-weiß gefleckter Terrier.

Im Bad – auch hier alles neu und trendy – findet Jule die üblichen Toilettenartikel und viele homöopathische Medikamente und Bachblüten-Essenzen. Nichts davon deutet auf die regelmäßige Anwesenheit eines weiblichen Wesens hin, es gibt lediglich eine verschlossene Packung Kondome.

Drüben wurde inzwischen der Waffenschrank geöffnet. Darin befinden sich eine Büchse, eine Bockdoppelflinte und Schachteln mit Munition, sowohl Patronen für die Büchse als auch Schrotpatronen in drei verschiedenen Ausführungen.

»Die zweite Schrotflinte fehlt«, stellt Anna fest. »Ich denke, dass er mit Oscar auf Pirschgang war.«

»Unternahm Ihr Vater diese Pirschgänge eher morgens oder abends?«, fragt Fernando.

»Beides.«

»Was ist der Hund für eine Rasse?«

»Ein Mix aus Jagdterrier und Jack-Russel-Terrier.«

»Fernando, schaut euch doch bitte mal den Keller an«, sagt Jule. Nicht, dass sie sich dort unten aufschlussreiche Funde erhofft, aber sie möchte sich gerne ungestört Felks Arbeitsplatz ansehen. In den Schubladen des Sekretärs ist, bis auf einen Hefter mit Kontoauszügen, nichts, was Jule interessant erscheint. Sie betrachtet den letzten Auszug des Girokontos. Er stammt vom 1. April und weist ein Guthaben von 2012,23 Euro auf. Im Seitenfach stehen Ordner, die mit *Steuer* und den Jahreszahlen *2004* bis *2009* beschriftet sind, und einer mit der Aufschrift *Versicherungen*. Um Diskussionen gar nicht erst aufkommen zu lassen, trägt Jule die Ordner und die Kontoauszüge sogleich hinaus zum Dienstwagen und verstaut das Material im Kofferraum.

»Also ich muss schon sagen, in dieser Familie sterben sie ja zurzeit wie die Fliegen.«

Eine Frau steht am Gartenzaun des Nachbargrundstücks. Ihr geblümtes Sommerkleid – weit schwingender, knielanger Rock, Puffärmel, Schleife am Ausschnitt – muss aus den Sechzigerjahren stammen, sie selbst dürfte um die siebzig sein, schätzt Jule. Sie hat kein Gramm Fett am Köper, ihr grellrot gefärbtes Haar fällt ihr bis über die Schultern, ihre Augenlider sind taubenblau und die Lippen in einem dramatischen Ochsenblutrot geschminkt. Eine schwarze Katze streicht ihr um die knotigen nackten Füße, die in quietschgelben *Crocs* stecken. Jule geht auf die Erscheinung zu, darauf gefasst, dass diese sich im nächsten Moment auf ihren Besen schwingen und davonreiten wird. »Wedekin, Kripo Hannover.«

»Lütze, Landfrauen Holtensen.« Sie legt die Harke weg, mit der sie eben noch in ihrer verwilderten Scholle herumgestochert hat. »Es stimmt doch, dass der Felk der Tote vom Osterfeuer ist?«

»Wahrscheinlich.«

»Ich mochte ihn ja nicht so besonders. Ich meine, ich kann mich nicht beschweren, als Nachbar war er völlig in Ordnung, ruhig, hilfsbereit, aber so richtig warm geworden bin ich mit dem nie.«

»Seit wann wohnen Sie denn schon hier?«, fragt Jule.

»Seit fünfzig Jahren. Ich stamme aus Schlesien, habe hierher geheiratet. Mein Mann war bei der Post, er ist 1998 gestorben. Die Anna hab ich groß werden sehen. Ihre Mutter war eine sehr nette Frau. Nach ihrem Tod ist der Felk extrem komisch geworden. Ein Arzt, der plötzlich aufhört,

Arzt zu sein, und nur noch Hokuspokus macht, wo gibt's denn so was? Aber ein paar von den klimakterischen Weibern hier aus dem Dorf sind prompt zu ihm hingerannt mit ihren eingebildeten Wehwehchen. Möchte nicht wissen, wo's die in Wirklichkeit gejuckt hat. Gut ausgesehen hat er ja, der Felk. Ein stattliches Mannsbild, wie man so sagt. Angeblich haben sie bei seinen Sitzungen auch Drogen genommen und so Pilze, von denen einem ganz blümerant wird. Andererseits – die Leute reden ja gern und viel, es wird wohl nur die Hälfte davon wahr sein. Sie wollen sicher wissen, wann ich ihn zuletzt gesehen habe. Das war am Samstagvormittag. Ich kam gerade von *Aldi*, da stand er da drüben in seinem Feng-Shui-Garten und hat mir das mit seinem Vater erzählt, dass der gestorben ist. Ich habe kondoliert. Der alte Heiner Felk war ein feiner Kerl. Vielleicht werde ich zur Beerdigung gehen, mal sehen.«

An dieser Stelle muss Herma Lütze dann doch einmal Luft holen, was Jule ausnutzt, um sie zu fragen: »Haben Sie am Samstagabend oder in der Nacht Licht im Haus gesehen?«

»Nein, ich bin um sechs Uhr aus dem Haus gegangen, und da war es ja noch hell, und zurückgekommen bin ich erst um zwölf Uhr in der Nacht, und da war es da drüben dunkel. Ich war auf dem Geburtstag meiner Nichte.«

»Stand sein Auto vor der Tür?«

»Liebes Mädchen, Sie stellen vielleicht Fragen. Darauf habe ich nun wirklich nicht geachtet. Wissen Sie, ich war ja auch nicht mehr ganz nüchtern, ich bin mit dem Taxi nach Hause gekommen.«

»Haben Sie ihn am Sonntagmorgen aus dem Haus gehen sehen oder seinen Wagen gehört?«, fragt Jule und fügt in Gedanken hinzu: Oder mussten Sie Ihren Rausch ausschlafen?

Herma Lützes schmal gezupfte Augenbrauen schnellen nach oben. »Nein, wo denken Sie hin? Ich schlafe immer bis acht Uhr, mindestens, und wenn der mit seiner Flinte um die Häuser zieht, dann steht der schon mit den Hühnern auf. Das ist nichts für mich, nein danke, ich bin eine Nachteule.«

»Hatte Ihr Nachbar Besuch in letzter Zeit? Vielleicht Damenbesuch?«

»Nein«, kommt es prompt. »Den hat schon lange niemand mehr besucht, höchstens die Anna.«

»Wer wohnt in dem Haus links neben Felks?«

»Die Pfalzgrafs. Die sind aber schon am Donnerstag nach Dänemark gefahren und kommen erst kurz vor Ende der Ferien wieder. Beide Lehrer, aber ganz nett.«

Jule bedankt sich für die Auskünfte und hinterlässt der Dame ihre Visitenkarte. »Ach, noch eins: Haben Sie die Tage mal Felks Hund hier herumstreunen sehen?«

»Nein. Der wäre mir gleich aufgefallen, dieser üble Katzenkiller.«

Jule geht zurück ins Haus.

»Wo warst du denn so lange?«, fragt Fernando, der mit Anna gerade aus dem Keller kommt.

»Schwätzchen mit der Nachbarin.«

»Ach, die Lütze«, bemerkt Anna. »Die hört ja gerne das Gras wachsen. Sie war mal Schauspielerin, ab und zu kriegt sie sogar noch 'ne Rolle, als Hexe vermutlich.«

»Wir sind dann erst mal hier fertig, oder, Fernando?«

»Kann ich noch hierbleiben?«, fragt Anna.

»Nein. Die Spurensicherung wird das Haus untersuchen«, erklärt Jule. »Haben Sie da drin etwas verändert? Gestern oder vorhin?«

»Nein, nichts«, antwortet Anna.

»Wir brauchen Ihre Fingerabdrücke zum Vergleich. Das reicht aber morgen auch noch.«

»Wir bringen Sie zur S-Bahn, einverstanden?«, schlägt Fernando vor.

Anna nickt. Sie ist blass und sieht müde aus.

»Ich möchte mal wissen, was Völxen treibt«, sagt Fernando zu Jule, als sie im Wagen sitzen. »Sollen wir ihn mal anrufen?«

»Lieber nicht«, rät Jule. »Der meldet sich schon, wenn er was will.«

»Dieses elende, gottverdammte Mistvieh.« Bodo Völxen betrachtet die Abdrücke in der feuchten Erde. Ihre Herkunft ist eindeutig. Keine Chance, die Übeltat auf Wildschweine zu schieben, ein Gedanke, der Völxen, zugegeben, ganz flüchtig streifte.

»Tja, das kann man so sagen. Er hat wohl den Elektrozaun umgerissen und eine Latte am Zaun durchbrochen«, analysiert Jens Köpcke glasklar. »Und dann hat er es sich schmecken lassen.«

Und zwar gründlich. Das Gemüsebeet, der ganze Stolz von Hanne Köpcke, sieht aus, als hätte die Bundeswehr ein Manöver darin abgehalten. Was gestern noch in geraden Reihen sauber voneinander abgegrenzt dem Licht zustrebte, ist bis auf den letzten grünen Halm kahlgefressen, einzig ein paar beschriftete Plastikschildchen wurden verschmäht und liegen noch wie zum Hohn herum: *Rucola, Pflücksalat, Lauch, Petersilie…*

»Und als Hanne auf ihn zu ist, ist er ab wie die Feuerwehr. Als ob das Biest gewusst hätte, dass es was angestellt hat«, berichtet der Nachbar weiter.

»Ich fürchte, ich habe vergessen, den Strom anzustellen, ich Trottel!« Völxens Reue gilt in Wahrheit nur sehr am Rande den zerstörten Pflanzen seiner Nachbarin. Gemüse gibt es schließlich auch im Supermarkt, und Hanne Köpcke wird sich schon wieder beruhigen. Aber was, wenn Amadeus etwas passiert, wenn er vor ein Auto läuft, womöglich gar einen schweren Unfall provoziert?

»Der Bock ist noch nicht wieder aufgetaucht?«, bohrt Köpcke in der offenen Wunde.

»Siehst du ihn etwa?«, versetzt Völxen und deutet anklagend über den Zaun. Lediglich Angelina, Mathilde, Salomé und Doris stehen auf der Weide, stoisch wiederkäuend, als wäre nichts geschehen.

Sabine, die noch Osterferien hat, radelt seit heute Morgen in der Gegend herum und sucht nach dem Tier, ebenso Wanda, die bei *Leine-TV* kurzerhand die Nachricht hinterlassen hat, sie könne wegen eines Notfalls in der Familie heute nicht zum Praktikum erscheinen. Hätte Völxen nicht diesen brisanten Mordfall am Hals, würde auch er Dienst Dienst sein lassen und das Gleiche tun. Immerhin hat er bereits Maßnahmen ergriffen: Sofort nach Sabines Anruf hat er die Kollegen der Polizeistationen Ronnenberg und Wennigsen gebeten, nach dem Bock Ausschau zu halten.

»Personenbeschreibung?«, hat der Ronnenberger Kommissar gewitzelt und dann gewissenhaft Völxens Angaben notiert: *weißes Fell, Gesicht dunkelbraun, stark geschwungenes Gehörn, Rufname: Amadeus.*

»Wenn ihr ihn seht, ruft mich sofort an. Er ist nämlich sehr sensibel«, hat Völxen die Kollegen angewiesen. Mehr kann man im Augenblick nicht tun, das sieht auch er ein. »Sag deiner Hanne, ich ersetze ihr das Grünzeug und spendiere ihr noch ein Bofrost-Abo dazu«, knurrt Völxen, der es seiner Nachbarin, die jetzt schmollend in ihrer Küche sitzt, verübelt, dass sie durch ihr hektisches Gebaren den Bock zur Flucht veranlasst hat.

»Nun übertreib mal nicht, Herr Kommissar. Vor zwei Jahren, als der Marder in den Hühnerstall eingedrungen ist, das war viel schlimmer. He, wie wär's mit 'nem kühlen Klaren auf den Schrecken?«

»Lieber nicht.«

»Aber 'n *Herry* geht doch?« Schon zaubert der Nachbar zwei Pilsflaschen aus der Tasche seiner blauen Latzhose.

Doch Völxen ist weder nach Schnaps zumute noch nach lauwarmem *Herrenhäuser.* »Nein danke, ich bin im Dienst.«

»Wo du gerade Dienst sagst. Stimmt es, dass die Leiche der Felk ist, der Doktor?«

Das ging ja wieder einmal blitzschnell im Dorf herum. »Ja, das ist wohl so. Kanntest du ihn?«

»Eher flüchtig. War ein komischer Kauz. Meine Hanne war mal bei dem in der Praxis, wegen Migräne. Hat sich da von so einem Chinesen Nadeln setzen lassen. Die sind dann sogar eine Weile im Kopf stecken geblieben, wirklich gruselig war das. Aber angeblich hat es ihr geholfen.«

»Na dann.«

»Apropos Migräne: Kennst du den? Herr Doktor, ich glaube, meine Frau ist tot. Der Sex ist wie immer, aber die Küche sieht aus …«

Völxen verzieht das Gesicht und fragt: »Weißt du, ob ihn jemand nicht leiden konnte?«

»Och, da gibt's sicher einige. Mit dem Gutensohn gab's einen üblen Knatsch im letzten Sommer, im Gesangverein haben sie davon erzählt. Es ging um einen Rehbock.«

»Was war da los?«

Köpcke öffnet seine Bierflasche an der Zaunlattenkante und nimmt einen großen Schluck, ehe er seinen Nachbarn aufklärt: »Wigbert Lammers und Karl-Heinz Gutensohn haben die Jagd von hier bis Springe gemeinsam gepachtet. Lammers bejagt das Gebiet Vörier Berg, Wolfsberg und die Nordseite vom Süllberg, und Gutensohn ist für den hinteren Teil des Süllbergs und alles, was in Richtung Springe geht, zuständig. Das haben die zwei intern so geregelt.«

»Aha.« Völxen staunt, was der Hühnerbaron so alles weiß. Es hat wohl auch Vorteile, im Gesangverein zu sein.

»Angeblich hat der Felk, der im Revierteil von Lammers jagen darf, dem Gutensohn einen kapitalen Rehbock weggeschossen, den dieser schon lange beobachtet hat. Der Felk soll ihn wohl jenseits der vereinbarten Reviergrenze erwischt haben. Felk hat behauptet, der Rehbock habe weit in Lammers' Revier gestanden und sei erst nach dem Schuss zu Gutensohn rübergeflüchtet. Der Gutensohn war jedenfalls auf hundertachtzig, der soll dem Felk Prügel angedroht haben, wenn der sich noch einmal auf seiner Seite des Reviers blicken lässt. Der Lammers war natürlich auch sauer auf den Felk. So was macht man ja auch nicht.«

»Warum hat er ihn nicht rausgeworfen?«

»Das wäre unklug gewesen«, meint Köpcke und grinst dazu schlitzohrig. »Die Felks besitzen den Wald und die Felder da oben am Wolfsberg und am Süllberg. Die Grundstückseigentümer haben ein wichtiges Wörtchen mitzureden, wer die Jagdpacht bekommt. Da verdirbt man es sich lieber nicht mit einem Familienmitglied, auch wenn es sich um das schwarze Schaf handelt.«

»Ich verstehe«, dämmert es Völxen.

»Wenn du noch mehr Dorfklatsch hören willst, musst du mit Hanne reden«, meint Köpcke. »Aber im Moment würde ich ihr an deiner Stelle lieber aus dem Weg gehen.«

Die Praxis befindet sich in der Geibelstraße, im Erdgeschoss eines schlichten roten Backsteinbaus, wie sie für die Südstadt typisch sind. *Naturheilkundliche Praxis Dr. Roland Felk – Termine nach Vereinbarung* steht auf dem Schild neben der Tür und darunter die Telefonnummer. Oda fragt sich, ob das die richtige Gegend für einen Geistheiler ist. Sie kennt die Südstadt als recht bodenständigen, nahezu krawattenfreien Bezirk, in dem Pensionierte in günstigen Genossenschaftswohnungen leben. Ist das Felks Klientel? Wäre so ein Laden nicht viel besser in der List aufgehoben oder in

Kirchrode, wo ältere, betuchte Witwen in ihren Gründerzeitvillen herumgeistern und bereit sind, für ihre Zipperlein und etwas Zuwendung viel Geld lockerzumachen? Oder es sind gerade die braven, angepassten Bürger, die hier nach dem Kick suchen, einer Botschaft, die sie über ihre fade diesseitige Existenz hinwegtröstet und weit darüber hinausweist.

Vor der Tür wartet bereits ein Mann, der sich Oda höflich vorstellt. »Mein Name ist Tian Tang. Sie sind bestimmt Hauptkommissarin Kristensen.«

Für einen Chinesen ist er ziemlich groß, über eins achtzig, aber vielleicht, so überlegt Oda, ist das mit den kleinen Chinesen auch nur ein Vorurteil. Ansonsten entspricht Herr Tang recht exakt dem Bild, das man gemeinhin von Chinesen hat, bis hin zum sprichwörtlichen asiatischen Gleichmut. Seiner Miene hinter der Designerbrille kann Oda jedenfalls nicht entnehmen, ob ihn der Tod seines Kompagnons traurig macht oder nicht. Auch sein Alter lässt sich schwer schätzen. Irgendwas zwischen Mitte dreißig und fünfzig. Er trägt eine Jeans mit Bügelfalte und ein tadellos sauberes weißes T-Shirt mit langen Ärmeln. Aus einem kleinen Rucksack nimmt er nun ein Schlüsselbund und öffnet mit einem davon die schwere Holztür.

»Ich weiß nicht, was Sie hier zu finden hoffen, aber sehen Sie sich ruhig um.« Er spricht ein gepflegtes hannoversches Hochdeutsch, seine Stimme ist sanft und melodisch.

Die Einrichtung der Praxisräume ist schlicht und in hellen Beigetönen gehalten. Es gibt einen kleinen Empfangsbereich, ein Wartezimmer mit einem Sofa und einem Sessel und zwei Sprechzimmer, die identisch möbliert sind: eine schmale Liege, ein Schreibtisch mit PC, Stühle, metallene Schränke. Bei Dr. Felk zieren Fotografien von Bäumen und Wäldern die Wände, in dem Zimmer von Tian Tang hängen eine Schautafel mit einem Fuß, auf dem die Wirkungsbereiche der Reflexzonenmassage gekennzeichnet sind, und ein Poster, das die Meridiane des menschlichen Körpers aufzeigt. Auf dem Fensterbrett reihen sich große Kristalle in verschiedenen Farben.

»Wie lange arbeiten Sie und Dr. Felk schon zusammen?«

»Seit vier Jahren. Wir haben uns auf einem Reiki-Seminar kennengelernt.«

Oda zeigt Herrn Tang die Uhr im Plastikbeutel. Ein kurzer Blick genügt, dann nickt er: »Ja, das ist seine. Eine *Omega*, wenn ich mich nicht irre.«

Sie packt die Uhr weg und fragt: »Und, wie laufen die Geschäfte?«

»Recht gut. Wir bekommen immer mehr Zulauf.«

»Gibt es Angestellte?«

»Zweimal die Woche kommt eine Putzfrau. Wir hatten vor, demnächst eine Sprechstundenhilfe in Teilzeit einzustellen.«

Noch immer ist sein Gesichtsausdruck von bemerkenswerter Neutralität.

»Wie geht es jetzt weiter?«, fragt Oda.

»Sicher möchten Sie wissen, ob ich vom Tod meines Partners in irgendeiner Weise profitiere«, riecht Tang den Braten.

»Nein, ich denke nicht. Ich werde vielleicht ein paar seiner Patienten übernehmen, aber darauf bin ich nicht angewiesen. Meine Familie ist sehr wohlhabend, ich arbeite in dieser Praxis aus Überzeugung, nicht, um Geld anzuhäufen.«

Oda überlegt, ob sie Kripobeamtin »aus Überzeugung« wäre, wenn ihr Vater sehr wohlhabend wäre. Vermutlich nicht. »Welche Leiden behandeln Sie und Dr. Felk denn vorzugsweise?«

»Das lässt sich so nicht eingrenzen, unser Spektrum ist breit. Es reicht von Schmerzen aller Art bis zu Allergien, Heuschnupfen, Neurodermitis und begleitenden Therapien bei der Krebsbehandlung. Wir haben auch eine Menge chronisch kranker Patienten, die mit der herkömmlichen Medizin nicht weitergekommen sind. Zu uns kommen Menschen mit psychischen Erkrankungen, Depressionen, Burn-out-Syndrom, Menschen mit Prüfungsängsten, Kinder und Jugendliche mit Aufmerksamkeitsdefizit- und Hyperaktivitätsstörungen. Ein großer Teil unserer Bemühungen gilt der Suchtbehandlung. Alkoholsucht, Drogensucht, Nikotinsucht.« Er sieht Oda an, und zum ersten Mal lächelt er. »Ich könnte Ihnen dabei helfen, das Rauchen aufzugeben.«

»Nein danke. Wenn ich es aufgeben wollte, dann würde ich das einfach tun«, versetzt Oda.

»Sind Sie sicher?«

»Absolut.«

»Und was unternehmen Sie gegen die Schmerzen in der Lendenwirbelsäule?«

»Ich ignoriere sie«, antwortet Oda nicht im Mindesten beeindruckt. Dass sie raucht, kann man vermutlich riechen, und mit Rückenbeschwerden kann man bei fast jedem Menschen einen Treffer landen. Außerdem hat sie schlecht geschlafen, und nach solchen Nächten tut ihr Rücken immer weh. Bestimmt erkennt er das an ihrer Körperhaltung.

»Eine gute Strategie, aber das wird nicht immer möglich sein«, meint Herr Tang.

»Was empfehlen Sie mir? Eine kleine Geisterstunde?«

»Ich sehe, Sie halten nicht sehr viel von unseren Behandlungsansätzen«, stellt Tian Tang fest, aber er klingt nicht beleidigt.

»Ich würde da differenzieren. Einiges ist sicherlich sehr gut und sinnvoll, ohne Zweifel. Anderes erscheint mir doch etwas obskur. Aber ich bin ja nicht als Patientin hier, sondern um einen Mordfall aufzuklären.«

»Bedenken Sie bitte eines: Vor zwanzig Jahren galt man als exotischer Spinner, wenn man Yoga betrieben oder medi-

tiert hat. Heute bietet jedes Fitnessstudio Yoga an, sogar pro-
minente Fußballer halten sich damit fit, und Spitzenmana-
ger und Politiker bekennen öffentlich, dass sie regelmäßig
meditieren, um sich zu regenerieren.«

»Das ist wahr«, räumt Oda ein. »Möglicherweise sind Sie
nur Ihrer Zeit voraus.« Sie hat keine Lust, mit Herrn Tang,
der sie bestimmt für eine borrierte Beamtin hält, Grund-
satzdiskussionen über alternative Heilmethoden zu führen,
deshalb kommt sie nun zum Punkt: »Herr Tang, wann hatten Sie zuletzt Kontakt zu Roland Felk?«

»Am Freitagabend. Er hat mich angerufen und mir vom
Tod seines Vaters berichtet.«

»Wie hat er den aufgenommen?«

»Er war sehr traurig. Er hat immer mit viel Wärme und
Respekt von ihm gesprochen.«

»Waren Sie und Dr. Felk befreundet?«

»Das wäre zu viel gesagt. Wir haben uns respektiert, als
Kollegen.«

»Gibt es aus dem Umfeld der Praxis jemanden, der Grund
hätte, Dr. Felk den Tod zu wünschen?«

»Aber nein. Warum auch? Die meisten Patienten sind
sehr zufrieden.«

»Und die, die nicht zufrieden sind? Gab es mal Drohungen oder Derartiges?«

»Ja, so etwas gab es tatsächlich einmal«, sagt Herr Tang
zu Odas Überraschung. »Ein gewisser Konrad Klausner hat
Dr. Felk verklagt. Er behauptet, Dr. Felk habe Schuld am Tod
seiner Frau. Sie war psychisch krank und hat sich mit Schlaftabletten umgebracht. Ehe Herr Klausner die Klage einge-
reicht hat, ist er einmal hierhergekommen und hat Dr. Felk
angegriffen.«

»Körperlich?«

»Es war knapp davor. Ich konnte rechtzeitig einschrei-
ten.«

»Was ist aus der Klage geworden?«

»Sie wurde im November vom Landgericht Hannover abgewiesen.«

»Wie hat der Mann reagiert?«

»Er war wütend und hat Roland einen gemeingefährlichen Quacksalber und Ähnliches genannt. Er kündigte an, in Berufung zu gehen, hat es dann aber doch nicht getan. Ich nehme an, sein Anwalt hat ihm abgeraten.«

Oda will wissen, ob Felk den Computer in seinem Büro auch privat benutzt hat. Herr Tang ahnt, worauf die Kommissarin hinauswill. »Den kann ich Ihnen unmöglich überlassen, darin befinden sich sensible Patientendaten.«

»Einen Versuch musste ich ja wenigstens machen.«

Erneut lächelt Herr Tang. »Ich schlage Ihnen Folgendes vor: Ich werde die praxisinternen Dateien mit einem Passwort verschlüsseln, falls Roland das noch nicht selbst getan hat, und den Rest dürfen Sie sich ansehen.«

»Schön«, freut sich Oda. Zu früh, wie sich herausstellt.

»Dafür ziehen Sie jetzt Ihre Jacke aus und legen sich auf diese Liege.«

»Wie bitte?«

»Ganz entspannt. Es ist völlig harmlos, das verspreche ich Ihnen.«

»Das will ich hoffen«, sagt Oda streng. Neugierig geworden, zieht sie ihre Jacke aus und legt sich hin.

»Nette Hütte«, meint Fernando, nachdem Anna am S-Bahnhof Holtensen/Linderte ausgestiegen ist. Die Sonne ist verschwunden, gerade zieht ein Schauer heran, die Scheibenwischer fangen die ersten Tropfen ein. »War sicher nicht billig, der Umbau. Und ein hervorragend sortierter Weinkeller. Der gute Doktor hat wohl auch gerne mal einen gehoben.«

»Ich sag doch, der Zauber wirft was ab. Trotzdem war ich

überrascht. Nach der Webseite hatte ich was anderes erwartet«, bekennt Jule.

»Was denn?«

»Was weiß ich – Bergkristalle, Räucherstäbchen, Yin-und-Yang-Zeichen – mehr esoterischen Firlefanz eben. Aber anscheinend wusste unser Doktor Berufliches und Privates recht gut zu trennen.«

»Klingt, als wärst du voreingenommen. Als Arzttochter nimmt dir das aber niemand übel«, stichelt Fernando.

»Außerdem finde ich, zu einem Naturheilkundler, der sich mit Reiki und Channeling befasst, passt es irgendwie nicht, dass er gleichzeitig Jäger ist.«

»Stimmt. Das habe ich Anna auch gefragt, wie das zusammengeht.«

»Und?«, fragt Jule gespannt.

»Zum einen ist er damit aufgewachsen, der Großvater ging auch zur Jagd, zum anderen hat er sich darauf berufen, dass die Jagd eine der ältesten Nahrungserwerbsquellen der Menschheit ist und deshalb etwas Natürliches.«

»Schon, aber dann müsste er mit Pfeilen und Speeren jagen und nicht mit Gewehren«, entgegnet Jule und ereifert sich: »Das stört mich so an diesen selbsternannten Gurus, dass sie sich ihre Heilslehre zusammenbasteln, wie es ihnen gerade gefällt. Hier eine Prise Buddhismus, dort eine Portion Naturreligion, Schamanentum und Feng-Shui kriegen wir auch noch unter, dann wird das Ganze gut durchgerührt und abgeschmeckt mit Tarot und irgendwelchem Engelskram, und damit zocken sie dann naive Gemüter ab, für die das reale Leben keine Perspektiven mehr ...«

»Pscht! Hör mal!« Fernando, der eben losfahren wollte, bleibt am Straßenrand stehen und dreht das Radio laut.

... eine wichtige Durchsage vom Verkehrs-Kai für alle Hit-Radio-Antenne-Hörer, die im Raum Wennigsen und

Springe unterwegs sind. Dort ist ein Schafbock entlaufen,
um erhöhte Vorsicht auf den Straßen am Deister wird ge-
beten. Falls jemand, der dort wohnt, den Schafbock sieht,
möchte derjenige bitte die Polizei verständigen. Keines-
falls sollten Sie versuchen, das Tier selbst einzufangen,
der Bock ist nämlich bewaffnet – mit Hörnern, haha.
Also Vorsicht, liebe Antenne-Hörer ...

Jule und Fernando sehen sich an und brechen gleichzeitig
in Gelächter aus.

»Hoffentlich passiert dem Biest nichts, sonst wird der
Alte tagelang eine Scheißlaune haben«, befürchtet Fernando.

»Wenn man vom Teufel spricht!« Jule wirft einen Blick
in den Rückspiegel. Hinter ihnen blinken die Scheinwerfer von Völxens französischer Staatskarosse auf, die gleich
darauf neben ihnen zum Stehen kommt. Das Seitenfenster
fährt herunter.

»Was steht ihr hier herum? Fahrt mir nach, die Spurensicherung hat was gefunden.«

»Man ist ja geneigt, das Böse in der Großstadt zu vermuten
und das Gute, das Unschuldige auf dem Land. Von einer
Landbäckerei erwartet man das bessere Brot, bei Land-
eiern denkt man an glückliche Hühner. Es gibt Lifestyle-
magazine, die das schöne Landleben beschwören, aber ich
meine, ob Stadt oder Land, es kommt auf die Menschen an,
und Menschen mit großen emotionalen Störungen findet
man überall. Ich habe Roland vorgeschlagen, doch in die
Stadt zu ziehen, aber er sagte: ›Ich liebe das Land, ich bin
dort aufgewachsen, und dort sterbe ich.‹ Und nun ist es tatsächlich so gekommen.«

Die Stimme des Chinesen ist angenehm, sein Tonfall hat
etwas Einschläferndes, aber das Beste sind seine Hände! Sie

liegen kaum spürbar und doch ausgesprochen wohltuend auf Odas Rücken, wie Wärmflaschen, nur leichter, besser, eine tiefe, durchdringende Wärme geht von ihnen aus.

»Geht es Ihnen gut?«

»Wunderbar«, seufzt Oda, ehe sie sich wieder von Tian Tangs Stimme einlullen lässt.

»Sie werden den Menschen finden, der das getan hat, Sie sind gewissenhaft, eine gute Polizistin mit einem kritischen Verstand und Weisheit im Herzen. Aber Sie haben zurzeit große Sorgen, das sehe ich in Ihrem energetischen Informationsfeld, ich kann die Schwächen Ihrer Aura erspüren. Ich könnte mental darauf zugreifen, um die Ursache zu ergründen, aber nur, wenn Sie das wollen.«

»Ach, lassen Sie nur. Ich stehe zu meinen energetischen Schwächen.«

»Schon in unserer vorgeburtlichen Phase bauen wir Energiemuster auf, die durch unsere Geburt hindurch und im nachfolgenden Leben Wirkung zeigen. Deshalb arbeite ich in verschiedenen Phasen, sowohl in diesem Leben als auch in der vorgeburtlichen Phase und in vorherigen Leben.«

»Meine vorherigen Leben sind mir egal, mir reicht schon mein jetziges«, erklärt Oda träge. Auch wenn Herr Tang einen fürchterlichen Stuss daherredet, Oda mag seine Stimme, dieses sexy Kratzen. Ihretwegen könnte er seinen Vortrag auch in Sanskrit halten oder auf Chinesisch. Das wäre sogar noch besser. Aber seine Hände sind wirklich genial. Oda hat das Gefühl, als würde sie sich unter diesen Händen, von denen sie nicht einmal sicher ist, ob sie sie tatsächlich berühren, einfach auflösen. Jedenfalls schmelzen Schmerz und Spannung dahin wie Eiscreme in der Sonne.

»Viele scheinbar unlösbare Probleme sind in Wirklichkeit ganz großartige Gelegenheiten. Alles liegt an dir, du musst nur handeln! Man kann alles überwinden, seine

Schwächen, seine Süchte ... Möchten Sie, dass wir uns über das Rauchen unterhalten?«

Der Friedhof von Linderte liegt nicht weit von der S-Bahn-Station entfernt. In den Parkbuchten vor dem Eingang stehen neben dem beigefarbenen Volvo von Dr. Felk zwei Einsatzfahrzeuge der Polizei. Ein uniformierter Streifenpolizist wartet bereits auf sie. »Der Hundeführer und die Spurensicherer sind da oben im Wald. Ich soll Sie hinbringen.«

»Kommen wir da mit dem Auto hin?«, fragt Völxen. Ein schmaler, asphaltierter Weg führt den Wolfsberg hinauf.

Der Mann schüttelt den Kopf. »Mit dem französischen Reisekoffer da bestimmt nicht«, sagt er zu Völxen, der die Bemerkung mit einem Stirnrunzeln quittiert. »Mit dem Audi können wir bis zur Wolfsbergquelle fahren.«

Völxen verlässt seine DS und steigt zu Jule und Fernando in den Dienstwagen. Der Uniformierte setzt sich ebenfalls dazu und berichtet: »Der Hund hat die Fährte angenommen, sie führt diese Straße lang und dann durch den Wald den Berg hinauf.«

»Das ist jetzt noch keine Riesenüberraschung«, mäkelt Völxen, während der Wagen über die schmale Straße holpert.

Die Wolfsbergquelle befindet sich inmitten einer Baumgruppe, durch die sich ein Bach schlängelt. Bestimmt ist hier ein schöner Abenteuerspielplatz für Kinder, denkt Fernando, der am liebsten die Schuhe ausziehen und die Füße in den Bach hängen würde, so wie er es als Junge am Leineufer getan hat.

Er stellt den Wagen im Schatten ab, und die vier Beamten folgen dem sanft ansteigenden Weg, um kurz darauf nach rechts in den Wald einzubiegen. Vorher allerdings bleibt Fernando stehen, nimmt seine Sonnenbrille ab und sieht sich die Gegend an. Schatten gleiten über die Felder,

der Wind treibt die Wolken vor sich her, es sieht aus, als wolle der Himmel davoneilen. Die Landschaft ist ein unregelmäßiger Flickenteppich, auf manchen Flächen sprießt es zartgrün, andere sind noch braun, manche gelblich. Eine rote S-Bahn zieht durch die Felder in Richtung Stadt, die sich weiter hinten aus dem Dunst schält. Er erkennt »die drei warmen Brüder«, die drei Schornsteine des Heizkraftwerks Linden. Im Vordergrund döst die Ortschaft Linderte. Am Rand des Ortes befindet sich ein Komplex aus drei großen Gebäuden, der von Pferdekoppeln umgeben ist.

»Puste weg, Asphaltcowboy?« Völxen ist neben ihn getreten.

»Sind das Felks Pferde?«

»Felks Hühner sind es jedenfalls nicht.«

»Kennst du die Familie?«

»Nein. Erstens ist dies ja schon das Nachbardorf, und zweitens behauptet meine Frau immer, ich würde im Ort keine fünf Leute kennen. Das ist zwar übertrieben, aber im Grunde hat sie recht.«

Der Weg führt jetzt steil bergauf. Es ist kühl im Wald, das frische Frühlingsgrün der Buchen filtert das Sonnenlicht, Vögel zwitschern, die Luft riecht würzig, ab und zu perlen noch ein paar Tropfen vom letzten Regenschauer von den Blättern. Oben angekommen, hört der Wald auf, der Weg führt durch einen Acker, doch schon etliche Meter nach Verlassen des Waldes stoßen sie auf ein Absperrband. Hinter einer Weggabelung sieht man Rolf Fiedler und zwei seiner Helfer am Rand eines kleinen Wäldchens herumhuschen, ein bärtiger Mann in Zivil steht daneben, er hält einen schwarzen Hund an der Leine.

Der Uniformierte bleibt stehen, die Kripobeamten bücken sich unter dem Absperrband durch und folgen dem Feldweg im Gänsemarsch. »Sind das da auf dem Acker Kartoffelpflanzen?«, erkundigt sich Jule.

»Nein, das ist ein Kraut, das der Bodenverbesserung dient. Es wird demnächst untergepflügt.« Völxen kennt sich nach all den Jahren allmählich mit den Gepflogenheiten der hiesigen Landwirtschaft aus. Im Süden ragt nun ein bewaldeter Hügel auf.

»Das da vorn ist der Süllberg, sozusagen ein Vorbote des Weserberglands. Und das Dorf da links ist das Bergdorf Lüdersen«, klärt Völxen seine Mitarbeiter auf.

»Das mit dem Bergdorf erzähl mal einem Schweizer, der lacht sich tot«, meint Fernando.

In besagtem Bergdorf blieb die Arbeit der Spurensicherer offenbar nicht unentdeckt, denn vor dem rot-weißen Band, das den Weg zum Dorf hin absperrt, hat sich ein gutes Dutzend Neugieriger versammelt. Zwei Streifenpolizisten stehen dabei und sprechen mit wichtigen Mienen in ihre Funkgeräte. Am Ortseingang parken der Kombi der Spurensicherer, das Fahrzeug des Hundeführers und ein Streifenwagen.

»Ich denke, Cäsar hat den Tatort gefunden«, ruft Rolf Fiedler zur Begrüßung. »Der Mann ist dieselbe Strecke gegangen wie Sie eben: den Berg hinauf durch den Wald, dann über den Acker und dann die paar Meter auf dem Holtenser Weg nach rechts. Und hier, wo die Bäume anfangen, hat Cäsar dann angeschlagen wie verrückt.«

Der Hundeführer tätschelt dem schwarzen Tier die Flanke. Der Hund, ein Retrievermix, wedelt freundlich mit dem Schwanz.

Rolf Fiedler erläutert weiter: »Wir haben Blutspuren entdeckt, viel Blut, obwohl der Regen schon einiges weggewaschen hat. Wir nehmen Bodenproben, und vielleicht finden wir auch noch Schrotkörner.«

»Fußspuren?«, erkundigt sich Völxen.

»Es gibt welche am Wegrand, aber leider ohne Sohlenprofil, die Erde war zur Tatzeit zu trocken. In der Mitte des

Weges sind zwar einige Sohlenabdrücke, aber die sind frisch. Die meisten Spuren sind ohnehin zerstört worden durch Trecker, die zwischenzeitlich hier langgefahren sind.« Fiedler deutet auf die breiten Reifenspuren mit dem typischen Profil, die nicht zu übersehen sind.

»Damit erübrigt sich wohl auch die Frage nach Reifenspuren anderer Fahrzeuge«, seufzt Völxen.

»Richtig«, bestätigt Fiedler. »Tatsache ist, dass der Mann hier sehr viel Blut verloren hat. Die Geruchsspur verliert sich hier. Das deutet darauf hin, dass das Opfer ab hier in einem Fahrzeug weiterbewegt wurde. Dieser Feldweg führt direkt zum Leichenfundort.«

»Es sind siebenhundert Meter von hier bis zur Feuerstelle«, lässt sich einer von Fiedlers Männern vernehmen.

»Die Schrotflinte von Felk ist nirgendwo aufgetaucht?«, fragt Fernando.

»Nein«, antwortet Fiedler. »Sie war auch nicht in den Resten des Feuers, die hätten wir gefunden. Auch die Patrone muss der Schütze entfernt haben. Leider lassen sich ja Schrotkörner keiner bestimmten Schusswaffe zuordnen, aber die Patronen sehr wohl. Ich schlage dennoch vor, dass die Hundestaffel das ganze Gebiet noch mal absucht.«

»Unbedingt«, stimmt ihm Völxen zu, und an Jule und Fernando gerichtet sagt er: »Fragt in Lüdersen nach diesem Schuss vom Sonntagmorgen. Die müssen da was gehört haben.«

»Fangen wir doch gleich bei denen da drüben an«, meint Jule.

»Aber außen rum übers Feld. Die Absperrung gilt für alle«, grinst Rolf Fiedler.

Jule wirft einen wehmütigen Blick auf ihre *Tod's*-Slipper, die nach dem Gang durch diesen Acker wohl ruiniert sein dürften, dann erprobt sie ihr charmantestes Lächeln an Fiedler. Es wirkt.

»Na gut. Aber bleiben Sie in den Treckerspuren.«

Während sich seine Mitarbeiter entfernen, wendet sich der Hauptkommissar an den Hundeführer. »Sehr gute Arbeit.«

Der Mann strahlt und winkt ab. »Das war ein Klacks. Cäsar ist ein Mantrailer, der hätte diese Spur auch noch nach Wochen gefunden. Der nimmt sogar mitten in der Stadt noch Ihre Spur auf, auch wenn Monate vergangen sind.«

»Ich habe davon gehört, aber es ist unglaublich. Wie geht das?«

»Menschliche Geruchsspuren entstehen überwiegend durch die Abbauprodukte und bakteriellen Zersetzungsprozesse auf den abgestoßenen Hautschuppen, die der Mensch zu jeder Sekunde verliert, egal, was er tut. Wir sprechen von vierzig bis hundert Millionen abgestoßener Hautzellen pro Mensch und Tag. Gleichzeitig sondert jeder Mensch mit dem Körperschweiß ein Geruchssekret ab. Bei den Zersetzungsprozessen entstehen Gase, die der Hund selbst in winzigsten Konzentrationen wahrnehmen kann. Dieser Individualgeruch umgibt unseren Körper also wie eine Art Geruchswolke, die sich ähnlich verhält wie aufsteigender Rauch oder extrem leichte Pflanzensamen. Diese Schwaden sind windanfällig, werden vertrieben und fangen sich häufig entlang von Hindernissen wie Büschen, Zäunen, Mauern, oder sie liegen sozusagen im Straßengraben in der Nähe der Laufspur eines Menschen. Das Gute ist: Man kann den Individualgeruch nicht abwaschen oder überparfümieren, er hängt ab von unserem Genom, der Kultur, in der wir leben, außerdem spielen das soziale Umfeld, Umwelteinflüsse, die Ernährung, der Gesundheitszustand, der Stoffwechsel und die Bakterienflora der Haut eine Rolle. Bewegen wir uns, hinterlassen wir also einen Geruchstunnel, bleiben wir stehen, bildet sich eine Art Geruchsblase. Die vom Körper abgestoßenen Hautschüppchen sind natürlich Witterungsprozessen ausgesetzt und verflüchtigen sich mit der Zeit. Aber manchmal können speziell ausgebildete Hunde sie trotzdem noch nach Monaten oder sogar Jahren verfolgen. Daran arbeite ich gerade mit Cäsar.«

Hautschuppen, Geruchsblasen – eine unappetitliche Vorstellung. »Demnach ist die Einsiedelei die einzig wirklich zivilisierte Form menschlichen Daseins«, schlussfolgert der Kommissar und tritt dabei unwillkürlich einen Schritt zurück.

Der Hundeführer grinst. »Wenn Sie es so sehen wollen, ja. Allerdings ist unser Riechorgan verglichen mit dem eines Hundes rudimentär, denn wir sind ja in erster Linie Augentiere. Ich glaube, für uns Menschen ist die Geruchswelt, in der ein Hund lebt, kaum vorstellbar.«

Völxen wirft einen bewundernden Blick auf die unscheinbare schwarze Kreatur, die etwas gelangweilt im Schatten einer Fichte sitzt und wie zur Bestätigung des eben Gesagten nun die Nase in Völxens Richtung hebt. Ob ihm seine Geruchsblase wohl zusagt? Was hat der Hund wohl in dieser Sekunde über ihn erfahren? Wenn diese Tiere auch noch sprechen könnten! Aber dann säße wohl jetzt ein Husky auf seinem Posten, und der Polizeipräsident wäre ein Deutscher Schäferhund oder ein Münsterländer. Plötzlich kommt dem Kommissar eine Idee: »Sie und Ihr Hund sind doch jetzt hier fertig, oder?«

Der Schuss fiel am Sonntagmorgen, ein paar Minuten nach sechs. Darin sind sich vier der schaulustigen Anwohner einig gewesen. »Ich habe extra noch auf die Uhr gesehen und gedacht: Was ballern die da schon wieder rum in aller Frühe«, sagt ein älterer Herr, und eine junge Mutter bestätigt dies. Die Frage nach einer weiteren verdächtigen Beobachtung um diese Zeit wird allerdings verneint. Schließlich habe man ja noch im Bett gelegen.

»Kurz nach sechs. Die Jungs haben die Feuerstelle angeblich gegen sieben verlassen. Also musste der Täter noch gut vierzig Minuten warten, bevor er sich an dem Haufen zu schaffen machen konnte«, versucht Fernando die Vorgänge zu rekonstruieren.

»Oder er hat in der Zeit sein Auto geholt. Zu Fuß wird er die Leiche ja nicht so weit transportiert haben.«

»Stimmt. Fiedler sprach ja auch von einem Auto.«

»Und die Leiche? Hat er die so lange am Waldrand liegen lassen?«, fragt Jule.

»Das viele Blut spricht dafür«, meint Fernando. »Das Risiko musste er eingehen. Und es war ja wohl nicht allzu groß, so früh kommt doch kaum einer hier hoch.«

»Täusch dich nicht, die stehen hier mit den Hühnern auf. Immerhin war einer der Hundebesitzer, den Völxen und ich befragt haben, angeblich schon vor sechs Uhr hier. Er hat aber leider nichts Auffälliges bemerkt.« Jule sieht sich nachdenklich um. Die Stelle, so nah am Dorf und direkt am Weg, scheint ihr nicht gut gewählt für ein Verbrechen. Von drei Seiten – aus Lüdersen, aus Holtensen und über den Wolfsberg – könnten jederzeit Spaziergänger oder Frühsportler auftauchen. »Für mich sieht das nach Totschlag im Affekt aus. Ein vorsätzlicher Mörder hätte doch gewartet, bis Felk durchs Unterholz schleicht, und ihn dort erledigt.«

»Aber ins Unterholz kommt man nicht so leicht mit einem Auto«, hält Fernando dagegen.

»Das stimmt allerdings«, räumt Jule ein. »Das war ihm womöglich wichtiger.«

»Ein Jäger hat sein Auto ja meistens in der Nähe«, grübelt Fernando und fragt: »Was hat uns Völxen vorhin erzählt, als wir durch den Wald gegangen sind?«

»Dass die Väter von Ole Lammers und Torsten Gutensohn die hiesigen Jagdpächter sind.«

»Ja, es ist furchtbar, ganz furchtbar. Wer um Himmels willen macht so etwas?« Martha Felk sitzt mit durchgedrücktem Kreuz auf einem Biedermeierstuhl und tupft sich mit einem Stofftaschentuch unter den Augen herum. Allerdings kann Jule keinen Tränenfluss ausmachen, der diese Maßnahme rechtfertigen würde, und irgendwie passen Tränen auch gar nicht zu dieser aufgeräumten Frau. Martha Felk ist groß und dünn wie ein Rohr, ihr Haar ist akkurat kurz geschnitten und kastanienbraun gefärbt. Alles an ihrem Gesicht erscheint eckig; die dünne Nase, auf der eine randlose Brille mit vergoldeten Bügeln balanciert, das schwere Kinn, die Mundwinkel, die Hände, die Knie. Dem Anlass entsprechend trägt sie einen schwarzen Wollrock und einen schwarzen Pullover, von dem sich der Anhänger mit dem goldenen Kreuz deutlich abhebt. Das Ganze könnte elegant aussehen, würden ihre dürren bestrumpften Beine nicht in beigefarbenen Hauspuschen stecken.

Eine Pendeluhr rasselt und beginnt zu schlagen. Zwei Uhr. Soeben hat Ernst Felk erklärt, dass er seinen Bruder am Samstagmittag zum letzten Mal gesehen hat. Der Bestatter sei hier gewesen, man habe die Einzelheiten des Begräbnisses des Großvaters besprochen. Die Beerdigung soll am Freitagnachmittag auf dem Friedhof von Linderte stattfinden. Die kurze Rede des Hausherrn wird vier Mal von seiner Frau unterbrochen, korrigiert und ergänzt. Zwischendurch eilt sie immer wieder in die Küche. Eine Thermoskanne aus Plastik, vier Goldrandtassen, Kondensmilch und eine Kristallschale mit Würfelzucker werden nach und nach auf den großen Mahagonitisch gestellt.

»Hat Ihr Vater ein Testament hinterlassen?«, fragt Jule, die neben Fernando in einem altertümlichen Kanapee mit geschwungener Lehne versinkt, den Hausherrn. Ernst Felk sitzt in einem Ohrensessel, allerdings auf einer abgewetzten Decke, denn er kommt aus dem Stall und hat noch seine

Arbeitskleidung an: ein kariertes Flanellhemd und robuste olivgrüne Hosen, deren Gürtel sich unter einem Bauchansatz verkriecht. Er ist von kleiner, kräftiger Statur, sein graubraunes Haar ist stark gelichtet, das Gesicht ist rundlich, mit geröteten Wangen und vollen Lippen. Damit ist Ernst Felk so ziemlich das genaue Gegenstück zu seiner hageren Ehefrau, und dies nicht nur optisch – er riecht nach Pferd und sie nach Kölnischwasser.

Jules Frage wird prompt von Martha Felk beantwortet: »Das Testament liegt beim Notar, bei Dr. Hübner in Springe. Mein Mann wird das Gut erben.«

»Allein? Oder hätte Roland Felk die Hälfte bekommen?«

»Nein«, entgegnet Martha entschieden, »Roland bekommt nichts. Der durfte ja seinerzeit Medizin studieren, während Ernst immer schon auf dem Gut gearbeitet hat. Das wurde im Testament so festgehalten, schon vor vielen Jahren.« Um ihre Worte zu unterstreichen, presst sie die Lippen und ihre knochigen Knie zusammen und nickt. Jule kann die innere Unruhe dieser Frau fast körperlich spüren.

»Auch Roland fand das gerecht. Nur Anna bekommt Geld für ihr Studium«, fügt Ernst Felk hinzu.

»Wie viel?«, fragt Jule.

»Damals wurden 40000 Mark festgelegt.« Ein schöner Batzen, aber das Gut dürfte locker das Hundertfache wert sein, schätzt Jule, und forscht nach: »Warum hat Ihr Vater Ihnen das Gut eigentlich nicht bereits zu Lebzeiten überschrieben? Das hätte doch bestimmt eine Menge Erbschaftssteuer gespart.«

Treffer, versenkt!

»Was hat denn das mit dem Tod von Roland zu tun?«, will Martha Felk nun in gereiztem Tonfall wissen.

Ernst Felk wirft ihr einen raschen Blick zu, ehe er antwortet: »Solange Roswitha – das war unsere Mutter – noch lebte, wollte mein Vater das Gut behalten. Um ihre Pflege sicherzustellen. Sie ist ebenfalls ziemlich alt geworden, sie ist erst vor einem halben Jahr gestorben.«

Erneut schaltet sich Martha ein. »Aber ihr Tod war wirklich eine Erlösung für alle Beteiligten, nicht wahr, Ernst? Sie lebte schon seit über zwanzig Jahren im Pflegeheim, sie war schwer alzheimerkrank. Die letzten Jahre hat sie kaum noch auf irgendetwas reagiert, geschweige denn, jemanden erkannt. Ein großer Teil der Pachten für die Felder ging für das Pflegeheim drauf. Aber trotzdem. Wir hätten bestimmt nichts daran geändert!« Das goldene Kreuz bebt an ihrem Schildkrötenhals.

»Hat Ihr Schwiegervater denn befürchtet, dass Sie das Gut vorzeitig verkaufen könnten?«, fragt Fernando.

»Verkaufen?«, wiederholt Ernst Felk aufrichtig verblüfft. »Und was sollten wir dann bitte schön machen?«

»Ihre Rente auf einer Finca auf Mallorca genießen«, schlägt der Kommissar achselzuckend vor.

Martha lacht kurz und schrill auf. »Was soll ich denn da? Ernst liebt die Pferdezucht, der würde niemals verkaufen, und ich auch nicht. Das hier ...«, sie vollführt eine umfassende Armbewegung, »... ist unser Lebenswerk.«

Die gute Stube der Felks ist eine bizarre Mischung: Die Möbel erinnern an einen mondänen Salon aus den Zwanzigern, vermutlich sind es alte Erbstücke. Davon abgesehen sieht das Zimmer aus wie ein Jagdmuseum oder ein Messestand von *Pferd & Jagd*. An zwei Wänden und über dem Kamin hängen Jagdtrophäen: etliche Rehgehörne und zwei Hirschgeweihe, präparierte Enten und Greifvögel äugen gläsern auf die Besucher herunter. Die Wand hinter dem Sofa gehört den Pferden: Fotos, Zeichnungen und Ölgemälde von preisgekrönten Tieren neben diversen Urkunden. Aber auch ein Museum gehört mal gelüftet, findet Jule, die es hier drin zum Ersticken findet.

»Haben Sie eigentlich Personal?«, fragt Jule.

»Personal?« Martha betrachtet Jule, als hätte diese etwas Unanständiges oder zumindest völlig Abwegiges gesagt. »Nein, das wollen wir nicht. Fremde Leute bescheißen einen doch nur. Zur Heuernte oder wenn Ernst unterwegs ist, kommen ab und zu ein paar Schüler zum Helfen. Die kriegen das bar auf die Hand.«

Ernst Felk kommt auf das Thema Erbschaft zurück: »Nach dem Tod meiner Mutter habe ich die Möglichkeit einer Schenkung bei meinem Vater vorsichtig angesprochen, aber er hat recht mürrisch reagiert. Also habe ich es so gelassen, wie es ist. Für uns hat sich dadurch im Grunde ja nichts geändert.«

»Nur dass wir jetzt einen Haufen Steuern zahlen müssen«, bemerkt Martha mit gifttriefender Stimme.

»Haben Sie Ihren Vater oft im Altenheim besucht?«, fragt Fernando in beiläufigem Ton.

»Jeden Sonntag«, antwortet Ernst.

»Ich möchte wirklich gerne wissen, was das mit Roland zu tun hat?«, ereifert sich Martha Felk.

»Und Sie, Frau Felk? Haben Sie Ihren Mann ins Altenheim begleitet? Oder waren Sie auch mal alleine dort?«, nimmt ihr Jule den Wind aus den Segeln.

»Ich bin hin und wieder mitgekommen. Aber nicht sehr oft, es war ja schließlich *sein* Vater«, antwortet Martha mürrisch und legt dann los: »So langsam kann ich mir denken, woher der Wind weht. Was hat Anna Ihnen über mich erzählt? Dieses kleine Miststück hat mich noch nie leiden können, zeit ihres Lebens hat die gegen mich intrigiert.«

»Jetzt reiß dich doch zusammen, Martha«, zischt ihr Ehemann.

»Ist doch wahr. Schon als kleines Mädchen ist sie rumgelaufen und hat im Dorf rumposaunt, ich sei eine böse Hexe.«

»Mein Gott, Martha, da war das Kind fünf! Wie kann man so nachtragend sein?«

»Das kam alles von ihrer Mutter. Die feine Dame mochte mich von Anfang an nicht, so was überträgt sich.«

»Martha, es reicht jetzt!« Ernst Felk ist aus seinem Sessel aufgestanden und fixiert seine Frau, die daraufhin den Mund hält.

»Herr Felk, wann waren Sie das letzte Mal bei Ihrem Vater?«, meldet sich Fernando wieder zu Wort.

»Am letzten Mittwoch.«

»Warum Mittwoch?«

»Weil ich am Sonntag davor nicht wegkonnte, da hat eine Stute gefohlt.«

»Waren Sie alleine dort?«

»Ja. Da war er noch ganz fit, wir waren sogar zusammen im Garten. Warum fragen Sie das alles? Stimmt was nicht?«

»Doch, doch, es ist alles in Ordnung«, behauptet Fernando, der allmählich zu der Erkenntnis kommt, dass Annas Mordverdacht eine wichtige Grundlage fehlt, nämlich ein Motiv. Dass Martha ein Drachen ist, hat sich zwar bestätigt, aber auch Drachen töten nicht ohne Grund.

»Wie oft haben Sie Ihren Bruder Roland gesehen, Herr Felk?«, will Jule nun wissen.

»Nicht oft. Wir waren sehr verschieden. Jetzt, im Nachhinein, tut es mir leid.«

»Ernst war früher so stolz auf ihn, jedem hat er erzählt, dass sein kleiner Bruder Arzt ist. Und dann schmeißt der alles hin! Wir haben das nie verstanden. Was haben sich die Leute hier das Maul darüber zerrissen! Andauernd sind wir darauf angesprochen worden, und man hat dumme Witze gemacht. Deswegen ist Ernsts Vater auch in dieses teure Heim in Waldhausen gegangen, weil er sich geschämt hat. Und das war bestimmt auch der Grund, warum Anna in die Stadt gezogen ist.«

»Das kannst du doch gar nicht wissen«, widerspricht ihr Mann energisch. »So ein junges Ding will nun mal lieber in der Stadt wohnen, das ist doch ganz normal! Außerdem studiert sie schließlich dort.«

»Haben Sie sich auch für Ihren Bruder geschämt?«, fragt Jule den Hausherrn.

»Unsinn. Niemand hat sich hier geschämt.« Wieder wirft Ernst seiner Frau einen wütenden Blick zu.

Inzwischen kann Fernando gut verstehen, warum Annas Großvater lieber ins Altenheim gezogen ist. Es ist eher verwunderlich und zeugt in seinen Augen von bemerkenswertem Durchhaltevermögen, dass er damit so lange gewartet hat.

»Sie gehen offensichtlich auch zur Jagd, Herr Felk?«, wechselt Jule das Thema und deutet auf die Knochen an der Wand.

»Hin und wieder. Manchmal sitze ich auch nur einfach so ein paar Stunden draußen und beobachte das Wild. Das ist sehr erholsam.«

Das kann Jule sehr gut verstehen. Ob Leonard und seine Frau auch so sind – oder waren? Was er wohl gerade tut? Ob er noch da ist, wenn sie nach Hause kommt? Heute Morgen zumindest hat er es ihr versprochen.

»Was da an der Wand hängt, ist uralt, das meiste stammt aus meiner Jugend oder noch von meinem Vater«, erklärt Ernst Felk gerade.

»Besitzen Sie eine Schrotflinte?«, fragt Fernando.

»Wieso eine Schrotflinte? Ist Roland erschossen worden?«, fährt Martha dazwischen, aber weder Jule noch Fernando antworten ihr.

»Drüben, im Waffenschrank. Wollen Sie sie sehen?«

Sie durchqueren eine geräumige Eingangshalle mit einer großen Glasfront zwischen dicken Fachwerkbalken. Unterwegs erhascht Jule einen Blick in die Küche: ein Albtraum in

Eiche rustikal. Martha Felk ist nicht mitgekommen, worüber niemand traurig ist.

»Hat sich Ihr Vater, als er noch hier wohnte, in die Geschäfte eingemischt?«, erkundigt sich Jule.

Ernst Felk seufzt. »Ach, wissen Sie, wenn Alt und Jung zusammenleben, gibt's immer mal Probleme. Martha und ich sind seit 1970 verheiratet. Damals war mein Vater ja erst fünfzig und noch viel zu jung fürs Altenteil. Für Martha war das nicht leicht, vor allem nicht mit Roswitha, unserer Mutter. Die hatte damals ja noch das Sagen auf dem Hof. Sie war eine sehr resolute Person. Anfang der Achtziger wurde sie dann ziemlich rasch immer kränker. Martha hat sie fast zehn Jahre lang gepflegt, bis es wirklich nicht mehr ging, das rechne ich ihr hoch an. Mit meinem Vater allein war es dann einfacher. Er und ich haben zusammen den Hof bewirtschaftet, und Martha hat das Finanzielle geregelt, darin ist sie sehr gut. Unsere Pferde haben immer mehr Preise geholt, und inzwischen gehört unser Betrieb zu den ersten Adressen im Land. Und damit meine ich nicht nur Niedersachsen. Nach seinem Achtzigsten hat sich mein Vater immer mehr aus dem Betrieb zurückgezogen. Die Idee, ins Altenheim zu ziehen, kam schließlich von ihm selbst, wir haben ihn nicht dazu gedrängt. Und es hatte auch nichts mit Roland zu tun, das ist Unsinn, was Martha da erzählt.«

Das hat sich Jule bereits gedacht. »Wie hat Ihr Vater denn nun wirklich auf Rolands... wie soll ich sagen... Wechsel der Fachrichtung reagiert?«

»Begeistert war er nicht gerade. Aber er war ein Pragmatiker und nahm es von der humorvollen Seite. Andere Ärzte werden Kabarettisten, warum sollte Roland nicht Wunderheiler werden, hat er immer gescherzt. Außerdem war er der Meinung, Roland sei alt genug, um zu wissen, was er tut, und zur Not könne er ja in Frührente gehen.«

»Ich glaube, ich hätte Ihren Vater gemocht«, lächelt Jule.

Der Inhalt des Waffenschranks besteht aus fünf Büchsen, einer Bockdoppelflinte, einer Pistole, zwei Schrotflinten und einer angebrochenen Flasche *Nordhäuser*.

Fernando schnüffelt an den Flintenläufen, aber er riecht nur Waffenöl. »Welche Schrotpatronen verwenden Sie?«

»Kommt darauf an.« Felk geht zu einem kleineren Holzschrank und öffnet ihn. »Suchen Sie sich was aus.«

Genug Munition, um einen Bürgerkrieg damit anzuzetteln, darunter natürlich auch Schrotpatronen verschiedener Körnung.

»Ist mein Bruder erschossen worden?«

Fernando nickt. »Sonntagmorgen um kurz nach sechs auf dem Wolfsberg. Mit einer Ladung Schrot. Den Schuss müsste man hier sogar gehört haben.«

»Ich habe nichts gehört. Ich war noch im Bett.«

»Kann Ihre Frau das bestätigen?«, fragt Fernando.

Ernst Felk ist blass geworden. »Nein. Wir haben getrennte Schlafzimmer. Ich schnarche.«

Warum hätte ich das schon im Voraus sagen können, fragt sich Fernando. »Haben Sie eine Idee, wer es gewesen sein könnte?«

Der Hausherr geht zum Waffenschrank, greift nach der Flasche Korn und nimmt einen kräftigen Schluck. Danach röten sich seine Wangen langsam wieder. »Nein, ich wüsste niemanden.«

»Können Sie sich einen Grund denken, warum jemand Ihren Bruder getötet haben könnte?«, insistiert Fernando.

»Nein. Nein, wirklich nicht.«

»Kann Anna eigentlich auch mit Waffen umgehen?«, will Jule wissen.

»Sie hat keinen Jagdschein, aber sie war oft mit meinem Vater auf der Jagd. Um eine Schrotflinte abzufeuern, muss man kein Genie sein. Aber Sie denken doch nicht ...«

Jule macht Fernando ein Zeichen zu gehen.

Ernst Felk begleitet die Besucher bis zu dem schmiedeeisernen Tor, vor dem ihr Wagen parkt. Der Hof, der vom Wohnhaus und den Stallungen begrenzt wird, ist absolut sauber, nirgends liegt Gerümpel oder Schmutz. Kein Zweifel, die Felks halten ihren Laden gut in Schuss. Jule bleibt am Zaun der Pferdekoppel stehen, die sich an eines der Stallgebäude anschließt. Eine braune Stute reckt den Hals nach den frischen Trieben eines eingezäunten Apfelbaums, ein Fohlen presst sich ängstlich an ihre Flanke. Sein Fell sieht plüschig aus, und die Beine sind staksig und viel zu lang.

»Ach, ist der süüüß!«, quietscht Jule.

Der Gutsbesitzer lächelt stolz. »Das ist der kleine Hengst von letzter Woche. Da hinten stehen noch zwei Stuten und ein Hengst aus dem vorigen Jahr. Wir haben zurzeit acht Zuchtstuten und zwei Zuchthengste, der Ältere ist mehrfach preisgekrönt.«

»Wie lange ist das Gut schon im Familienbesitz?«, fragt Jule.

»Mein Großvater Ludwig Felk hat es vor ungefähr siebzig Jahren gekauft. Die vorigen Besitzer sind ausgewandert.«

»Ich nehme an, die Vorbesitzer *mussten* auswandern?«, forscht Jule nach.

»Vermutlich. Schreckliche Zeiten.« Seine schwielige Hand fährt die Maserung des Zaunes nach, ehe er Jule abweisend ansieht und sagt: »Ist noch was? Sonst muss ich jetzt wieder an die Arbeit. Ich habe ja schließlich noch ganz nebenbei auch zwei Beerdigungen zu organisieren.«

»Nein, das war es fürs Erste«, sagt Jule. Sie verabschieden sich und gehen zum Wagen.

»Du hattest als Teenie bestimmt ein Reitpferd, gib es zu.«

»Nein, ich muss dich enttäuschen. Aber ich war fast jeden Tag in einem Reitstall in Isernhagen.« Was Jule verschweigt, ist, dass sie noch heute einmal im Jahr bei einer Schnitzeljagd mitreitet.

»Mädchen und Pferde«, murmelt Fernando kopfschüttelnd.

»Fahr du!«, sagt Jule.

Fernando setzt seine Sonnenbrille auf, legt den Gang ein und gibt Gas, als könnte er es kaum erwarten, der beklemmenden Atmosphäre dieses Anwesens zu entkommen. »Schrecklich, was vierzig Jahre Ehe aus den Leuten macht«, findet er. »Ob die beiden wohl noch Sex haben?«

»Eine unangenehme Vorstellung, so oder so«, grinst Jule.

»Wegen der Sache mit dem Großvater – ein Mordmotiv sehe ich da nirgends. Ich fürchte, Anna wollte ihrer Tante nur eins auswischen und hat sie deshalb bei mir angeschwärzt.«

»Hm.«

»Was?«

»Ein Testament kann man ändern, eine Erbschaft ist endgültig. Vielleicht wollte die gute Martha endlich die Sicherheit haben, dass ihr Lebenswerk auch wirklich ihnen gehört.«

»Ich finde, wir sollten uns erst mal mit dem Mord an Roland Felk befassen, ehe wir schlafende Hunde wecken«, wehrt Fernando ab.

»Apropos schlafende Hunde ...«

»Gib nicht so an mit deinem *iPhone*«, mault Fernando, als er Jule auf dem Display herumtippen sieht.

»Ich arbeite. Siehst du, hier haben wir es schon: Tierheim Barsinghausen. – Mist! Anrufbeantworter.« Jule hinterlässt ihre Daten und die Bitte, sich zu melden, falls ein schwarz-braun-weißer Terriermix nach dem Ostersonntag dort abgegeben wurde.

»Wohin jetzt?«, fragt Fernando.

»In die PD. Ich bin am Verhungern.«

»Wir könnten ja gleich hier zu Mackens ... Was ist denn das?« Fernando ist stehen geblieben, weil ein Polizist in gelber Leuchtweste mitten auf der Straße steht. Ein paar Meter hinter dem Polizisten mündet eine Seitenstraße ein, und auf der geht der Hundeführer, den sie vorhin kennengelernt haben. Vor ihm läuft, mit der Nase knapp über dem Boden, sein schwarzer Spürhund an einem Geschirr und einer langen Leine. Neben diesem Gespann sieht man Hauptkommissar Völxen auf einem Fahrrad, gefolgt von seiner Frau Sabine und seiner Tochter Wanda, ebenfalls auf Fahrrädern. Hinter ihnen zuckelt ein alter *Benz* mit einem Anhänger, wie sie für Pferdetransporte benutzt werden. Dem Benz folgen ein Übertragungswagen von *Leine-TV* und ein Streifenwagen mit eingeschalteter Warnblinkleuchte und Blaulicht. Hinter dem Polizeifahrzeug hat sich eine kleine Schlange von vier Fahrzeugen gebildet, auch eine kleine Schar neugieriger Fußgänger begleitet die Prozession, die nun auf die Hauptstraße einbiegt, während Völxen so tut, als bemerke er den Dienst-*Audi* mit seinen Mitarbeitern darin gar nicht. Der Gegenverkehr wird anscheinend schon weiter oben an der Kreuzung zur B 217 gestoppt, jedenfalls registriert Fernando kein entgegenkommendes Fahrzeug mehr auf der Ortsdurchfahrt.

»Jetzt übertreibt er es«, meint Fernando fassungslos, während Jule rasch aus dem Wagen springt, ihr Handy zückt und die Videofunktion aktiviert. »Das glaubt uns Oda sonst nie«, ruft sie begeistert.

Oda ist in die Ausdrucke der elektronischen Korrespondenz von Dr. Roland Felk vertieft, die Herr Tang großzügigerweise nicht gesperrt hat. Der wunderbare Herr Tang! »Mein Rücken fühlt sich zwanzig Jahre jünger an. Könnten wir das Gleiche mal mit meiner Leber machen?«, hat Oda zum Abschied gefragt und sich herzlich für die Behandlung und die E-Mail-Ausdrucke bedankt.

»Sie müssen wiederkommen, eine Behandlung ist zu

wenig«, hat er geantwortet, und Oda hat es ihm versprochen.

Felks Posteingang umfasst nur wenige Nachrichten jüngeren Datums: Terminänderungen, Bitten um Auskünfte zu verschiedenen Angeboten, Offerten und Rechnungen von Lieferanten. Offenbar war Felk ein ordentlicher Mensch, der keinen Datenmüll auf seinem PC haben wollte. Aufschlussreicher ist der Ordner »Privat«. Hier gibt es Mails von seiner Tochter Anna, die letzte ist zehn Tage alt. *Hallo Paps, schau mal, ich war gestern mit Opa im Garten, er bedankt sich für das Kirschkernkissen. Könntest du mir vielleicht 100 Euro überweisen, ich bin diesen Monat irgendwie knapp, seit Frauke ausgezogen ist, muss ich ja die ganze Miete alleine zahlen, und ich hatte noch keine Zeit, mich um eine neue Mitbewohnerin zu kümmern. Danke!!! Kommst du an Ostern mal vorbei und bringst mir ein Osternest ☺?*

Die Mail ist beantwortet worden mit: *Ich schick dir dreihundert, Gruß Papa.* Angehängt an Annas Mail ist das Foto eines alten Mannes, der auf einer Bank unter einer Kastanie sitzt, im Hintergrund blühen Narzissen. Das zerfurchte Gesicht hat angenehme Züge, sein weißes Haar ist aus der Stirn gekämmt und noch bemerkenswert voll, er sitzt entspannt da, die Ellbogen auf der Lehne, und lächelt ein bisschen verlegen. Er ist gekleidet, als würde er ausgehen, mit einem hellblauen Hemd, einem dunkelgrauen Jackett, dunklen Hosen und Straßenschuhen. Er blinzelt in die Sonne und lächelt ganz leicht. Wahrscheinlich ist dies das letzte Foto von ihm, vermutet Oda. So möchte man aussehen, wenn man neunzig ist – und dann über Nacht an einem Herzschlag sterben. Irgendwie beneidenswert. Ob er wohl geraucht hat? Oda schielt auf ihre Packung Zigarillos. Nein, zuerst die Arbeit, beschließt sie und widmet sich den nächsten Ausdrucken.

Es gibt etliche Nachrichten von Frauen, die sich mehr oder weniger überschwänglich für die anscheinend erfolgreiche Behandlung bedanken und dabei anklingen lassen, dass sie an einem privaten Kontakt mit ihrem Wohltäter durchaus interessiert wären. Fast immer betonen sie dabei, dass sie *so etwas* normalerweise nicht tun, aber der Doktor sei eben ein besonders faszinierender, wunderbarer Mensch. Die ältesten Mails sind vier Jahre alt, offenbar der Zeitpunkt, zu dem der Computer gekauft wurde. Die Antworten des Doktors, die Oda aus dem Ordner »Gesendet« fischen konnte, bestehen in mehreren Fällen aus nett formulierten Absagen, aber nicht immer. Offenbar hat sich Roland Felk nach dem ersten Schock über den Tod seiner Frau mit seiner neuen Existenz als Single bemerkenswert gut arrangiert, denn einigen Frauen hat er sogar seine private Telefonnummer mitgeteilt. Oda wüsste zu gerne, ob er ein treuer Ehemann gewesen war. Wer weiß, ob sein Berufswechsel wirklich das Resultat seiner Enttäuschung über den Krebstod seiner Frau war? Vielleicht war das nur die Version, die er Anna erzählt hat, und in Wirklichkeit hat er darauf spekuliert, dass er als Guru bessere Chancen bei den Damen hat? Nein, bremst sich Oda, das ist zu boshaft gedacht.

Eine Dame, die sich in ihrer *Hotmail*-Adresse *Deepblue1208* nennt, bedankt sich für eine wunderbare Nacht und erwähnt noch dazu einige Details derselben. Unterzeichnet ist die Mail, die vom 14. November des Jahres 2006 stammt, mit F. Es gibt noch ein knappes Dutzend ähnlicher Mails von F. Ein halbes Jahr später, am 5. Mai, scheint jedoch etwas schiefgelaufen zu sein zwischen F. und dem Doktor. *Wo warst Du, warum hast Du Dich nicht gemeldet? Liebster, was habe ich getan, dass Du mich so behandelst? Bitte melde Dich bei mir! Bitte!* Die Antwort auf diese Botschaft ist kurz und lautet nur: *Sorry, ich war verreist. Ich ruf Dich an.*

Na, wenn da mal nicht gewaltig der Wurm drin ist, denkt Oda und nimmt sich das nächste Blatt vor. Zwei Wochen später schreibt dieselbe Frau: *Liebster, ich habe auf Dich am*

Treffpunkt gewartet, aber Du bist nicht gekommen. Deine Ausreden lasse ich nicht gelten. Ist Dir eigentlich klar, was ich alles für Dich riskiert habe? Und Du wirfst mich weg wie einen alten Schuh!

Die Antwort von Felk lautet: *Meine blaue Blume, es tut mir leid, dass Du so verletzt bist und Dich weggeworfen fühlst. Du bist eine wunderbare Frau, und ich bedaure, wenn Du Dir vergeblich Hoffnungen gemacht hast. Wie ich Dir schon neulich erklärt habe, bin ich aber nicht der Richtige für das Leben, wie Du es Dir vorstellst. Wir hatten eine sehr schöne Zeit, aber ich habe nie Opfer von Dir gefordert. Du bist nach wie vor ein wichtiger Mensch für mich, ich würde Dich gerne in guter Erinnerung behalten. Herzlichst, Roland.*

Meine blaue Blume, so hat mich ja noch keiner genannt, amüsiert sich Oda. Was für ein Opfer meint er, was hat die blaue Blume für ihn riskiert – ihren Blumentopf? Mann, Kinder, Ehe, Haus, Job? Hat sie etwas Kriminelles getan? Klingt nach verheirateter Frau, findet Oda und liest weiter. In einer Mail vom 23. Mai nennt F. den Doktor nicht mehr *Liebster,* sondern *Du Feigling* und beschimpft ihn außerdem als Egoisten, Schmarotzer, Ignoranten, Lügner, arroganten Arsch und Scharlatan und kommt zu dem Schluss, dass der Sex mit ihm so unvergleichlich auch wieder nicht gewesen sei. Zum Abschied wünscht sie ihm die Pest an den Hals und verflucht ihn nach allen Regeln der Kunst.

Diese F. muss gefunden werden! Zwar liegen die Mails schon drei Jahre zurück, aber Rache ist ja bekanntlich ein Gericht, das man kalt verspeist. Oder aufgewärmt. Möglicherweise, überlegt Oda, lief vor ein paar Tagen im Leben dieser Frau etwas anderes gründlich schief, und sie gelangte zu der Erkenntnis, dass im Grunde ihr Exliebhaber die Wurzel allen Übels ist, denn der Mensch neigt dazu, die Schuld für sein Elend bei anderen zu suchen.

Es klopft. Frau Cebulla kommt herein und legt einen Zettel auf den Tisch. »Hier ist die Adresse von diesem Konrad Klausner. Die Prozessakte dauert aber noch, die kriegen wir morgen, wenn wir Glück haben.«

»Danke«, murmelt Oda, ohne den Blick von den E-Mails zu nehmen.

»War das ein Patient von Dr. Felk?«, fragt Frau Cebulla.

Oda hebt den Kopf. »Wer, Klausner? Nein. Seine Frau war Felks Patientin. Er glaubt, dass Felk schuld an ihrem Tod ist.« Seit wann interessiert sich Frau Cebulla für die Details unserer Ermittlungen, fragt sich Oda. Doch egal, dieser Eifer will genutzt sein: »Tun Sie mir noch einen Gefallen, Frau Cebulla? Forschen Sie nach, ob Dr. Felk vor etwa drei Jahren mal eine Anzeige bei der Polizei aufgegeben hat wegen Belästigung oder Ähnlichem, und zwar gegen eine Frau, deren Vorname mit F beginnt.«

»Mach ich«, versichert die Sekretärin bereitwillig und bemerkt dann: »Sie rauchen ja gar nicht.«

»Muss ich?«

»Stimmt es, dass der Dr. Felk erschossen worden ist?«

»Ja. Schrotschuss aus nächster Nähe ins Herz. Kannten Sie ihn etwa?«

»Aber ja! Ich bin ja … ich war ja … Na, egal. Das ist auf jeden Fall furchtbar. Wer bringt denn so einen wunderbaren Menschen um?« Frau Cebulla schüttelt bekümmert den Kopf und will hinausgehen.

»Warten Sie!«, ruft Oda, die plötzlich ein Geistesblitz streift. »Waren Sie bei ihm in Behandlung?«

Frau Cebullas Gummisohlen kommen mit einem letzten Quietscher zum Stehen. Sie nickt etwas verlegen.

»Darf ich Sie fragen …«, beginnt Oda. »Ich bin Ihnen aber nicht böse, wenn Sie … ich meine, das ist ja nun wirklich Ihre Privatangelegenheit, aber ich würde schrecklich gerne wissen, was er in seiner Praxis so gemacht hat. Und ob es half. Es bleibt natürlich unter uns.«

Nach kurzem Zögern erklärt Frau Cebulla, sie habe Dr. Felk vor zwei Jahren wegen anhaltender Schlafstörungen aufgesucht. Sie habe halbe Nächte nicht geschlafen, sei jeden Morgen erschöpft aufgestanden und habe keine Freude mehr am Leben und am Beruf gehabt. »Mein Arzt hat mir zuerst irgendwelche nutzlosen Tropfen verschrieben, danach hat er mir gleich Valium und solche Hämmer verpassen wollen, aber das wollte ich nicht. Eine Bekannte erzählte mir von Dr. Felk, und ich dachte, ich probiere es mal. Und nachdem ich ein paarmal da war, war ich ein ganz neuer Mensch. Ich habe nicht nur wieder gut geschlafen, sondern mich insgesamt besser gefühlt. Ich habe einen Tanzkurs gemacht und mir eine neue Matratze gegönnt.«

»Das mit der Matratze hätte Ihnen doch jeder raten können«, bemerkt Oda ketzerisch. Wahrscheinlich hätten eine neue Matratze und die Lektüre von einem dieser Glücksfindungsratgeber, wie sie stapelweise in den Buchhandlungen liegen, geholfen. Sie hat den Verdacht, dass es weniger die Schlafstörungen waren, sondern viel eher Einsamkeit sowie Sehnsucht nach Aufmerksamkeit und Zuwendung, was diese patente Frau in Felks Praxis getrieben hat. Besser man fragt erst gar nicht, was der ganze Zinnober gekostet hat. Gleichzeitig streift Oda der Anflug eines schlechten Gewissens. Seit einigen Jahren arbeitete die unscheinbare Mittfünfzigerin nun schon für dieses Dezernat, aber Oda weiß bis heute kaum etwas über sie, und ihre Krise vor zwei Jahren hat offenbar auch niemand bemerkt.

»Ja, das mag sein«, räumt Frau Cebulla ein. »Aber Dr. Felk hat mich erst einmal aus meinem tiefen Loch geholt. Er hat das Übel an der Wurzel gepackt.«

»An welcher Wurzel denn?«

»Er hat eine Familienaufstellung gemacht.«

»Erzählen Sie!«

»Nun, dabei ist herausgekommen, dass unsere Familie meiner älteren Schwester, die als Baby am plötzlichen Kindstod gestorben ist, im Lauf der Jahre viel zu wenig Beachtung geschenkt hat. Das stimmt auch, meine Mutter hat mir nur ein Mal von ihr erzählt, ich wusste nicht einmal ihren Namen.«

»Waren Sie überhaupt schon geboren, als Ihre Schwester starb?«

»Nein, ich kam erst drei Jahre nach Judith zur Welt, aber das tut nichts zur Sache. Eine Familie ist ein System, das eine Ordnung braucht, und wenn die Ordnung gestört ist, dann kommt es zu unguten Verstrickungen. So hat Dr. Felk mir das erklärt. So kann es passieren, dass ein anderes Geschwisterkind aus scheinbar unerklärlichen Gründen Schuldgefühle hat oder depressiv, krank oder sogar selbstmordgefährdet ist.«

»Und wie hat er das Problem dann gelöst?«, fragt Oda gespannt.

»Indem er Kontakt zu meiner Schwester aufgenommen hat. Sie hat mich wissen lassen, dass sie sich vernachlässigt fühlt. Danach bin ich mit meiner Mutter zu ihrem Grab gefahren. Seitdem gehe ich alle paar Wochen dorthin und bringe ihr Blumen, und es geht uns beiden besser.«

Oda schaut Frau Cebulla entgeistert an.

»Ja, ich weiß, wie sich das anhört«, winkt Frau Cebulla verlegen ab. »Aber so war es. Kriegen Sie das Schwein, das das getan hat!« Mit dieser Aufforderung verlässt die Sekretärin energischen Schrittes den Raum.

Oda schaut eine ganze Weile nachdenklich auf ihre Schreibtischunterlage, kommt schließlich zu dem Fazit *Wer heilt, hat recht* und steckt sich einen Zigarillo an. Nach zwei Zügen merkt sie, dass er ihr überhaupt nicht schmeckt. Irritiert nimmt sie noch einen dritten Zug. Sie verspürt einen Anflug von Übelkeit. Nein, das ist im Moment einfach nicht das Richtige. Sie drückt den Rillo aus und öffnet das Fenster.

Vor der Kulisse des über hundert Jahre alten Gefängnisbaus gegenüber fällt leise rauschend ein sanfter Frühlingsregen, untermalt von Vogelgezwitscher. Herrlich, diese Luft. Seit sie sich von Herrn Tangs Liege erhoben hat, geht es ihr prächtig. Ihr Körper fühlt sich leicht und beweglich an, und sie ist voller Zuversicht, was die Sache mit Veronika angeht. Alles wird gut, sagt sich Oda, man muss nur daran glauben. Sie kramt die Visitenkarte von Tian Tang heraus und wählt seine Handynummer: »Herr Tang, eine Frage. Hat Ihr Kollege sich vor drei Jahren mal über eine Exgeliebte beklagt, die ein wenig lästig und aufdringlich geworden ist? Ihr Vorname beginnt vermutlich mit F.«

»Nein, bedaure«, antwortet der Chinese. »Über solche Dinge haben wir nie gesprochen.«

»Vielleicht ist sie ja mal in der Praxis aufgetaucht?«

»Nun, ich erinnere mich vage an einen Vorfall mit einer Dame, die hierherkam.«

»Können Sie sie beschreiben?«

»Das ist schon länger her, und ich habe sie nur ganz kurz gesehen, als er sie sozusagen fast mit Gewalt rausgeworfen hat. Es war mir peinlich und ihm erst recht, also habe ich mich sofort zurückgezogen.«

»War es eine Patientin?«

»Das kann ich nicht sagen. Ich kenne zwar einige, aber nicht alle. Wir waren ja nicht immer gleichzeitig in der Praxis.«

»Ich danke Ihnen.«

»Frau Kristensen – ich hätte auch eine Frage!«

»Was denn?«

»Wie geht es Ihrem Rücken?«

»Blendend, vielen Dank noch mal. Ich komme bestimmt noch einmal wieder.«

»Und haben Sie, seit Sie hier waren, schon geraucht?«

»Sie haben gesagt *eine* Frage«, antwortet Oda und legt auf.

Nachdenklich betrachtet sie die Schachtel mit den Rillos. Sie riecht daran. Sie duften immer noch gut, aber seltsamerweise verspürt sie keine Lust, sich einen anzustecken. Sie macht es trotzdem. »Wäre ja noch schöner«, murmelt sie halblaut vor sich hin. Aber nach zwei Zügen macht sie ihn aus. Er schmeckt heute einfach nicht. In dem Moment klopft es.

Fernando tritt ein, er sieht aus wie ein begossener Pudel, was nicht an seinen gegelten schwarzen Locken liegt, sondern an seiner Haltung. »Oda, hast du kurz Zeit?«

»Was ist los?«

»Wegen Veronika... ich war gestern im Pavillon.« Fernando erzählt, was er gesehen hat.

Oda bleibt ruhig, zu ruhig, sie sagt gar nichts, eine ganze Weile.

»Das muss aber noch nicht viel heißen, wahrscheinlich findet sie es chic, mal 'ne Nase zu nehmen.«

»Den mach ich zur Schnecke«, unterbricht ihn Oda leise.

Fernando legt Oda die Hand auf die Schulter. »Überlass das mir.«

Die Familie Lammers bewohnt ein bis zum letzten Backstein renoviertes Bauernhaus am Dorfrand von Lüdersen, das in etwa so aussieht, wie Völxens Heim in ferner Zukunft einmal aussehen wird – zumindest in seinen und Sabines Wunschträumen. Eine mächtige Linde steht davor und verbreitet einen betörenden Duft. Das Nebengebäude beherbergt einen Stall mit einem kleinen Auslauf davor. Hinter dem Haus dehnt sich eine Weide mit Obstbäumen, ähnlich wie bei Völxen, nur dass auf dieser Weide keine Schafe grasen, sondern zwei Pferde. In der Einfahrt parkt ein schwarzer *Toyota Land Cruiser* mit einem verchromten Kuhfänger.

Wigbert Lammers ist vom Besuch des Kommissars nicht überrascht. Er bittet Völxen ins Haus, das geschmackvoll und modern eingerichtet ist. Völxen macht eine anerkennende Bemerkung über die zwei Pferde auf der Obstwiese.

»Meine Frau ist Reiterin, ich komme kaum dazu. Seit ich voriges Jahr in Rente gegangen bin, habe ich noch weniger Zeit als vorher, ich hätte nie gedacht, dass dieses Klischee tatsächlich zutrifft«, berichtet Lammers leutselig.

Völxen hat sich von seinem Nachbarn Köpcke erzählen lassen, dass Lammers eine höhere Position im Management der *Telekom* innehatte. Der Nachbar will auch erfahren haben, dass man Lammers den vorzeitigen Abschied mit sechsundfünfzig Jahren durch eine großzügige Abfindung versüßt habe. Kein Wunder also, dass Haus und Hof blitzsauber dastehen, denkt der Kommissar und: Gut, dass Sabine das hier nicht sieht, sie käme nur auf allerlei kostspielige Ideen.

Lammers ist allein, aber er kennt sich in der Hochglanzküche so weit aus, dass er es schafft, sich und seinem Gast einen perfekten Milchkaffee zu servieren.

»Sonntagmorgen um sechs Uhr?«, wiederholt Lammers kurz darauf Völxens Frage. »Da habe ich geschlafen. Das kann meine Frau sicherlich bezeugen, falls das nötig sein sollte.« Lammers streicht sich etwas Milchschaum aus dem Bart. Die Dame des Hauses sei aber im Moment nicht hier, sondern würde in der Stadt Einkäufe tätigen. »Soll ich sie auf dem Handy anrufen?«, fragt Lammers, dem offenbar sehr an seinem Alibi gelegen ist. Völxen erinnert sich an die Klage der brünetten Dame mit dem Fuchskragen, die sie beim Osterfeuer am Biertisch führte: Wie schlecht sie geschlafen habe, bis endlich ihr Sohn Ole von seiner Nachtwache nach Hause gekommen sei. Bestimmt würde sie das Alibi ihres Gatten bestätigen.

»Nein, das ist nicht notwendig«, meint Völxen.

»Rike hat sogar den Schuss gehört«, erzählt Lammers, der natürlich längst Bescheid weiß über die Vorgänge auf dem Wolfsberg. »Sie erwähnte beim Frühstück, dass sie sich gewundert habe, wer da am Sonntag so früh rumballert.«

»An wen dachten Sie?«

»An Kolbe oder Gutensohn.«

»Das Gebiet oben auf dem Wolfsberg ist aber doch Ihr Revier?«

»Im Prinzip ja. Karl-Heinz Gutensohn und ich haben eine interne Vereinbarung: Er und Kolbe betreuen, grob gesagt, das nördliche Revier, also den Vörier Berg und den Wolfsberg, und mir gehört der Süllberg. Aber natürlich sehe ich auch mal auf der anderen Seite nach dem Rechten, wenn ich schon mal unterwegs bin. Und wenn mir in Gutensohns Revierteil eine Wildsau über den Weg läuft, werde ich sie selbstverständlich schießen und umgekehrt auch. Da wäre keiner dem anderen böse, im Gegenteil.«

»Wie sieht es mit einem Rehbock aus?«

Lammers runzelt die Stirn. »Ich ahne, worauf Sie hinauswollen. Diese blöde Geschichte mit dem Rehbock. Aber das ist längst gegessen, Karl-Heinz durfte bei mir einen Bock schießen, einen viel besseren, nebenbei gesagt.«

»Waren Sie nicht wütend auf Roland Felk?«

»Nein. Er hatte Gründe, den Bock zu schießen.«

»Ach.«

»Der Bock hat gelahmt. Er hat ihn bei mir in der Wildkammer zerlegt, und ich konnte sehen, dass der rechte Hinterlauf verletzt war, vermutlich ist das Tier angefahren worden. Dummerweise haben wir meinen Kompagnon nicht dazugeholt und auch kein Foto gemacht. Wir dachten ja im Traum nicht daran, dass sich Karl-Heinz so darüber aufregen würde. Ich meine, es war ein zweijähriger Durchschnittsbock, nichts Weltbewegendes! Ehrlich gesagt, habe ich das Theater, das Karl-Heinz darum gemacht hat, nie so recht verstanden.«

Es ist doch immer wieder interessant, eine Geschichte aus verschiedenen Perspektiven zu hören, erkennt Völxen. Dass im Gesangverein aus dem Vorfall ein Wildererdrama von ganghoferschem Ausmaß gemacht wurde, ist wieder einmal typisch.

»Mochten Sie Felk?«, fragt Völxen ohne Umschweife.

»Es ging so. Wir kamen gut zurecht. Im Grunde war er ein harmloser Spinner.«

»Wieso Spinner?«

»Einmal hat er im Revier eines seiner Seminare abgehalten. Keine Ahnung, wie das hieß, aber jedenfalls ist er mit einem Dutzend Leuten in den Wald gegangen und hat sie unter anderem Bäume umarmen lassen. Ich habe ihn dann gebeten, diesen Ringelpiez in Zukunft in der Eilenriede oder sonstwo zu veranstalten, jedenfalls nicht in meinem Revier. Er hat sich daran gehalten.«

Völxen muss verstohlen grinsen, als er sich die Szene vorstellt. Er lässt sich die Schusswaffen zeigen und wird dazu in eine ansehnliche Bibliothek geführt. Regale aus dunklem Holz reichen bis unter die Decke, ein antiker Schreibtisch steht vor dem Fenster. Gut, dass Sabine das nicht sieht, denkt Völxen erneut. Ein Sofa mit geschwungener Lehne und ein Kamin runden das Ambiente ab, das obligate Bärenfell davor wird ersetzt durch eine gepolsterte Matte, auf der eine gefleckte Jagdhündin döst und nur durch kurzes Klopfen mit dem Schwanz signalisiert, dass sie das Eintreten ihres Herrn registriert hat. Der Besucher scheint sie nicht zu interessieren.

Bis auf ein ausladendes Hirschgeweih über dem Kamin befinden sich keinerlei Jagdtrophäen in dem Zimmer, was Völxen dem Hausherrn hoch anrechnet. Der Waffenschrank steht dezent in einer Ecke. Laut Auskunft des Besitzers sind alle Waffen vollzählig an ihrem Platz. Es riecht auffällig nach *Ballistol*, und tatsächlich sind alle vier Langwaffen frisch gereinigt, auch die Schrotflinte. »Das mache ich immer sofort.« Wie es das Gesetz vorschreibt, ist die Munition getrennt von den Waffen, in einem abschließbaren Seitenfach des Schreibtischs, aufbewahrt. Die Schlüssel zu Waffen und Munition holt der Jäger allerdings aus der Schublade desselben Möbels.

»Geht sonst noch jemand aus Ihrer Familie zur Jagd?«

»Meine Frau hat einen Jagdschein, aber sie geht schon seit Jahren nicht mehr raus, genauer gesagt, seit wir die Pferde haben. Sie kommt höchstens mal mit auf eine Treibjagd. Und mein Sohn verabscheut alles, was mit der Jagd zu tun hat. Seit einem Jahr ist er sogar Vegetarier.« Lammers lächelt nachsichtig und zuckt die Achseln. »Jugendliche Rebellion und Abgrenzung, Sie verstehen?«

Völxen nickt. »Oh ja.« Dann möchte er wissen, wer denn außer Lammers und Gutensohn noch in dem gemeinsamen Revier jagen darf.

»Das sind die Brüder Felk, wobei Ernst Felk die letzten Jahre nur noch selten rausging, und seit zwei Jahren der Kolbe, der Schreiner. Darüber war ich ja erst nicht so begeistert, der hat den Karl-Heinz irgendwie weichgeklopft. Entweder er hat ihm günstig das Holz fürs neue Dach geliefert oder ein paar Versicherungen bei ihm abgeschlossen, was weiß ich?«

»Warum waren Sie gegen Kolbe?«

»Es ist nichts Persönliches. Ich dachte nur, für so ein kleines Revier sind wir genug Leute. Torsten Gutensohn kommt ja auch noch dazu, wenn er nächstes Jahr achtzehn wird. Aber der Kolbe hat sich nützlich gemacht, das muss ich schon sagen. Wir haben jetzt lauter erstklassige Hochsitze und Kanzeln, das hat sich letztendlich doch gelohnt. Sein Sohn will jetzt auch die Jägerprüfung machen.«

Kolbe soll lieber mal zusehen, dass er endlich die Bretter für meinen Zaun ranschafft, grollt Völxen im Stillen, während Wigbert Lammers grinst und meint: »Ja, so ist das auf dem Land, aber das kennen Sie ja sicher, Herr Kommissar: Eine Hand wäscht die andere.«

Völxen verabschiedet sich, und Wigbert Lammers bringt ihn zur Tür. Die Hündin ist aufgestanden und folgt ihnen, sie scheint schon recht alt zu sein, so steifbeinig, wie sie sich fortbewegt.

Der letzte Satz von Lammers geht Völxen noch im Kopf herum, er deutet in Richtung Koppel und fragt: »Stammen die zufällig von Felks Gestüt?«

Lammers bleckt sein tadellos gepflegtes Pferdegebiss und wiehert vor Lachen. »Du lieber Himmel, schön wär's! Felks Gestüt gehört zu den Top Ten in Niedersachsen, seine Hannoveraner gehen zu den Saudis und nach Abu Dhabi und Gott weiß wohin. Die Scheichs zahlen verrückte Preise. Vor ein paar Jahren, hat man sich erzählt, hat ein Deckhengst eine halbe Million Euro eingebracht. Da kann unsereins nicht mithalten!«

Konrad Klausner steigt gerade aus einem anthrazitmetallicfarbenen Fünfer-BMW neuester Bauart, als Oda vor dem einstöckigen Haus ankommt, dessen Adresse ihr Frau Cebulla aufgeschrieben hat. Es ist ein Zweifamilienhaus aus den Sechzigerjahren und seither offenbar nicht mehr renoviert worden. Vor dem Panoramafenster stehen Beetrosen in Reih und Glied auf nackter Erde, der Rasen ist kurz geschoren und von sorgfältig gestutzten Büschen umgeben. Dicht gefältelte Gardinen verhüllen die unteren Fenster, in der oberen Wohnung dagegen gibt es keine Vorhänge.

Nachdem Oda sich ausgewiesen und vorgestellt hat, begrüßt Klausner sie mit den Worten: »Ich kann mir denken, weshalb Sie hier sind.«

»Darf ich mit reinkommen?«

»Bitte.« Klausner geht vor Oda die Treppe hinauf in den

ersten Stock. Er ist mittelgroß und schlank, seine Bewegungen wirken geschmeidig, sicher treibt er regelmäßig Sport. Er bittet sie in die winzige Küche, deren Möblierung überwiegend aus moosgrünen Pressspanplatten besteht. An der einzigen freien Wand neben dem Fenster hängen sechs Fotografien einer vollbusigen Brünetten.

Nachdem Klausner sein Jackett aufgehängt und die Aktentasche abgestellt hat, setzt er sich Oda gegenüber. Er sieht älter aus als zweiundvierzig. Gepflegt, elegant, guter Haarschnitt, aber älter, vor allem um die Augen herum.

»Herr Klausner, warum wohnen Sie hier in Holtensen?«

»Ich wollte aufs Land.«

»Sie arbeiten bei der *Nord-LB* in Hannover im mittleren Management, Sie fahren ein repräsentables Auto, tragen einen maßgeschneiderten Anzug, wenn ich das richtig sehe, und teure Schuhe. Ihre alte Adresse in Hannover war bis vor drei Monaten die Güntherstraße in Waldhausen – was nicht gerade die billigste Gegend der Stadt ist. Und diese Wohnung ist – verzeihen Sie – schäbig.«

»Ich wollte aufs Land«, wiederholt Klausner trotzig. »Ist doch schön hier. Gute Luft.«

»Herr Klausner, Sie haben Herrn Dr. Felk, dessen Haus wohl rein zufällig etwa hundert Meter Luftlinie von hier entfernt liegt, verklagt wegen fahrlässiger Tötung Ihrer Ehefrau. Was hat Sie dazu veranlasst?«

»Lesen Sie doch die Prozessakten, Frau Kommissarin.«

»Ich würde es lieber von Ihnen hören.«

Klausner nimmt sich ein Glas Leitungswasser, dann folgt eine lange Schilderung des Leidensweges seiner Frau, die offenbar manisch-depressiv war. Sie wurde Felks Patientin, nachdem sie etliche Aufenthalte in der psychiatrischen Klinik Wunstorf hinter sich hatte. Zwischenzeitlich, das räumt Klausner ein, sei es ihr unter Felks Therapie recht gut gegangen. Während seiner Schilderung taut er ein wenig auf, es scheint ihm gutzutun, mit jemandem über seine Frau reden zu können. »Aber sie hätte die Medikamente nicht absetzen dürfen!«, beharrt Klausner und berichtet, er habe den Prozess gegen Felk letztendlich verloren, weil dem Arzt nicht nachzuweisen war, dass er Klausners Frau dazu aufgefordert habe, ihre Antidepressiva abzusetzen. »Das Schwein hat sich nicht einmal bei mir entschuldigt.«

»Wie viel Zeit verging zwischen dem Absetzen der Medikamente und dem Suizid Ihrer Frau?«

»Etwa sechs Wochen.«

»Sie wollten ursprünglich in Berufung gehen, warum haben Sie es nicht getan?«

Er zuckt traurig mit den Achseln. »Mein Anwalt hat mir abgeraten, er meinte, es hätte wenig Aussicht auf Erfolg.«

»Und nun ist Dr. Felk also tot«, wirft Oda in den Raum.

»Ich war es nicht! Wenn ich ihn hätte umbringen wollen, dann wäre ich doch nicht in seine Nähe gezogen.«

»Sie sind also doch wegen Dr. Felk hierhergezogen und nicht wegen der würzigen Luft«, hält Oda fest. Der Mann, so bedauernswert sein Schicksal sein mag, geht ihr auf die Nerven. Ob ihm wohl klar ist, dass er seinem Feind Felk sehr ähnlich ist? Beide haben offensichtlich den Tod ihrer Partnerinnen nicht verkraftet. Der eine rächt sich an der Schulmedizin, indem er ins Lager der Wunderheiler wechselt, der andere gibt sein Heim auf und tyrannisiert den Mann, der angeblich schuld am Tod seiner Frau ist. Es scheint aus der Mode gekommen zu sein, einen Schicksalsschlag ohne Schuldzuweisungen zu akzeptieren. »Machen wir es kurz: Wo waren Sie am Sonntagmorgen zwischen sechs und halb sieben?«

»Ich war zu Hause im Bett. Allein.«

»Schlecht, ganz schlecht«, meint Oda. »Herr Klausner, besitzen Sie eine Waffe?«

»Nein.«

Braucht er auch nicht, überlegt Oda. Er kann Felk mit seiner eigenen erschossen haben. Vielleicht gab es ein Gerangel darum. Sagte Bächle nicht, dass der Schuss Felk aus nächster Nähe traf?

»Herr Konrad, wir werden die Telefondaten von Dr. Felk auswerten, auch die, die schon länger zurückliegen. Wäre es möglich, dass wir da Ihren Anschluss öfter finden werden? Möglicherweise zu sehr unchristlichen Zeiten?«

Klausner antwortet nicht.

»Noch einmal: Warum sind Sie hierhergezogen?«

»Ich wollte, dass er mich sieht«, platzt Klausner heraus. »So oft wie möglich sollte er mich sehen. Er sollte wissen, dass ich ganz in der Nähe bin, er sollte Angst kriegen, nervös werden. Durch mich sollte er jeden Tag daran erinnert werden, was er getan hat, dieser gemeingefährliche Scharlatan!«

»Und damit er Sie recht oft sieht, sind Sie ihm bestimmt auch mal auf seinen Pirschgängen nachgegangen, nicht wahr?«

»Nein. Ich bin nur an seinem Haus vorbeigelaufen, manchmal bin ich auch für ein, zwei Stunden davor stehen geblieben. Das ist ja nicht verboten«, zischt Klausner mit hasserfülltem Gesichtsausdruck. »Ich kenne die Gesetze, ich mache nichts, wofür er mich belangen könnte.«

Nein, das ist nicht verboten, nur irrsinnig, resümiert Oda und steht auf. »Ist der BMW da draußen Ihr einziges Auto?«

»Ja.«

»Die Schlüssel bitte.«

»Was? Wieso?«

»Ich lasse den Wagen von der Spurensicherung untersuchen, die Kollegen werden ihn heute noch abholen.«

»Und wie soll ich dann zur Arbeit kommen?«

»S-Bahn oder Fahrrad. Macht mein Chef auch.«

Im Grunde gibt Jule Fernando recht, man sollte sich lieber um den konkreten Mordfall Roland Felk kümmern, anstatt einer vagen Verleumdung nachzugehen und Heiner Felks natürliches Ableben in Zweifel zu ziehen. Aber im Gegensatz zu Fernando hat der Besuch bei den Felks Jules Phantasie, was Mordmotive angeht, stark angeregt. Okay, einen Versuch. Wenn das nichts bringt, dann lasse ich die Finger davon, entscheidet Jule. Sie ruft bei der Kanzlei Dr. Hübner in Springe an. Eine freundliche Frauenstimme meldet sich mit »Kowalski, Sekretariat Dr. Hübner«.

»Es geht um Ihren Klienten Heiner Felk, der am Karfreitag verstorben ist.«

Die Angestellte seufzt. »Die Familie Felk. Die sind schon lange unsere Klienten. Das Testament? Ja, das liegt hier, bei uns.«

»Wann wurde es aufgesetzt?«

»Ach, das ist schon Jahre her!« Sie dehnt das Wort Jahre wie einen langen Kaugummi.

»Wissen Sie, ob der alte Herr vielleicht die Absicht hatte, es zu ändern?«

Die Angestellte zögert. Sie wisse nicht, ob sie in dieser Sache zu einer Auskunft berechtigt sei. »Und der Herr Dr. Hübner ist schon gegangen«, bedauert sie.

»Dann wäre es hilfreich, wenn Sie mir die Handynummer oder die Privatnummer von Herrn Dr. Hübner geben würden, damit ich ihn selbst fragen kann.«

»Aber der ist jetzt auf dem Golfplatz!«, ruft sie entsetzt. »Das mag er gar nicht, wenn man ihn da stört. Hat es nicht bis morgen Zeit?«

»Frau Kowalski, wir ermitteln in einer Mordsache!«

Die Sekretärin braucht einen Moment, um abzuwägen zwischen den zwei Übeln, entweder eine Indiskretion gegenüber einem toten Klienten zu begehen oder ihren Boss beim Golfen zu stören, dann berichet sie: »Also, das war so: Anfang März wollte der Herr Felk senior tatsächlich einen Termin bei Dr. Hübner haben. Allerdings war mein Chef da gerade zur Kur in Bad Pyrmont, er ist erst seit letzter Woche wieder da. Der alte Herr Felk hätte am Freitag um elf Uhr einen Termin bei ihm gehabt. Aber ich weiß nicht, ob es dabei um sein Testament ging. Was er von Dr. Hübner wollte, hat er nämlich nicht gesagt.«

»Hatten Sie ihn danach gefragt?«

»Ja, aber er wollte es nicht sagen. Deshalb vermute ich fast, dass es doch um das Testament ging. Aber das vermute ich nur«, betont die Angestellte.

»Ich habe das schon verstanden«, versichert Jule. »Ich danke Ihnen, Frau Kowalski, Sie haben mir sehr geholfen.«

Das ist durchaus interessant, findet Jule. Morgen wird sie mit dem Notar reden, beschließt sie und wendet sich dann dem Aktenberg aus Felks Wohnung zu, der nun genau mittig auf der Grenze zwischen ihrem und Fernandos Schreibtisch aufragt. Womit anfangen? Sie schaut auf die Uhr. Kurz nach fünf. All das durchzuarbeiten schafft heute ohnehin niemand mehr, und manchmal gibt es Wichtigeres im Leben als Mordfälle, zum Beispiel: *www.chefkoch.de*. Sie möchte Leonard heute Abend etwas Besonderes bieten. Er hat einmal erwähnt, seine Frau wäre eine gute Köchin. Was immer ›gut‹ bedeutet, diese Marke gilt es zu überbieten. Aber womit? Fisch? Fleisch? Salat? Pasta? Hausmannskost? Französisch? Asiatisch? Fast alle Rezepte, auch die, die als einfach gekennzeichnet sind, erscheinen ihr kompliziert. Sie will etwas Einfaches, aber Köstliches hinzaubern, quasi aus dem Handgelenk, und keine zwei Stunden in der Küche stehen und hinterher nach Fett und Zwiebeln stinken. Jetzt bereut sie es, dass sie als Kind der Haushälterin nicht öfter über die Schulter geschaut hat. Hätten sie mich als Jugendliche lieber zu einem Kochkurs verdonnert anstatt zu diesen dämlichen Klavierstunden, flucht Jule insgeheim. Was nützt mir das Geklimpere jetzt, ich habe ja nicht mal ein Klavier.

Irgendwo, in einem verborgenen Winkel ihres Gehirns, meldet sich eine Stimme, die fragt, ob dies wohl in Zukunft ihr Alltag sein würde, sich kurz vor Dienstschluss Gedanken über das Abendessen zu machen. Aber die kritische Stimme wird zum Schweigen gebracht mit dem Argument, dass bei Männern Liebe nun einmal durch den Magen geht. Dann hat Jule einen Geistesblitz. Wozu *chefkoch.de*? Es gibt eine Chefköchin, die ihr helfen kann. Dass ich darauf nicht gleich gekommen bin!

Unkraut wuchert zwischen den Waschbetonplatten vor der Garage und auch in den Blumenkübeln, die vor der Tür des Bungalows stehen. Neben der Klingel ist ein Schild angebracht, das Karl-Heinz Gutensohn als unabhängigen Finanzberater ausweist. Er scheint da zu sein, jedenfalls steht sein *Mitsubishi*-Geländewagen vor dem Haus. Entweder hat er den Kommissar kommen sehen, oder dessen Besuch wurde von Lammers angekündigt, denn kaum ist Völxen vom Rad gestiegen, kommt Gutensohn heraus und begrüßt ihn mit den Worten: »Na, haben Sie Ihren Schafbock wieder eingefangen, Herr Kommissar?«

Völxen nickt und wehrt weitere Fragen nach seinem Haustier mit einem unwilligen Grunzen ab.

Sie gehen in Gutensohns Büro, das sich in einem Anbau mit Flachdach befindet und so nüchtern eingerichtet ist, dass man sich darin unmöglich wohlfühlen kann. Zwischen zahlreichen Ordnern in einem Metallregal stehen Pokale, offenbar hat Gutensohn einmal aktiv Fußball gespielt. Seiner Figur nach zu urteilen, muss das aber schon eine Weile her sein.

»Haben Sie eine Tierhalter-Haftpflicht?«

Völxen schüttelt betrübt den Kopf. Nein, so etwas hat

er nicht, denn bis gestern hat Amadeus nur das eigene Gemüsebeet verwüstet.

»Das müssen wir aber so rasch wie möglich ändern«, trompetet Gutensohn. Sein Gesicht ist rot, als hätte er sich gerade angestrengt, aber wahrscheinlich sieht er immer so aus. Bestimmt trinkt er gerne einen oder auch zwei.

»Deswegen bin ich nicht hier«, wehrt Völxen ab und fragt den Jagdpächter ohne Umschweife nach seinem Verbleib am Sonntagmorgen.

»Ich bin kurz vor sieben wach geworden, als Torsten nach Hause gekommen ist. Ich habe ihm kurz einen guten Morgen gewünscht, dann bin ich rausgefahren, ins Revier.«

»Um sieben?«

»Eher halb acht. Ich habe erst noch gefrühstückt.«

»Kann Ihre Frau diese Angaben bestätigen?«

»Das glaube ich nicht«, sagt Gutensohn etwas verkniffen. »Wir sind seit drei Jahren geschieden, sie wohnt in Hannover.«

Völxen entschuldigt sich und fragt: »Wo genau waren Sie im Revier?«

»Ich bin am Fuß des Süllbergs entlanggefahren, hab mir mal den Rehbestand angeschaut. Einmal bin ich kurz in die Senke runtergegangen und habe eine Krähe geschossen.«

»Mit der Schrotflinte?«

»Nein, mit Pfeil und Bogen. Natürlich mit der Flinte, wie denn sonst?«

Völxen senkt streng die Augenbrauen. »Kann ich sie sehen?«

»Die Flinte? Klar.«

»Die Krähe.«

»Die habe ich dort gelassen, als Fraß für die Füchse, was soll ich denn mit einer toten Krähe? Aber das dürfen Sie nicht weitersagen«, grinst Gutensohn, »denn offiziell sind die Biester ja geschützt, was völliger Blödsinn ist, weil...«

Völxen unterbricht den Jäger: »Ist Ihnen irgendetwas aufgefallen bei Ihrer Pirschfahrt?«

»Nein.«

»Waren Sie auch auf dem Wolfsberg?«

»Ja, da oben bin ich auch langgefahren, auf dem Rückweg, so gegen halb neun. Hauptsächlich wollte ich am Feuerplatz vorbei, um mal nach dem Rechten zu sehen. Hab mich dann auch prompt über den Müll geärgert, den sie zurückgelassen haben: lauter Flaschen und Pappgeschirr. Später habe ich dann den Matthias Kolbe angerufen und ihm verklickert, dass sie den Mist schleunigst wegräumen müssen, das würde keinen guten Eindruck machen.«

»Wieso haben Sie es nicht Ihrem Sohn gesagt?«

»Der hat doch noch gepennt. Und der Matze ist der Chef der Truppe, auf den hören sie.«

»Ihr Sohn geht auch zur Jagd, wie ich hörte.«

»Der hat im Herbst seine Jägerprüfung gemacht und hat einen Jugendjagdschein.«

»Was bedeutet?«

»Dass er nicht alleine raus darf, zumindest nicht mit einer Waffe.«

»Und daran hält er sich?«, zweifelt Völxen.

Gutensohn strafft die Schultern und reckt sein Doppelkinn: »Hundertprozentig, dafür lege ich meine Hand ins Feuer. Der will seinen Schein ja schließlich behalten. Und in solchen Dingen verstehe auch ich gar keinen Spaß. Außerdem trage ich den Schlüssel zum Waffenschrank immer bei mir.« Er klopft sich gegen die Hosentasche, in der es klimpert. »Sie wissen ja: Vertrauen ist gut, Kontrolle ist besser.«

»Ihr Sohn ... wollte der nicht lieber bei seiner Mutter in der Stadt wohnen?«

»Nein«, kommt es bestimmt. »Der liebt die Natur, und hier hat er seine Freunde. Außerdem stellte sich diese Frage nicht. Sie wollte ihn gar nicht, oder vielmehr ihr neuer Lover.«

Der Kommissar verkneift sich weitere Fragen zu diesem Thema. Das fällt ganz klar ins Ressort von Hanne Köpcke, die er nach dem Klatsch in dieser Angelegenheit fragen wird, sobald sich die Nachbarin wegen ihres zerstörten Gartens wieder beruhigt hat.

»Dann ist da noch eine Sache ...«

Die Rehbockgeschichte hört sich aus Gutensohns Mund schon wieder etwas anders an. »Das war eine Unverschämtheit von Felk, so etwas macht man nicht. Der hatte auf meiner Revierseite überhaupt nichts verloren, da gibt es klare Absprachen. Aber das ist vorbei und vergessen, Schwamm drüber.«

»Sie sollen sich aber ganz schön darüber aufgeregt haben.«

»Ja, und auch zu Recht. Aber ich bin nicht nachtragend. Oder glauben Sie etwa, ich habe den Felk wegen dieses Rehbocks erschossen?« Seine blutunterlaufenen Bassetaugen blicken Völxen halb misstrauisch, halb treuherzig an. Vielleicht nicht wegen des Rehbocks an sich, grübelt Völxen, aber was ist mit Grenz- und Kompetenzüberschreitung, mangelndem Respekt?

Für einen kaltblütigen Mörder hält Völxen den Mann nicht, aber ein Totschlagsdelikt im Streit wäre ihm womöglich schon zuzutrauen.

Der Kommissar steht auf, und auch Gutensohn wuchtet seine hundertzehn Kilo aus dem Ledersessel mit den Worten: »Ich stecke Ihnen dann mal ein paar Angebote in den Briefkasten.«

»Angebote?«

»Wegen der Tierhalter-Haftpflicht.«

»Ah, ja«, knirscht Völxen. Gute Zäune ersetzen die Versicherung, und dafür werde ich ab jetzt sorgen, sagt er sich, während er sein Fahrradschloss öffnet.

»Und wie sieht es sonst so aus?«, fragt der Finanzberater. »Hat Ihre Tochter schon einen Bausparvertrag? Haben Sie mal durchgerechnet, ob Ihre Pension ausreicht, um Ihren Lebensstandard auch im Alter zu sichern? Das sollten wir dringend tun, ganz unverbindlich.«

»Ja, mal seh'n«, murmelt Völxen und schwingt sich auf sein Rad.

»Edles Teil«, bemerkt Gutensohn. »Dafür haben Sie hoffentlich eine entsprechende Klausel in Ihrer Hausratversicherung?«

»Hab ich«, lügt Völxen und tritt eilig die Flucht an.

Jetzt steht nur noch Wolfgang Kolbe auf seiner Liste. Wenige Minuten später biegt er auf den Hof der Schreinerei ein, der gerade von der Dame des Hauses gefegt wird. Ein weißer *Golf* älterer Bauart steht aufgebockt vor der Werkstatt, darunter ragen ein paar Beine in Arbeitshosen hervor. Aus dem Fahrzeug, dessen Fenster offen stehen, dringen Töne, die Völxen bekannt vorkommen. So etwas hört auch Wanda ab und zu.

»Mein Mann ist noch auf einer Baustelle. Er hat schon ein ganz schlechtes Gewissen«, begrüßt Frau Kolbe den Kommissar. Sie hat einen dezenten bayerischen Akzent.

»Hat er was ausgefressen?«

»Nein, wegen Ihrer Lärchenholzbretter. Der Lieferant hat uns sitzen lassen, aber nächste Woche kriegen Sie sie. Damit Ihr Schafbock nicht noch einmal abhaut.«

Die auf den ersten Blick etwas fade wirkende Blondine sieht auf den zweiten ganz apart aus, findet Völxen. Vor allen Dingen, wenn sie schelmisch lächelt, so wie jetzt. Sie hat ausdrucksvolle blaue Augen und macht eine gute Figur in ihrer engen Jeans.

»Ich muss kurz mit Ihrem Sohn sprechen«, sagt Völxen und geht bereits zu dem Golf hinüber. »Ist das deiner?«, brüllt er gegen *Rammstein* an. Matthias Kolbe kommt unter dem Golf hervor und steht auf. Wegen seiner geschwärzten Hände verzichtet man auf eine Begrüßung mit Handschlag. Der Junge, den er von Kindesbeinen an kennt, überragt ihn inzwischen.

»Jepp.« *Jepp, Dad* ... können die nicht mehr normal sprechen? Immerhin dreht Matze seine Anlage jetzt leiser.

»Ist was kaputt?«, erkundigt sich Völxen.

»Auspuff.«

»Hast du gehört, was mit Dr. Felk passiert ist?« Eine eher rhetorische Frage, denn Völxen hat das Gefühl, dass die Dorfbevölkerung in diesem Fall auf wundersame Weise stets auf dem neuesten Stand der Ermittlungen ist.

»Klar.«

»Du warst doch auch dabei, bei dieser Nachtwache ...«

»Ja.«

»Die ganze Zeit?«

»Nö.«

Hat Wanda Matze nicht neulich als angeberischen Schwätzer bezeichnet? Anscheinend hat sie ihn noch nie nüchtern erlebt. Oder es wurde ein Verbot ganzer Sätze erlassen, von dem Völxen noch nichts weiß.

»Wann bist du denn nach Hause gekommen?«

»Halb drei, drei etwa.«

»Und wie?«

Matze fährt sich verlegen durchs Haar und meint dann: »Maren ist gefahren.«

»Maren?«

»Maren Rokall aus Linderte, meine Freundin. Die hat nicht viel ... die hat nichts getrunken.«

»Schon klar«, winkt Völxen ab.

Matzes Ohren röten sich, offensichtlich ist ihm das Thema Alkohol und Autofahren unangenehm. Völxen weiß, wie das hier gehandhabt wird: ausgesprochen leger, und die Alten sind dabei schlimmer als die Jungen. Aber das ist nicht mein Bier, erkennt der Kommissar und wendet sich um, denn gerade fährt der Lieferwagen von Wolfgang Kolbe auf den Hof. Matze geht in den Schuppen und murmelt etwas zu demonstrativ: »Wo ist denn nur das verdammte Schweißgerät?«

Schreiner Kolbe steigt aus. Er ist fast das Ebenbild seines Sohnes und überragt Völxen um eine Handbreit. Früher gehörte man mit eins fünfundachtzig immer zu den Größeren, inzwischen muss Völxen zu seinem Kummer des Öfteren registrieren, dass er damit allenfalls zum Durchschnitt zählt. Wie muss es da erst Fernando gehen?

Kolbe fängt sofort an, sich wortreich wegen der Zaunbretter zu entschuldigen, aber Völxen würgt die Ausreden des Schreinermeisters ab und will vielmehr wissen, wo dieser den frühen Sonntagmorgen verbracht hat. Der Mann stutzt, offenbar hat er mit solchen Fragen nicht gerechnet. Seine Antwort klingt ein wenig unterkühlt. »Zu Hause im Bett natürlich.«

Seine Frau, die noch immer den Kehrbesen in der Hand hält, beeilt sich, die Angabe ihres Gatten zu bestätigen. Alarmiert setzt sie hinzu: »Wieso fragen Sie das?«

»Weil Ihr Mann dort oben zur Jagd geht. Er könnte ja unterwegs gewesen sein und etwas beobachtet haben.«

Kolbe schüttelt den Kopf. »Ich war zum letzten Mal vor zwei Wochen im Revier. Ich habe im Moment einfach keine Zeit dazu. Nach diesem ewig langen Winter ist auf den Baustellen plötzlich die Hölle los, ich muss auch gleich wieder weg.«

Der Ordnung halber lässt sich Völxen dennoch die Schrotflinte zeigen und folgt Kolbe dazu in seine Werkstatt. Auf dem Weg dorthin klingelt sein Handy. Oda will wissen, was es Neues gibt und ob sie noch weitere Verdächtige im Ort vernehmen soll. Völxen möchte in Gegenwart von Kolbe nicht darüber reden, er bittet sie kurzerhand zu sich nach Hause. »Ich bin gleich da. Fahr ins Nachbardorf und hol Apfelkuchen.«

Die beiden Jagdwaffen von Kolbe lehnen in einem Kleiderschrank hinter muffelnden Mänteln. Völxen verzichtet auf den Hinweis, dass dies nicht so ganz den Vorschriften entspricht.

»Wann ich zuletzt damit geschossen habe, weiß ich schon gar nicht mehr. Ich glaube im Winter, einen Fuchs«, gibt Kolbe ungefragt bekannt. Der Kommissar hält die Nase an die zwei Läufe der Schrotflinte. Kolbe scheint die Wahrheit zu sagen.

»Und wann kriege ich nun meine Bretter?«, fragt er zum Abschied.

»Nächste Woche. Spätestens übernächste.«

»*Buenos días*, Jule! Wo ist denn Nando?«

»Der muss noch arbeiten«, erklärt Jule, die eigentlich gar nicht weiß, wo sich Fernando gerade herumtreibt. Sie war noch nie ohne Fernando im Laden seiner Mutter, fällt ihr dabei auf. Hinter der Theke sitzt eine uralte Dame in Schwarz auf einem hochlehnigen Stuhl. Ihre kleinen Rosinenaugen mustern Jule aufmerksam, nachdem Pedra Rodriguez etwas zu ihr gesagt und dabei auf Jule gedeutet hat. Vermutlich erklärt Pedra ihrer Tante gerade, dass sie und Fernando Arbeitskollegen sind. Allerdings braucht sie dazu eine Menge Worte, von denen Jule nicht ein einziges versteht, bis auf ab und zu Fernandos Namen. Dann winkt die alte Dame Jule zu sich heran und sagt etwas auf Spanisch. Ihre Stimme hat etwas von einer Schiffsschraube.

»Was will sie?«, fragt Jule Pedra, die nun ein wenig verlegen wirkt.

»Meine Tante Esmeralda möchte, dass Sie näher kommen. Sie sieht schlecht.«

Jule tritt neben die Theke. »*Buenos días, Señora*«, sagt sie lächelnd. Esmeralda erhebt sich langsam und entfaltet sich zu voller Länge, eine krallenartige Hand streckt sich nach Jule aus, eiskalte Finger fahren ihr über die Wangen, streichen durch ihr Haar. Jule fröstelt. Esmeralda lässt von ihr ab und schüttet einen aufgeregten Redeschwall über ihrer Nichte aus, der postwendend beantwortet wird. Vermutlich sprechen die beiden einen fürchterlichen Sevillaner Dialekt, denn Jule, die zwei Jahre Spanisch als Wahlfach hatte und ansonsten nur ein paar saftige Schimpfwörter von ihrem Kollegen gelernt hat, versteht kaum ein Wort. Das Palaver geht eine ganze Weile so. Ungehört verhallt Jules Räuspern. Sie scharrt ungeduldig mit den Füßen auf dem Betonfußboden, dann hebt sie die Hand wie früher in der Schule: »Äh, Entschuldigung ...«

Keine der beiden beachtet sie, wie Maschinengewehrsalven zischen und knattern die harten Konsonanten durch den Laden. Esmeralda hat sich inzwischen wieder hingesetzt. Verdammt! Muss ich erst einen Warnschuss abgeben, damit ich hier einkaufen kann? Erst als Jule die kleine Glocke auf dem Tresen entdeckt und damit bimmelt, dreht sich Pedra mit reumütiger Miene zu ihr um. »Oh, verzeihen Sie, Jule. Was kann ich für Sie tun?«

Jule erklärt, sie brauche eine kleine, feine Auswahl von Tapas für zwei Personen. »Bitte nichts mit Knoblauch«, fügt sie hinzu, und Pedra macht sich daran, diverse Köstlichkeiten zusammenzustellen, während Esmeralda ununterbrochen vor sich hin brabbelt und zischelt wie ein Eintopf auf kleiner Flamme.

Pedra Rodriguez packt die Sachen ein, doch als Jule bezahlen will, wehrt sie ab. »Nein, das ist schon in Ordnung.«

»Das kommt überhaupt nicht infrage«, widerspricht Jule energisch. Wenn sie es einigermaßen überblickt, dann hat sie eben für ungefähr 50 Euro eingekauft, denn eine Flasche *Rioja* ist auch noch dabei. Doch statt einer Antwort kommt Pedra Inocencia Rodriguez hinter der Theke hervorgeschossen, packt Jules Arm und zerrt sie in Richtung Ausgang. Unter den wachsamen Blicken von Tante Esmeralda umfasst Pedra Jules Wangen wie ein Schraubstock, küsst sie laut schmatzend auf die Stirn und schiebt die Verblüffte mit den Worten »*Chao, mi amor, adiós!*« mitsamt ihren Einkäufen zur Tür hinaus.

Auf dem Küchentisch steht ein Strauß mit Osterglocken und Tulpen in Cellophan.

»Den kannst du Hanne Köpcke nachher in Demut überreichen.«

Schweigend füllt Völxen Wasser in die Kaffeemaschine. Was soll er auch sagen, Sabine hat ja recht. Er nimmt drei Tassen aus dem Schrank, während seine Frau darüber lamentiert, dass diese Schafe, insbesondere der Bock, dabei sind, ihren finanziellen und gesellschaftlichen Ruin herbeizuführen. Er ist froh, als es an der Tür klingelt. »Das ist Oda. Wir müssen was besprechen.«

»Warum sagst du mir das nicht?«

»Ich sag's doch gerade.«

»Ja, jetzt, wo sie schon da ist!«

»Ich bin ja nicht zu Wort gekommen.«

»Du bist unmöglich!« Sabine eilt zur Tür. Völxen hört, wie sich die beiden freudig begrüßen. Oda und Völxen sind schon seit fünfzehn Jahren Kollegen, und so lange kennen sich auch Sabine und Oda.

»Geraucht wird draußen«, begrüßt Völxen seine Kollegin.

»Kein Problem. Ich glaube, ich habe damit aufgehört.«

»Was heißt, du *glaubst*? Und seit wann?«

»Seit heute Mittag.«

»Was ist denn heute Mittag passiert?«, will Sabine wissen, während sie Oda Kaffee eingießt.

»Ich hab mit einem chinesischen Wunderheiler übers Rauchen gesprochen, eigentlich ganz locker und zwanglos. Und seither schmeckt es mir nicht mehr, ich habe es schon mehrmals versucht.«

»Bestimmt hat er dich heimlich hypnotisiert!«, vermutet Sabine.

»Das wäre allerdings eine Erklärung. Und eine Frechheit«, erregt sich Oda.

»Umso besser«, findet Völxen und kommt auf den Mordfall zu sprechen. »Lammers und Kolbe haben Alibis, allerdings nur von ihren Ehefrauen, wobei ich die Frau von Lammers nicht persönlich gesprochen habe, die war nicht da.«

Oda berichtet von der rasenden Exgeliebten, deren Name mit F beginnt.

»Verdammt«, entschlüpft es Völxen. »Hätte ich bloß nach den Vornamen der Frauen gefragt. Vor allem der von der Exfrau von Gutensohn wäre interessant.«

»Telefonbuch?«, schlägt Oda mit dem Mund voll Kuchen vor.

»Das haben wir gleich«, meint Sabine und geht das Mobilteil des Telefons suchen.

»Dieser Klausner ist völlig durchgeknallt«, erzählt Oda in der Zwischenzeit und schildert ihrem Chef die Lebensumstände des Bankers. »Aber ich bezweifle, dass der Felk umbringen würde. Der wollte ihn quälen, nicht töten. Ich habe aber trotzdem eine Untersuchung seines Wagens veranlasst.«

»Gut so.«

Sabine kommt wenig später zurück und erstattet Bericht: »Also: Frau Lammers heißt mit Vornamen Friederike, das sagt aber kein Mensch zu ihr, sie wird nur Rike genannt. Frau Kolbe heißt Josephine, was im Bayerischen, wo sie herkommt, gerne einmal mit Finni abgekürzt wird. Hier nennt man sie allerdings bei ihrem vollen Namen oder Josy. Und die geschiedene Frau Gutensohn heißt …«, Sabine legt eine Kunstpause ein, »… Fiona.«

Völxen lässt die Faust auf den Tisch knallen, dass die Tassen klirren. »Das kann doch nicht wahr sein! Kann nicht wenigstens eine von denen Martina heißen oder Thusnelda?«

»Und das steht alles in euren Telefonbüchern?«, wundert sich Oda.

»Ja. Wir haben ganz spezielle.« Lächelnd fährt Sabine Völxen fort: »Bodo, du solltest nachher noch rüber zu Köpcke. Die Dame des Hauses hat Andeutungen gemacht, dass ihr Mann etwas wüsste, das hilfreich sein könnte.«

»Och, muss das sein? Konnte sie das nicht dir erzählen?«

»Du musst doch sowieso noch zu ihr, wegen deines Schafbocks«, hält Sabine dagegen. »Am besten, du bewegst dich auf Knien rüber.«

»Was hat er denn schon wieder angestellt?«, will Oda neugierig wissen.

»Nichts, gar nichts«, wiegelt Völxen ab.

»Hättest du ihn doch kastrieren lassen! Das soll ausgleichend auf die Psyche wirken«, grinst Oda und fragt dann: »Warum arbeitet deine Frau eigentlich nicht immer für uns?«

»Das tut sie doch«, seufzt der Kommissar und grantelt seine Frau an: »Ich wusste gar nicht, dass du so eine Klatschbase bist.«

»Ich bin keine Klatschbase, ich kenne nur ein paar«, versetzt Sabine. »Und da ist noch eine Sache: Ich habe heute mit unserem Herrn Pfarrer gesprochen. Der kannte den alten Heiner Felk ganz gut. Er sagt, er habe ihn kurz vor Ostern im Altenheim in Waldhausen besucht, und der alte Herr sei putzmunter gewesen.«

»Ja und?«, fragt Völxen.

»Er hat sich jedenfalls sehr über seinen Tod gewundert.«

»Jetzt macht hier bloß kein Fass auf, du und dein Pfarrer«, wehrt Völxen ab. »Der Mann war neunzig. Da kann so was schnell passieren.«

»Ich sag's ja nur«, sagt Sabine.

Veronikas Freund Jo heißt mit vollem Namen Johannes Winter und wohnt in der Nordstadt. Der Proberaum der Band *Chorprobe* befindet sich jedoch fast in Fernandos Nachbarschaft, nämlich auf dem Faust-Gelände, einer zum Kulturzentrum umfunktionierten ehemaligen Bettfedernfabrik, die Fernando nicht nur als Bewohner Lindens bestens kennt, sondern auch in seiner früheren Funktion als Beamter des Drogendezernats. Er hat Glück, die Band probt heute Abend, und Fernando muss nicht allzu lange zwischen Backsteinmauern und Graffiti herumlungern und warten, bis die Probe zu Ende ist. In der Abenddämmerung verschwinden die Musiker in verschiedene Richtungen. Jo überquert die Grünfläche, die sich hinter dem Faust-Gelände zur Ihme hin ausdehnt. Fernando folgt ihm. Bei schönem Wetter ist dies Grillplatz und Spielwiese für halb Linden, aber da es heute immer wieder geregnet hat, ist nur eine Gruppe Punks mit ihren Hunden zugegen. Offenbar hat Jo die Absicht, den Stadtteil Linden-Nord zu Fuß über die Dornröschenbrücke in Richtung Nordstadt zu verlassen. Auf dieser Brücke, fällt Fernando ein, hat er zum ersten Mal ein Mädchen geküsst: Birgit aus der 7 b, blond, sommersprossig und nach *Hubba-Bubba*-Kaugummi duftend. Außerdem tobt dort jeden Sommer die legendäre Gemüseschlacht zwischen Linden und der Nordstadt. Fernando holt Jo kurz vor der Brücke ein und zückt seinen Dienstausweis: »Kripo Hannover. Die Papiere bitte.«

»Hä? Wieso denn?«

»Die Papiere, aber rasch«, wiederholt Fernando unfreundlich. Jo greift in seine Brieftasche. Johannes Winter, Jahrgang 1987, wohnt am Engelbosteler Damm.

»Was gibt's denn?« Verdammt! Wie aus dem Nichts aufgetaucht, steht Jos Kumpel mit seinem Fahrrad neben ihnen. Beide Kerle sind einen halben Kopf größer als Fernando, mindestens.

»Mach, dass du weiterkommst«, sagt Fernando zu dem anderen. »Ich bin von der Mordkommission und habe ein paar Fragen an deinen Freund.« Auch wenn ihre Abteilung genau genommen nicht »Mordkommission« heißt, weil eine solche stets nur von Fall zu Fall gebildet wird, flößt den Leuten dieses Wort doch immer wieder Respekt ein. Auch jetzt ist Jos Kumpel verunsichert und schaut seinen Kollegen an, als wolle er abschätzen, ob dieser tatsächlich jemanden umgebracht haben könnte.

»Alles okay«, meint Jo lässig. Der Freund steigt wieder aufs Rad und fährt an der Ihme entlang davon. Auch Jo ist ein wenig eingeschüchtert, er folgt Fernando, der so tut, als studierte er im Gehen Jos Papiere, bis vor die Brücke. Doch statt einer Befragung packt Fernando mit einer blitzschnellen Bewegung Jos Pferdeschwanz, und ehe der verdutzte Musiker weiß, was mit ihm geschieht, hat Fernando ihm die Arme auf den Rücken gedreht und ihn hinter ein Gebüsch gezogen, wo er er ihm einen wohldosierten Fausthieb gegen das Kinn verpasst.

»He, Mann, was soll die Scheiße?«

Fernando hält seinen Gegner noch immer fest. »Jetzt hör mir mal zu, du mieser kleiner Kokser«, beginnt er seine Ansprache, in welcher er Jo eindringlich nahelegt, seiner minderjährigen Freundin in Zukunft tunlichst keine Drogen mehr zu verabreichen, weil er, Fernando, ihm sonst den Arsch aufreißen und dafür sorgen werde, dass auf jedem ihrer Konzerte die Drogenfahndung den Laden auseinandernähme, was sich in einer Stadt wie Hannover rasch herumspräche und sicherlich nicht zur Beliebtheit der Band bei den hiesigen Veranstaltern beitrüge. »Haben wir uns verstanden?«, vergewissert sich Fernando.

»Ja, aber ...«

»Ob du es kapiert hast?« Fernando festigt seinen Griff, bis der junge Mann wimmert.

»Okay, okay, ja, ich hab's kapiert, verdammt, lass mich los, ich hab's ja kapiert!«

Fast tut ihm Jo nun leid, wie er sich das Kinn hält. Aber nur fast. Wer Teenagern Drogen verabreicht, hat eine kleine Lektion verdient. Fernando reibt sich die schmerzenden Knöchel seiner rechten Hand und geht davon. Er fühlt sich gut: Retter der Witwen und Waisen. Eigentlich, überlegt er, könnte man heute Abend mal ins Chez Heinz schauen, vielleicht lässt sich da was abgreifen.

Als Jule die Tür aufschließt, hört sie das Radio in der Küche dudeln. Ihr Herz macht einen kleinen Sprung. Erst jetzt wird ihr klar, wie sehr sie sich davor gefürchtet hat, in eine stille, leere Wohnung zu kommen. Sie stellt ihre Einkäufe ab und umarmt ihren Geliebten. Er riecht nach Rasierschaum. Seine Hand streicht über ihren Rücken, was bei Jule ein Kribbeln von der Kopfhaut bis zu den Zehen auslöst. Die Anspannung, die sie den ganzen Tag über begleitet hat, fällt von ihr ab wie ein schwerer, nasser Mantel. »Schön, dass du da bist«, flüstert sie. Sie geht kurz ins Bad – Zähne putzen, Make-up auffrischen – und beginnt dann damit, den Tisch zu decken. Die Wedgwoodteller ihrer Großmutter oder lieber *Ikea*? Auf jeden Fall die großen, bauchigen Weingläser. Nervös flattert sie durch die Wohnung, während sie ihm erzählt, was der Tag an Ermittlungsarbeit gebracht hat. Macht man das nicht so als Paar, dass man sich am Abend erzählt, was tagsüber los war? Doch je mehr sie redet, desto auffälliger wird sein Schweigen. Warum ist er so still? Nicht einmal die Geschichte mit Völxens Schafbock entlockt ihm einen Kommentar. Hat er ein Schweigegelübde abgelegt?

»Kannst du mal den Wein aufmachen?« Sie reicht ihm den Korkenzieher.

Er steht auf, hält sie fest, vergräbt seine Nase in ihrem Haar. »Ach Jule«, seufzt er.

Es klingt unglücklich. Bestimmt geht ihm viel im Kopf herum, bestimmt macht er sich Sorgen und Vorwürfe wegen seines Sohnes.

»Ich habe mit meinem Anwalt gesprochen«, sagt er, während er die Flasche öffnet. Sie sieht ihm dabei zu, bewundert seine eleganten Hände.

»Und? Was hat er gesagt?«, fragt Jule, froh, dass er endlich die Sprache wiedergefunden hat.

»Er hat ausgerechnet, was ich ihr an Unterhalt zahlen müsste. Mir würden noch nicht mal 1000 Euro zum Leben bleiben. Und wir müssten das Haus verkaufen, und zwar mit Verlust, so tief, wie die Immobilienpreise momentan sind.«

Jule hört auf, Pflaumen im Speckmantel auf einem Teller kreisförmig auszurichten, und sieht ihn an.

Sein Blick weicht dem ihren aus. Im Grunde ist nun jedes Wort überflüssig, doch er erklärt: »Es war dumm, was ich getan habe. Ich kann mir eine Scheidung einfach nicht leisten, Jule. Ich muss versuchen, mich irgendwie wieder mit meiner Frau zu versöhnen. Ich kann nicht bei dir bleiben, und was willst du auch mit einem armen Mann?«

Jule spürt auf einmal den Boden unter sich nicht mehr, aber gleichzeitig macht sich etwas Dunkles, Schweres in ihrem Inneren breit, etwas, von dem sie weiß, dass es eine ganze Weile dort bleiben wird. Er verlässt sie also wegen des Geldes. So einfach, so brutal. Warum hat er nicht einfach gesagt, er könne das seinem Sohn nicht antun? Das wäre weniger verletzend. Regungslos steht Jule da und sucht nach Erklärungen. Ist das, was Leonard gerade tut, tatsächlich so kalt, wie es sich anfühlt? Oder nur normal, verständlich, vernünftig? Ist sie eine hoffnungslose Romantikerin gewesen, die monatelang einem unerfüllbaren Traum hinterherjagte? Jule weiß, dass es ihr materiell deutlich besser geht als den meisten Menschen um sie herum. Sie hat sich niemals ernsthaft um Geld sorgen müssen. Sie konnte es sich sogar leisten, ihr Medizinstudium nach vier Semestern hinzuschmeißen, um sich ihren Kindheitstraum zu erfüllen und Polizistin zu werden. Das eher karge Anfangsgehalt einer angehenden Kommissarin macht ihr nicht wirklich zu schaffen, denn ihre Großmutter hat ihr einen Batzen Geld und gut verzinste Wertpapiere hinterlassen. Noch dazu ist sie die einzige Tochter eines renommierten, wohlhabenden Professors, der im Moment allerdings auch ganz schön bluten muss, um seine Exgattin zu unterhalten. Doch immerhin hat ihr Vater auf sein Herz gehört oder auf tiefere Regionen, egal, jedenfalls nicht auf seinen Anwalt oder den Steuerberater. Aber Professor Wedekin spielt finanziell gesehen in einer anderen Liga als Leonard, das kann man nicht vergleichen, sieht Jule ein. Ihr Vater fährt noch immer einen *Maserati* und teilt sich mit seiner neuen Lebensgefährtin eine schicke Wohnung im Zooviertel. Habe ich, das höhere Töchterchen, wie Fernando zu lästern pflegt, habe ich das Recht, Leonard zu verurteilen, weil er aus materiellen Gründen bei seiner Familie bleibt? Oder sind es gar nicht nur materielle Gründe? Liebt er seine Frau mehr, als er zugibt? Jedenfalls liebt er mich nicht genug, erkennt Jule. Sie dreht sich um und rennt hinüber ins Schlafzimmer.

Seine Tasche steht fertig gepackt auf dem Bett. Der Anblick macht sie plötzlich sehr wütend. Wie lange sitzt er hier schon herum, fertig zum Aufbruch, während sie sich um sein Abendessen bemühte? Sogar rasiert hat er sich – aber nicht für sie! Ob er seine kleine Ansprache eben in der Küche wohl geprobt hat, oder war sie spontan improvisiert?

Das bisschen Anstand, es ihr persönlich zu sagen, hätte er sich auch noch sparen können. Ebenso gut hätte er einen Zettel hinlegen oder eine SMS schicken können: *Kann mir eine Scheidung nicht leisten, war nett mit dir, sorry, tschüs.* Ihre Wut verlangt nach einem Ventil, sie feuert die Tasche hinaus in den Flur. Sie will eben die Tür zumachen, als er vor ihr auftaucht.

»Jule, es tut mir leid. Ich hätte nicht herkommen sollen.«

»Stimmt. Du hättest schon vor einem halben Jahr durchrechnen sollen, ob du dir eine Affäre leisten kannst«, antwortet Jule. Ihre Stimme klingt wie verknotet, aber sie ist stolz auf sich, dass sie noch nicht heult. Fast wünscht sie sich, er würde ihr einen Anlass geben, um mit Fäusten auf ihn loszugehen. Sie ist erschrocken über den abgrundtiefen Hass, den sie in diesem Moment empfindet. Wie konnte sie diese jämmerliche Gestalt jemals lieben?

»Jule ...«

»Verschwinde!«

Er holt Atem, als ob er noch etwas sagen wollte, aber es kommt nichts. Er dreht sich nur um und geht. Sie hört seine Schritte auf dem Parkett und das Zuschnappen der Tür. Sein Geruch hängt noch eine Weile im Raum wie ein dünner Vorhang, und dann ist auch das Vergangenheit. Jetzt ist es also vorbei. Kein Warten mehr auf einen Anruf oder eine SMS, nie mehr einem heimlichen Date entgegenfiebern, keine gestohlenen Nächte mehr.

Sie öffnet das Fenster, ringt nach Luft. Unter ihr liegt der Hinterhof, still und dunkel, ein Vorgeschmack auf das Grab, kommt es ihr in den Sinn. Sie geht zurück ins Wohnzimmer, aber auch dort breiten sich die Schatten in den Ecken aus wie schwarze Löcher. Nein, sie kann hier nicht bleiben. Nicht jetzt, nicht heute. Sie schnappt sich Handtasche und Wagenschlüssel und verlässt fluchtartig ihre Wohnung.

»Na so was, der Herr Kommissar!«

»Das ist ja mal eine Überraschung!«

»He, Völxen. Suchst du deinen Schafbock?«

Gelächter. Völxen nötigt sich ein Lächeln ab. »'n Abend, die Herren.«

»Schön, dass Sie bei uns sind. Wir brauchen dringend junges Blut«, begrüßt ihn die Chorleiterin Hedwig Wilms. Sie schüttelt ihm die Hand und will sie vor Begeisterung gar nicht wieder loslassen.

»Ich wollte nur mal so vorbeischauen und zuhören.«

»Nichts da! Hier wird nicht zugehört, hier wird gesungen. Nur keine Hemmungen. Sie werden sehen, das wird Ihnen Freude machen. Singen ist gut für Körper und Seele, ein guter Ausgleich für Ihren Beruf.«

Völxen nickt schicksalsergeben. Nachbar Köpcke, dessen Gattin er mit seinem Blumenstrauß einigermaßen über ihren verwüsteten Garten hinwegtrösten konnte, hat darauf bestanden, dass Völxen ihn »ganz unverbindlich« zur Chorprobe ins Dorfgemeinschaftshaus begleiten soll. »Dort erfährt man immer am schnellsten, was im Dorf los ist, das ist doch jetzt wichtig für dich!«, hat Jens Köpcke als Argument angeführt. Wahrscheinlich hat das elende Schlitzohr mit dem einen oder anderen alten Zausel hier eine Wette laufen, vermutet Völxen, der zudem den Verdacht hat, dass Sabine bei der Sache ihre Finger im Spiel hat, da sie ja des Öfteren seine aktivere Beteiligung am Dorfleben anmahnt. Zumindest hat sie sich unverhohlen amüsiert. Man kann einfach niemandem auf der Welt trauen, nicht mal der eigenen Familie, erkennt der Kommissar resigniert.

»So, bitte stellt euch auf, wir müssen für das Maisingen üben, es ist nicht mehr lange hin«, verkündet die Chorleiterin und ergreift ihren Taktstock, während sich das Dutzend älterer Herren in zwei Reihen aufstellt.

Völxen plant, sie auszutricksen. Er wird sich nach hinten

stellen und nur so tun, als ob er sänge. Er hat seit der Schulzeit nicht mehr gesungen, und schon damals konnte er dem Chorgesang nichts abgewinnen.

»Unser Neuzugang kommt bitte nach vorne«, ordnet Frau Wilms an. Mit ihrem Dutt, um den sie ein buntes Tuch gewickelt hat, strahlt die Mittfünfzigerin eine charmante Autorität aus, der sich die Herren ohne Murren unterordnen. Völxen stellt sich zähneknirschend in die erste Reihe. Neben ihm feixt Köpcke, und Völxen verspürt den Drang, ihm den Hals umzudrehen. Frau Wilms hebt den Taktstock, man einigt sich auf einen Anfangston, der Stock saust hernieder, und schon bricht der Gesang los:

> *Grüß Gott, du schöner Maien, da bist du wiedrum hier.*
> *Tust Jung und Alt erfreuen mit deiner Blumen Zier.*
> *Die lieben Vöglein alle, sie singen also hell;*
> *Frau Nachtigall mit Schalle hat die fürnehmste Stell'.*

Ein Dutzend Altmännerstimmen scheppern, zittern und kratzen die Strophe herunter, einige scheitern an den höheren Tönen, und müsste das Ganze nicht viel schneller gesungen werden? Völxen, der bis jetzt geglaubt hat, durch die Ehe mit einer Klarinettistin abgehärtet zu sein, was schräge Töne angeht, muss lernen, dass es für alles eine Steigerung gibt. Und was ist das überhaupt für ein schreckliches Deutsch? *Tust Jung und Alt erfreuen ...*

»Herr Völxen, Sie singen ja gar nicht mit.«

»Aber sicher.«

»Aber nein. Sie bewegen ja nur den Mund. Ich merk das!« Frau Wilms droht ihm scherzhaft mit dem Taktstock.

»Ich kann den Text nicht.«

»Das ist doch kein Problem.« Hedwig Wilms greift in ihre Aktentasche, die auf einem an die Wand gerückten Tisch steht. Unter dem Tisch warten zwei Kästen Bier auf die durstigen Kehlen der Sänger. Wenn's nur schon so weit wäre, wünscht sich Völxen und bekommt ein Heft in die Hand gedrückt, auf dem in geschwungener Schrift *Mailieder* steht.

»Und die zweite Strophe bitte.«

Dieses Mal gibt es kein Entrinnen, denn Frau Wilms postiert sich direkt vor den Kommissar. Auf Gedeih und Verderb quetscht Völxen ein paar Töne hervor. Je schlechter, desto besser, denkt er. Dann kommen sie wenigstens nicht auf die Idee, mich behalten zu wollen.

> *Die kalten Winde verstummen, der Himmel ist gar blau,*
> *die lieben Bienlein summen daher von grüner Au.*
> *Oh holde Lust im Maien, da alles neu erblüht,*
> *du kannst mich sehr erfreuen, mein Herz und mein Gemüt.*

»Das war doch schon ganz ordentlich«, lobt Frau Wilms. »Nur Mut. Das wird schon.« Sie strahlt Völxen an und lässt dabei viel Zahnfleisch sehen. Sie scheint mehr Zähne zu besitzen als ein *Leibniz*-Keks.

»Ich wusste gleich, dass er Talent hat«, brüstet sich Köpcke, woraufhin Völxen ihm den Ellbogen in die Seite rammt.

»Und jetzt beide Strophen noch einmal, aber mit ein bisschen mehr Tempo, meine Herren, wenn ich bitten darf!«

Mit dieser Aufforderung spricht die Chorleiterin Völxen aus der Seele. Erneut hebt sie ihren Taktstock, und das Ganze geht von vorne los. Allmählich verliert der Kommissar seine Hemmungen, schließlich ist er ja nicht der Einzige, der sich hier zum Affen macht. Sie hangeln sich noch durch *Der Winter ist vergangen* und *Komm lieber Mai und mache*, dann, endlich, legt Frau Wilms, die Völxen in diesem Moment stark an seine Kindergärtnerin erinnert, den Taktstock weg, klatscht begeistert in die Hände und ruft: »Und zum Schluss wie immer unser Piratenlied!«

Völxen weiß noch gar nicht, wie ihm geschieht, da grölen die Sängerknaben schon aus Leibeskräften:

> *Dreizehn Mann auf des toten Manns Kiste,*
> *Ho ho ho und 'ne Buddel mit Rum!*
> *Dreizehn Mann schrieb der Teufel auf die Liste,*
> *Schnaps und Teufel brachten alle um! Ja!*
> *Schnaps und Teufel brachten alle um!*

Die Reihenformation hat sich aufgelöst, die letzten Gröler vermischen sich mit dem Klang sich öffnender Kronkorken. Auch Völxen greift in die Kiste.

»Ihre Stimme ist ein wenig aus der Übung, aber das war schon ganz ausgezeichnet. Ich hoffe, ich sehe Sie nächste Woche wieder«, meint Frau Wilms, und ihr Blick ist so flehend, dass Völxen es nicht übers Herz bringt, ihr die Wahrheit zu sagen, nämlich dass er hier sozusagen verdeckt ermittelt und auf gar keinen Fall diesem Chor beitreten wird. Also murmelt er nur verlegen »danke«.

»Ich würde Ihnen gerne ein paar Einzelstunden geben, Sie hätten das Talent zum Solisten.«

Das fehlte noch! »Mal sehen«, murmelt der Kommissar und setzt die Bierflasche an.

»So, Völxen, jetzt erzähl mal, wie war das mit deinem Schafbock?«, will Uwe Fasold, ein ehemaliger Berufsschullehrer, händereibend wissen – obwohl Völxen darauf wetten würde, dass jeder im Ort die Geschichte längst in allen Facetten kennt.

»Ja, erzähl«, fordert auch Jakob Rollik, dessen falscher Bass Völxen vorhin ständig im linken Ohr gebrummt hat wie ein Tinnitus. Schließlich ist es Köpcke, der als Augenzeuge die Geschichte noch einmal repetiert, von Völxen lediglich an den Stellen korrigiert, wo der Hühnerbaron maßlos übertreibt. Die ganze Angelegenheit ist Völxen im Nachhinein über die Maßen peinlich. Zum Glück lief wenigstens die Rettung des Bocks unspektakulär ab. Für den Hund Cäsar war die Verfolgung der Spur des Schafbocks über mehr als fünf Kilometer hinweg eine leichte Übung, und schließlich fand man das Tier in einem Waldstück zwischen Bennigsen und Völksen. Sein prächtiges Gehörn war ihm zum Verhängnis geworden, denn damit hatte er sich im Draht eines Wildzauns verfangen. Seine verzweifelten Versuche, sich daraus zu befreien, hatten lediglich bewirkt, dass er sich noch mehr im Drahtgewirr verhedderte, sodass er sozusagen lammfromm war, als man ihn aus seiner prekären Lage befreite und in den Hänger schob. »Jetzt steht er wieder brav auf der Weide, als ob nichts gewesen wäre«, schließt Köpcke seinen Bericht, und Völxen seufzt. Er hofft, dass sich die Kollegen von der Streife gnädig zeigen und nichts für ihren Einsatz verlangen werden. Der Ausflug kommt auch so schon teuer genug: Köpckes Pflanzen, der beschädigte Wildzaun, der Tierarzt ... »Leicht erhöhter Puls, aber sonst unverletzt«, hat der Veterinär, den er anschließend kommen ließ, augenzwinkernd diagnostiziert. Der Hundeführer wollte kein Geld nehmen, aber ein kleines Dankeschön ist er dem Mann und seinem Tier allemal schuldig.

Von irgendwoher ist inzwischen auch eine Flasche Korn aufgetaucht, und an dieser Stelle unterscheiden sich die Amateure von den Profis, denn Letztere ziehen nun ihr eigenes Schnapsglas aus der Westentasche. Im Anschluss an diese Runde wird der Kommissar gefragt, wie weit denn die Ermittlungen im Mordfall Roland Felk gediehen seien, aber Völxen beruft sich auf seine Pflicht, aus ermittlungstaktischen Gründen darüber zu schweigen. Daraufhin spekuliert man wild drauflos, wer ihn auf dem Gewissen haben könnte.

»Bestimmt einer von seinen durchgeknallten Patienten.«

»Oder es steckt eine Weibergeschichte dahinter.«

Im Lauf des Abends kommt der Kommissar nicht umhin, Jens Köpckes Bauernschläue zu bewundern. Der Nachbar weiß nicht nur, was er Völxen schuldig ist, sondern auch, dass es auffällig und unangebracht wäre, brächte der Kommissar selbst gewisse Namen ins Spiel. Also übernimmt Köpcke das, nachdem Frau Wilms gegangen ist und der zweite Kasten Bier in Angriff genommen wird. »Ich will ja nichts sagen – aber erinnert ihr euch noch an die Geschichte mit dem Rehbock, den der Felk dem Gutensohn weggeschossen hat?«

»Aber wegen so 'nem Bock bringt man doch keinen um, noch dazu ein halbes Jahr später«, behauptet Fritz Hagedorn, ein pensionierter Postler, nachdem diese Story noch einmal in allen Varianten durchgekaut worden ist.

»Da gäbe es aber noch andere Gründe«, meint Jakob Rollik, Schreinermeister im Ruhestand, mit listigem Lächeln.

»Ach, welche denn?«, lockt ihn Köpcke aus der Reserve.

»Man munkelt, dass der Felk was mit dem Gutensohn seiner Alten hatte. Deswegen soll sie ja abgehauen sein vor drei Jahren.«

»Das war doch nur so ein Gerücht. Die hätte man doch mal zusammen gesehen«, zweifelt Fasold.

»Denkst du, die laufen die Dorfstraße rauf und runter?«, trumpft Hagedorn auf. »Meine Frau hat erzählt, dass die Gutensohn völlig begeistert von Felk war. Er hätte ihr *ganz neue Lebensperspektiven* eröffnet. Das kann man jetzt sehen, wie man will. ›Die tut gerade so, als wäre er der neue Messias‹, hat meine bessere Hälfte damals gesagt, daran erinnere ich mich genau.«

»Weiber! Die spinnen doch alle!«

»Das sind die Wechseljahre«, lässt sich Altbauer Koch, ein sehr betagtes Chormitglied mit einer Stimme wie ein Topfkratzer, vernehmen.

»*Midlife-Crisis* nennt man das heutzutage«, korrigiert ihn Rollik. »Da sind die leichte Beute für so 'nen Quacksalber.«

»Die war aber immer schon ein bisschen eigenartig. Hat kein Fleisch gegessen – und das als Frau von 'nem Jäger!«

»Das kommt davon, wenn man nachts lieber auf Sauen ansitzt anstatt auf der Sau sitzt!«

Grölendes Gelächter, dem eine weitere Runde Schnaps und eine Reihe ähnlicher Altmännerwitze folgen. Niemand wird je anerkennen, was ich hier für Opfer bringe, denkt Völxen in einem Anflug von Selbstmitleid.

»Wisst ihr noch, wie sich die Gutensohn mal beim Obstweinfest so betrunken hat, dass man sie nach Hause tragen musste?« Altbauer Koch zeigt grinsend die paar Zähne, die er noch hat.

»Nein, das war doch die Alte vom Lammers, da verwechselst du was«, antwortet Köpcke.

Und ein anderer verrät: »Stimmt, die Lammers säuft sich gern mal einen. Und beim letzten Maisingen hat die sich vielleicht an den Felk rangeschmissen, da war der alles egal.«

»Der hat sämtliche Weiber verrückt gemacht mit seinem Hokuspokus! Wenn ich du wäre, Kommissar, dann würde ich den Täter unter den gehörnten Ehemännern suchen«, rät Jakob Rollik.

»Ein Glück, dass das der alte Heiner Felk nicht mehr erleben musste«, seufzt Uwe Falsold. »Das war ein feiner Kerl.«

»Stimmt«, sagt Köpcke. »Schade um den. Aber mit neunzig – da kann man der Hebamme keine Schuld mehr geben.«

»Jetzt gehört ihr ja der Laden endlich ganz. Jetzt kann sie schalten und walten, wie sie will«, stellt Fritz Hagedorn fest.

»Wem gehört welcher Laden?«, fragt Völxen.

»Martha Felk das Gut. Heiner Felks Schwiegertochter. Die hat Haare auf den Zähnen, das sag ich dir!«, erklärt Fasold.

»Aber der Ernst ist doch auch noch da«, wirft ein rundlicher Herr mit mächtigem Schnäuzer ein.

»Ach, der. Der steht doch total unterm Pantoffel.«

»Wo andere Leute ein Herz haben, sitzt bei Martha eine Geldkassette«, lästert Rollik.

»Sie soll stinksauer gewesen sein, als der Alte neulich diese Amerikanerin angeschleppt hat. Hat mir der Reporter von der *Calenberger Zeitung* erzählt«, berichtet der Berufsschullehrer.

»Was denn für eine Amerikanerin?«, will Völxen wissen.

»Keine Ahnung. Es hatte wohl was mit den Vorbesitzern zu tun, das waren Juden«, erklärt Fasold.

»Das war die Enkelin, die hat sich das Gut angesehen«, erklärt Koch.

»Den Ludwig Felk, Heiners Vater, habe ich sogar noch gekannt, der ist '51 beim Holzrücken tödlich verunglückt«, lässt sich Schreinermeister Rollik vernehmen. »Ich frag mich, was aus seiner Frau wurde.«

»Die starb '69«, weiß Altbauer Koch. »Ein Jahr, bevor Ernst und Martha geheiratet haben. Das war damals eine Riesenhochzeit, aber sie musste wegen des Todesfalls um ein paar Monate in den Herbst verschoben werden. Früher hat man das ja noch strenger genommen mit dem Trauerjahr.«

»Darauf wird Roswitha schon geachtet haben«, ergänzt Uwe Fasold, kippt noch einen Klaren und spült mit Bier nach.

»Wer ist denn Roswitha?«, hakt Völxen nach.

»Heiner Felks Frau, die Mutter von Ernst und Roland«, erklärt Köpcke.

»Das war auch so ein Besen. Eine staubtrockene Protestantin«, weiß Expostler Hagedorn.

»Nur die Frau vom Doktor war in Ordnung«, räumt der Schnäuzer ein. »Und die Tochter Anna macht eigentlich auch einen recht vernünftigen Eindruck.«

»Das Mädel kann einem wirklich leidtun. Stellt euch mal vor, sie wäre selbst bei dem Osterfeuer gewesen!« Altbauer Koch, dessen Enkel Kalle der unglückliche Treckerfahrer ist, der die Leiche aus dem Feuer aufgegabelt hat, greift schaudernd zur Schnapsflasche.

»Unser Kommissar wird das schon aufklären«, poltert Jakob Rollik und haut Völxen auf die Schulter.

»Genau. Noch 'n Kurzen, dann geh ich nach Hause«, verkündet Köpcke.

»Ich komm mit«, stimmt ihm Völxen rasch zu.

Kurze Zeit später machen sich die beiden Nachbarn leicht schwankend auf den Heimweg.

»Tut das gut, die frische Luft«, stöhnt Völxen, der nach etlichen Bieren mit Korn nicht mehr ganz nüchtern ist. Am Zaun von Völxens Schafweide trennen sich ihre Wege, aber ohne es verabredet zu haben, bleiben die beiden davor stehen. Es ist eine schöne Nacht. Der Mond kriecht hinter einer Wolke hervor und taucht die Weide in ein silbriges Licht. Die fünf Schafe heben sich hell vor der Schwärze des Schuppens ab.

»Jetzt ist er wieder friedlich«, grinst Köpcke. »Das Mistvieh, das elende.«

Völxen brummt zustimmend, und für ein paar Momente hört man nur das orgiastische Froschgequake von Köpckes Teich.

»Sag, Jens, was ist eigentlich so schlimm daran, wenn einer seinen Beruf satt hat und etwas anderes macht? Das kann doch jedem von uns passieren, wieso regen sich bei Felk alle darüber auf?«

»Das ist halt der Unterschied zwischen einem Arzt und einem Fliesenleger«, antwortet Köpcke.

»Wenn der Felk Fliesenleger geworden wäre«, spinnt Völxen den Faden weiter, »hätte es dann auch so viel Gerede gegeben?«

»Keine Ahnung.« Köpcke unterdrückt nachlässig einen Rülpser.

Völxen redet sich in Rage: »Dauernd hört man: Scharlatan, Quacksalber, Hokuspokus. Dabei war von denen noch keiner dort, oder?«

»Ich jedenfalls nicht«, stellt Köpcke klar.

»Es muss ja auch keiner hingehen«, resümiert der Kommissar. »Ich geh ja auch in kein Sonnenstudio und in kein Nagelstudio, aber von mir aus könntest du hier trotzdem eines aufmachen, Jens, das wäre mir egal, wirklich.« Köpcke prustet vor Lachen, während Völxen weiterphantasiert: »Und wenn ich mal die Schnauze voll habe von diesem ganzen Scheiß Verwaltungskram – und das wird bald sein, das verrate ich dir –, dann möchte ich ein ... eine Schafzucht aufmachen können, ohne dass ich ins Gerede komme.«

»Du bist doch schon längst im Gerede wegen deiner Schafe. Besonders seit heute!«

Dazu schweigt Völxen, und Köpcke denkt geraume Weile über Völxens Worte nach, so lang, dass Völxen schon glaubt, sein Nachbar sei über dem Zaun hängend eingeschlafen. Doch dann richtet sich Köpcke auf und präsentiert das Ergebnis seiner Kopfarbeit: »Es gibt einen gravierenden Unterschied, Völxen, einen gravierenden.«

Beim Wort »gravierenden« kommt es zu Problemen mit der Aussprache, aber Völxen überhört das nonchalant.

»Wenn ein Fliesenleger Wunderheiler werden will, dann muss er bei null anfangen. Stimmt doch, oder?«, fragt Köpcke und sieht seinen Nachbarn aus alkoholfeuchten Augen an.

»Ja.«

»Der Felk aber, der hat zwar seine Stelle am Krankenhaus aufgegeben, aber seinen Doktortitel und diesen ganzen Ärzte-Nimbus-Bimbus hat er behalten. Weißt du, was ich meine?«

»Ja.« Völxen nickt.

Köpcke fährt fort: »Einmal Arzt, immer Arzt. Einem Arzt vertrauen die Leute blind, auch wenn er Ricki-Micki und Famü... Famüjenaufhellungen macht. Sogar, wenn er Fliesen legt. Und das, Völxen«, Köpcke hebt den Zeigefinger, »das ist die Gefahr dabei.«

Völxen lässt die Worte auf sich wirken, dann kommt er zu dem Schluss: »Weißt du was, Jens? Für einen Hühnerzüchter bist du ein verdammt heller Kopf!«

»Und weißt du was, Völxen? Für einen Kommissar bist du ganz schön besoffen!«

»Schmeckt lecker, die Quiche!« Veronika schaufelt sich die zweite Portion auf den Teller. Oda hat ihre verschütteten Kochkünste reaktiviert, um für eine entspannte Stimmung zu sorgen.

»Wie läuft es denn so mit Jo?«, tastet sich Oda beim Nachtisch voran.

»Wie läuft es denn so mit Daniel?«, fragt Veronika schnippisch zurück, und schon hat das zarte Gebilde, dem Oda im Geist den Titel *vertrauliches Mutter-Tochter-Gespräch* gegeben hat, einen kleinen Haarriss bekommen.

»Es läuft gut«, antwortet Oda.

»Aber ihr seht euch doch so selten.«

»Eben deswegen«, antwortet Oda und überlegt krampfhaft, wie sie das Gespräch wieder in andere Bahnen lenken kann. Auf keinen Fall darf sie die Frage nach Jo wiederholen, das ist klar. Wichtig ist, das Kind erst einmal zum Reden zu bringen, am besten mit einem harmlosen Thema.

»Wie ist denn die Matheklausur gelaufen?«

»Ganz gut.«

»Dr. Bächle lässt fragen, ob du immer noch Rechtsmedizinerin werden möchtest.«

»Wieso?«

»Es interessiert ihn eben. Vielleicht hast du ihn beeindruckt.«

»Ich weiß nicht. Medizin wäre schon cool, oder?«

»Ich wäre sehr stolz auf dich. Aber das bin auch jetzt schon.«

»Echt? Wieso?«

Wieso, wieso, wieso ... schlimmer als eine Dreijährige! Oda zügelt ihre Ungeduld und schmeichelt ihrer Tochter: »Ich finde auch, dass du dich recht gut entwickelt hast. Du bist eine angenehme Person, du bist in letzter Zeit fleißig in der Schule ...«

»Und wenn ich ein Versager wäre? Würdest du mich dann nicht mögen?«, fällt ihr Veronika ins Wort.

»Wir sprachen von Stolz«, korrigiert Oda. »Mögen würde ich dich immer, ganz egal, was du anstellst. Das weißt du doch hoffentlich.« Das ist doch jetzt eine Brücke, wie sie goldener nicht sein kann, findet Oda und wartet gespannt, ob ihre Tochter sie beschreiten wird.

»Und wenn ich einen umgebracht hätte?«

»Hast du?«

»Nein. Aber wenn ich es getan hätte?«

»Dann würde ich mir die näheren Umstände betrachten.«

»Wenn ich einen megabrutalen, völlig sinnlosen Mord begehen würde. Zum Beispiel nur so aus Spaß einen Penner abfackeln. Würdest du mich dann auch noch mögen?«

»Das ist jetzt aber sehr hypothetisch«, wehrt Oda ab. Verdammt, wie kriege ich das Schiff wieder auf Kurs? »Ich wäre natürlich schockiert. Aber mögen würde ich dich trotzdem noch.«

»Krass«, findet Veronika. »Ist das so ein Mutter-Kind-Ding?«

»Vermutlich.«

Veronika leckt den letzten Rest Vanillesoße vom Löffel und sagt: »Mama, kann ich dir was erzählen?«

Odas Puls beschleunigt. »Ja, natürlich.«

»Aber du musst versprechen, dass du nicht ausrastest.«

»Ich verspreche es.«

Es klingelt an der Tür. Verflucht, wer ist das denn jetzt? Veronika steht auf.

»Du wolltest mir doch was erzählen!«, ruft Oda verzweifelt.

»Es hat geklingelt. Bist du taub?«, entgegnet Veronika.

»Egal. Ich meine: Ich esse noch, ich möchte jetzt nicht gestört werden.« Oda nimmt demonstrativ noch einen Löffel rote Grütze, aber gleichzeitig weiß sie, dass der kostbare Augenblick dahin ist.

»Wir sind doch schon fertig.« Neugierig strebt Veronika zur Tür.

Gleich darauf hört Oda eine wohlbekannte Stimme, und dann steht Jule Wedekin im Zimmer. Ihre Augen schwimmen in Tränen, als sie erst Oda und dann die Flasche auf dem Tisch anschaut und fragt: »Ist noch Wein da? Ich will mich betrinken.«

Oda deutet auf den freien Stuhl. Sie muss nicht fragen, was los ist, und murmelt voller Zorn: »Dieses Arschloch! Ich bring ihn um.«

Mittwoch

Nach zwei Flaschen *Côteaux de Montélimar,* die sie mit Oda zusammen geleert hat, konnte Jule tatsächlich einschlafen, doch mit dem Läuten des Weckers stürzen Kater und Liebeskummer auf sie ein wie Granatenhagel. Ihr Frühstück besteht aus zwei *Aspirin* und der Zeitung, aber die Buchstaben könnten auch chinesische Schriftzeichen sein. Ich habe schon attraktiver ausgesehen, stellt Jule fest, als sie nach einer Dusche den Spiegel im Bad trocken wischt. Gegen ihre sonstige Gewohnheit trägt sie Make-up auf, tuscht die Wimpern, schminkt sich die Lippen, pinselt Rouge auf die fahlen Wangen. Schon besser. Es muss mir ja nicht jeder gleich ansehen, wie es mir geht. Vor allen Dingen *er* nicht, falls ich ihn treffen sollte. Aber das werde ich vermeiden. Die nächsten Wochen ist die Kantine tabu.

Jule beschließt, zu Fuß zur Dienststelle zu gehen, in der Hoffnung, ein Spaziergang wird ihr guttun. Es ist ein Tag, wie man ihn sich lange gewünscht hat; die Luft britzelt vor Frische, die Menschen wirken gut gelaunt, die prächtigen Jugendstilfassaden der List erstrahlen wie von der Sonne poliert, und überall ist Vogelgezwitscher zu hören. Doch Jule ist, als wäre dies alles nur eine kitschige Kulisse für die anderen – die Glücklichen, die Verliebten, die Zufriedenen, die Mütter mit den niedlichen kleinen Kindern, die Frau, die ihre Frisur in einem spiegelnden Schaufenster ordnet, die herumalbernden Schüler, den alten Mann mit seinem alten Dackel, die beide aussehen, als würden sie lächeln. Sogar die

Philosophen vor dem Kiosk, die ihren Morgenschluck nehmen, scheinen heute ein milderes Schicksal zu haben als sie. *Ich bin verlassen worden.* Sie hat immer gedacht, dass sie eines Tages die Kraft haben würde, Leonard zu verlassen. Dass es umgekehrt gekommen ist, ist nicht gerade das, woraus man Selbstbewusstsein und Lebensfreude schöpft. *Ich-bin-ver-las-sen-wor-den.* Der Satz bestimmt das wütende Stakkato ihrer Schritte. Sie ist nicht einmal ganz sicher, ob sie ihn nicht sogar halblaut vor sich hin murmelt wie eine Irre, während sie mit gesenktem Kopf durch den Frühlingsmorgen taumelt. Dabei ist ihr bewusst, dass sie sich gerade hemmungslos ihrem Selbstmitleid hingibt, aber warum auch nicht? Stolz, Selbstachtung, Selbstbeherrschung, wohin hat mich das, bitte schön, gebracht? Ich will nicht länger die kluge, beherrschte, vernünftige Jule sein, das kostet einfach zu viel Kraft. Ich möchte mich gehen lassen, möchte heulen und wütend sein. Der Frühlingswind trocknet die Tränen, die ihre Wangen hinunterrinnen, doch so rasch versiegt die Quelle nicht. *Dieser Mistkerl, dieser Feigling, dieses Arschloch! Und trotzdem vermisse ich ihn, trotzdem tut es so verdammt weh. Wenn er doch nur zurückkäme, ich würde ihm verzeihen. Natürlich nicht sofort, das nicht, aber doch irgendwann ...*

Es ist fünf nach acht, als sie in der PD ankommt. Völxen mag es nicht, wenn man zu spät zur Morgenbesprechung kommt, aber sogar das ist ihr heute egal. Andere in meiner Verfassung würden sich krankschreiben lassen.

Tatsächlich sind schon alle in Völxens Büro versammelt, als Jule kleinlaut die Tür öffnet, eine Entschuldigung auf den Lippen.

Verdammt! Nicht nur Staatsanwältin Holzwarth ist da, sondern sogar der Vize. Sie erschrickt, als plötzlich alle aufstehen und applaudieren. Lieber Himmel, was für ein Aufstand. So spät ist sie nun auch wieder nicht dran, dass sie gleich so ironisch reagieren müssen.

Der Vizepräsident kommt mit einem dicken bunten Blumenstrauß auf sie zu. »Frau Wedekin, meinen herzlichen Glückwunsch. Ab heute sind Sie nicht mehr z. A. – zur Anstellung –, sondern eine richtige Kommissarin, eine Beamtin des Landes Niedersachsen. Wir freuen uns sehr, eine so engagierte, ehrgeizige junge Mitarbeitern wie Sie im Dezernat 1.1.K zu wissen.«

Der Vize drückt ihr die Hand, ebenso ihr Chef Bodo Völxen, der heute sogar eine Krawatte trägt: »Schön, Sie bei uns zu haben«, sagt er mit einem warmherzigen Lächeln, und Jule muss aufpassen, dass sie nicht gleich wieder losheult. Auch die Staatsanwältin und Richard Nowotny gratulieren ihr. Frau Cebulla drückt sie an ihren üppigen Busen und murmelt etwas wie »unser kluges Mädchen«, dann umarmt Oda ihre Kollegin und zum Schluss Fernando, einen Tick zu lange.

»Vielen Dank!« Jule ist rot geworden und wischt sich die Augen. »Ich freue mich auch, dass ich bei euch … dass ich in diesem Dezernat sein darf.«

»Die Polizei braucht junge, engagierte Kräfte wie Sie«, sagt der Vize und beglückwünscht sie noch einmal »auch im Namen des Polizeipräsidenten«, bevor er davoneilt.

Frau Cebulla sucht nach einer Vase, und Jule lässt sich auf das kleine Ledersofa sinken. »Ein Jahr. Verdammt, ging das schnell.«

»Dafür musst du aber einen ausgeben«, fordert Fernando.

»Aber erst, wenn wir diesen Fall gelöst haben«, mahnt Völxen und eröffnet die Sitzung. »Also Leute. Wo stehen wir im Fall Roland Felk?«

Bodo Völxen befindet sich in einem Dilemma. Mit Karl-Heinz Gutensohn hat er einen veritablen Verdächtigen: Der Mann hat kein Alibi, er hegte aus mehreren Gründen einen Groll gegen das Opfer, und es ist durchaus denkbar, dass er nicht erst um halb neun, sondern eben doch ein paar Stunden früher im Revier unterwegs war und dort auf Felk traf. Vielleicht gab ein Wort das andere, und wenn man schon eine Waffe in der Hand hält ... Er könnte die Leiche in sein Auto geladen haben, kräftig genug dafür ist er, und dann musste er nur noch warten, bis sein Sohn nach Hause kam, um zu wissen, dass jetzt die Gelegenheit günstig war, die Leiche auf vermeintlich praktische Weise loszuwerden. Im Grunde wäre nun der nächste logische Schritt, Gutensohns Fahrzeug einer gründlichen Prüfung zu unterziehen. Sollte er die Leiche darin transportiert haben, dann findet sich etwas: Blut, Haare, DNA. Notfalls könnte der geniale Hund Cäsar noch einmal zum Einsatz kommen und als stummer Zeuge fungieren. Aber die besonderen Umstände des Falls lassen Völxen zögern. Wenn erst die Beschlagnahmung des Fahrzeugs bekannt wird, dann gilt Gutensohn im Dorf offiziell als Verdächtiger. Sollte es sich hinterher herausstellen, dass er unschuldig ist, dann kann sich die Familie Völxen gleich nach einer neuen Bleibe umsehen, und das käme ihm nicht gelegen, wo er schon so viel Zeit und Geld in den Umbau des alten Bauernhauses gesteckt hat. Nein, an seinem Wohnort darf er sich einfach keine Fehlschüsse leisten, er muss vorsichtig agieren. Doch die Ungeduld nagt an ihm, und gleichzeitig rücken ihm der Polizeipräsident, der Vizepräsident, die Staatsanwältin und die Presse immer hartnäckiger auf die Pelle.

»Wir müssen der Presse etwas Konkretes anbieten«, jammert der Vize. »Das Interesse der Öffentlichkeit an diesem Mordfall ist riesengroß.«

Das bekommt Völxen denn auch sofort nach der Sitzung zu spüren, denn vor seinem Büro lungert Boris Markstein von der *Bild* Hannover herum.

»Ja, es gibt einen Verdächtigen, aber aus ermittlungstaktischen Gründen kann ich nicht mehr dazu sagen.«

»Ist es jemand aus Ihrem Dorf?«

»Diese Frage kann ich nicht beantworten.«

»Herr Kommissar, wie ist das, wenn man gegen seine eigenen Nachbarn ermitteln muss?«, legt das Wieselgesicht im langen Trenchcoat den Finger auf die Wunde.

Na, wie ist das wohl? Seit zwei Tagen schnüffeln er und seine Leute nun im Privatleben seiner Nachbarn und an deren Gewehrläufen herum, und herausgekommen sind ein rachsüchtiger Witwer und ein betrogener Ehemann, und sogar das sind vorerst nur Gerüchte. Nicht gerade das, was man einen Durchbruch nennt. Zu Markstein sagt er: »Das macht keinen Unterschied. Wir ermitteln genauso intensiv und gründlich wie in jedem anderen Mordfall auch. Für weitere Auskünfte wenden Sie sich bitte an den Pressesprecher.«

Kommissarin Wedekin holt sich bei Frau Cebulla einen starken Kaffee. Eigentlich mag sie den Milchkaffee aus dem Automaten in der Kantine lieber, aber diesen Raum wird sie in nächster Zeit meiden, um nicht *ihm* zu begegnen.

»Frau Wedekin, haben Sie gestern Abend die Lokalnachrichten auf *Leine-TV* geschaut?«, wispert die Sekretärin, während sie ihren Ficus besprüht.

Jule verneint. »Wieso?«

»Da hätten Sie unseren Chef sehen können, wie er seinen entlaufenen Schafbock einfängt, nachdem ein Suchhund der Polizei ihn aufgestöbert hat«, kichert sie.

»Frau Cebulla, Sie werden staunen, ich habe sogar Exklusivmaterial!« Jule zückt ihr Handy und spielt Frau Cebulla den kleinen Videofilm vor, den sie gestern an der Kreuzung gedreht hat. Frau Cebulla kreischt vor Vergnügen, und auch Jule muss lächeln.

»Was ist so lustig?«, fragt eine Stimme hinter ihnen.

»Äh, gar nichts, Herr Hauptkommissar«, versichert Frau

Cebulla, und Jule steckt rasch das Handy weg. Wie schafft ihr Chef es nur immer wieder, sich anzuschleichen wie ein Sioux?

»Frau *Kommissarin*, wie weit sind Sie mit der Auswertung der Papiere aus Roland Felks Haus?«

»Ich bin noch dabei. Roland Felk hatte unter anderem eine Lebensversicherung, deren Auszahlungssumme im Todesfall 150 000 Euro beträgt. Die Begünstigte ist seine Tochter Anna.«

»Es sind schon viele Leute für weniger Geld umgebracht worden«, bemerkt Völxen. »Bleiben Sie dran.« Dann mäandert ein finsterer Blick zwischen Frau Cebulla und Jule hin und her: »Und wenn hier heute noch irgendjemand das Wort Schafbock in den Mund nimmt, veranlasse ich dessen Versetzung ins Emsland, haben wir uns verstanden?«

»Vollkommen, Herr Hauptkommissar«, antwortet Jule und flüchtet in ihr Büro. Es geht ihr mittlerweile etwas besser, ihr Kopfschmerz ist schon fast verschwunden, und was den Herzschmerz betrifft: Auch wenn es noch immer sehr weh tut – ein bisschen kommt sie sich vor wie eine Kranke, die nach langem Leiden auf dem Weg der Genesung ist. Nur wäre sie lieber schon am Ende dieses Weges anstatt am Beginn. Sie schafft es sogar, Leonard aus ihren Gedanken zu verdrängen und sich auf ihre Arbeit zu konzentrieren. 150 000 Euro sind ein Mordmotiv, da hat Völxen nicht unrecht. Aber was sollte Anna mit dem Geld? Sie leidet doch auch so keinen Mangel, sie führte bis jetzt ein ganz normales Studentenleben. Außerdem hat sie bereits ihre Mutter verloren und erst vor wenigen Tagen ihren geliebten Großvater. In so einer Situation bringt man doch nicht auch noch seinen Vater um. Oder war ihr Verhältnis zu ihrem Vater schlechter, als sie angibt? Hat sie Schulden oder irgendein geheimes Laster – Drogen, Spielsucht, einen Freund, der sie ausnimmt? Jule macht sich auf ihre Schreibtischunterlage eine Notiz: *Finanzen Anna?*, und ärgert sich über Fernando. Wo ist der eigentlich, der könnte ihr ruhig mal helfen, sich durch diesen Aktenberg zu fressen.

Frau Cebulla ruft an und meldet, dass sie Heiner Felks Notar am Apparat hat.

»Dr. Hübner hier, wie kann ich Ihnen helfen?«

Nachdem Jule ihm den Sachverhalt erklärt hat, gibt der Jurist bereitwillig Auskunft: »Es ging nicht um Heiner Felks Testament, sondern um einen Grundstücksverkauf. Beim Ausbau der Bundesstraße 217 mussten laut Gesetz unterhalb des Süllbergs Ausgleichsflächen geschaffen werden. Was im Klartext heißt, dort mussten landwirtschaftliche Nutzflächen abgegeben werden, um darauf Bäume und Gehölze anzupflanzen, als Rückzugsgebiet für das Wild. Den betroffenen Bauern, denen diese Flächen gehörten, wurde entweder eine Entschädigung bezahlt, oder sie erhielten dafür andere Felder. Die Felks besaßen aufgrund einer solchen Aktion zwei Felder in der Gemarkung Springe, was nicht unbedingt praktisch ist für die Bewirtschaftung. Deshalb haben Felks die Felder an den dort ansässigen Bauern verpachtet. Dieser Herr wollte sie schon immer gerne kaufen, aber mein Mandant vertrat lange Zeit den Standpunkt, dass man Land nicht verkauft. Offensichtlich hatte er es sich nun anders überlegt, denn er bat mich, bei dem Bauern vorzufühlen, ob noch Interesse bestünde. Er wollte sich diesen Freitag mit dem Mann bei mir in der Kanzlei treffen.«

»Um welchen Betrag ging es dabei?«

»Er bewegte sich in einer Größenordnung von ungefähr 80000 Euro, die Felder sind mittlerweile Bauerwartungsland.«

»Wissen Sie, ob Ernst Felk und dessen Frau von diesem Vorhaben wussten?«

»Ich denke nicht«, antwortet der Notar. »Herr Felk senior bat mich nämlich ausdrücklich um Diskretion.«

»Wie heißt der Interessent?«, will Jule wissen.

Der Notar zögert kurz, dann nennt er Jule den Namen: »Friedrich Ottendorf. Wohnt in Völksen bei Springe. Er ist ja nicht mein Mandant, deswegen kann ich es Ihnen sagen«, fügt er hinzu.

Jule bedankt sich, legt auf und kaut nachdenklich auf einem Bleistift herum. Wofür hat Heiner Felk dieses Geld gebraucht? Für Anna? Oder war sein Sohn Roland mit seiner Naturheilpraxis in finanzielle Schwierigkeiten geraten? Wusste Anna Felk von diesem Verkauf? Und was vor allen Dingen interessant wäre: Hatte Martha Felk Wind von der Sache bekommen? Jules Handy klingelt. Leonard!, schießt es Jule durch den Kopf. Er entschuldigt sich, er kommt zurück, es tut ihm alles leid... Reiß dich zusammen, Jule! Das Display zeigt eine unbekannte Nummer.

»Hier spricht Kerstin Sommer vom Tierheim Barsinghausen. Sie haben auf unseren Anrufbeantworter gesprochen, ich glaube, wir haben den Hund hier, den Sie meinen.«

»Oda, kann ich dich einen Moment sprechen?«

»Ich muss zwar gleich los, aber klar, setz dich, Fernando.«

»Nicht nötig«, winkt dieser ab, aber er schließt die Tür von Odas Büro. »Ich wollte dir nur sagen, dass du dir wegen Jo keine Sorgen mehr zu machen brauchst. Der wird deiner Tochter garantiert kein Koks mehr andrehen.«

Odas blaue Saphiraugen mustern Fernando halb erfreut, halb misstrauisch. »Was macht dich so sicher?«

»Ich hatte gestern eine Unterredung unter Männern mit ihm.« Fernando boxt bei diesen Worten mit seiner rechten Faust in die linke Handfläche und grinst.

Oda atmet tief durch, ihre Hände streichen über ihr Haar, als wolle sie prüfen, ob ihr straffer blonder Knoten noch richtig sitzt, dann sagt sie: »Fernando, du weißt doch, dass ich es verabscheue, wenn du dich aufführst wie Chuck Norris.«

»Ja, schon, aber ...«

»Danke, Fernando. Hoffentlich hat's gesessen!«

»Keine Ursache«, meint dieser und erfreut sich an Odas schelmischem Lächeln. Er ist schon fast aus der Tür, als er feststellt: »Sag mal, du rauchst ja gar nicht.«

»Ich hab aufgehört.«

»Nein!«

»Ja.«

»Du? Wie das denn?«

Dieser verfluchte Chinese hat mir die Freude an meinen geliebten Rillos verdorben, grollt Oda im Stillen und sagt: »Alles eine Frage des Willens. Schließlich kann ich meiner Tochter keine Vorträge über Drogenmissbrauch halten und derweil rauchen wie ein Schlot.«

»Ich gebe dir zwei Wochen, höchstens drei.«

Hoffentlich hast du recht, denkt Oda und sagt: »Wenn du bei Frau Cebulla vorbeikommst, dann bring mir doch bitte Kaffee mit. Irgendein Ersatzgift brauche ich ja schließlich.«

»Schön, dass Sie mich auch einmal besuchen«, begrüßt der Pfarrer Matthias Jäckel den Hauptkommissar. »Möchten Sie eine Tasse Kaffee?«

Völxen nickt, und der Pfarrer, der in Jeans und T-Shirt recht leger daherkommt, führt ihn in die Küche, die ganz in Weiß gehalten ist. Der Pfarrer und der Kommissar haben sich im letzten Jahr bei der Feier von Völxens fünfzigstem Geburtstag zu fortgeschrittener Stunde das Du angeboten, aber Jäckel scheint das vergessen zu haben, was Völxen ganz recht ist. »Wie kommen Sie voran in diesem schrecklichen Mordfall?«, will der junge Geistliche nun wissen. Er ist Ende dreißig, und obwohl er schwul ist und daraus keinen Hehl macht, ist er bei den Leuten im Dorf recht beliebt – auch wenn die eine oder andere Lästerei hinter seinem Rücken nicht ausbleibt.

»Leider nicht so rasch, wie ich möchte«, gesteht Völxen.

»Und wie kann ich Ihnen helfen?«

»Ehrlich gesagt hat mich meine Frau zu Ihnen geschickt. Sie meinte, Sie wüssten ein paar Dinge über die Familie Felk, die für mich interessant sein könnten.« Da Sabine ab und zu den Kirchenchor mit der Klarinette begleitet, hat sie einen guten Draht zu dem musikalischen Pfarrer, der selbst E-Gitarre spielt. »Kannten Sie denn Dr. Roland Felk persönlich?«

»Nein, nur vom Sehen und vom Hörensagen, er war kein Kirchgänger«, antwortet Matthias Jäckel.

Völxen glaubt aus seinem Tonfall eine gewisse Reserviertheit herauszuhören, deshalb fragt er: »Wie standen Sie denn zu seinen ... Methoden?«

Der Geistliche seufzt. »Ach, wissen Sie, Herr Kommissar, oft bekomme ich von älteren Leuten oder von Kollegen die Klage zu hören, die Menschen würden heutzutage an nichts mehr glauben. Aber das stimmt gar nicht. Heutzutage glauben die Menschen an *alles*.«

Er drückt energisch auf die Taste eines Kaffeeautomaten, und während die Maschine lärmt, denkt Völxen über die Worte des Pfarrers nach und kommt zu dem Schluss, dass der Mann recht hat.

»Ich kenne ... kannte Heiner Felk besser, den Vater von Roland Felk, der leider so überraschend am Freitag verstorben ist. Und in dem Zusammenhang wollte ich Ihnen etwas zeigen.« Pfarrer Jäckel entschuldigt sich kurz, dann kommt er wieder und legt einen Zeitungsausschnitt neben Völxens Kaffeetasse. »Kennen Sie diese Geschichte?«

»Ich hörte Gerüchte darüber«, sagt der Kommissar, nachdem er die Überschrift gelesen hat. Er kramt seine Lesebrille heraus und studiert den Artikel.

Auf Spurensuche in Deutschland
Die deutschstämmige Jüdin Thelma de Winter
besucht den einstigen Besitz ihrer Großeltern

Thelma de Winter ist zum ersten Mal in Deutschland, dem Land, aus dem ihre Familie mütterlicherseits stammt. Sie erzählt: »Meine Großeltern waren Stadtmenschen. Sie gingen leidenschaftlich gerne in Konzerte und in die Oper, meine Mutter liebte das Kino. Mein Großvater Jakob Sommerfeld hatte einen Laden für Musikinstrumente, in dem meine Großmutter mithalf. Das Landgut hatten sie von einem Onkel geerbt, aber da sie nicht aufs Land ziehen wollten, überließen sie es einem Verwalter und blieben in Hannover. Doch mit Beginn des Jahres 1939 wurde es für sie immer unerträglicher. Die Lebensmittelzuteilungen wurden drastisch vermindert, Juden bekamen kein Fleisch, keinen Fisch, kein Obst und keine Milch mehr. Man nahm ihnen ihren geliebten Laden, ihre Lebensgrundlage, weg, und im Mai 1939 wurde ihnen ihre Mietwohnung mit einer Frist von drei Tagen gekündigt. Daraufhin zogen sie mit ihrer Tochter auf das Gut hinaus. Sie hatten von Pferden keine Ahnung, aber auf dem Dorf waren sie zunächst weniger Schikanen ausgesetzt, sie fühlten sich sicherer, und es gab genug zu essen. Sie planten die Auswanderung in die Vereinigten Staaten, aber dazu kam es nicht mehr. Am Morgen des 5. September 1941 stand die Gestapo vor der Tür und nahm alle drei mit. Sie kamen zunächst in ein sogenanntes Judenhaus, wo sie mit über hundert Landsleuten zusammengepfercht und von Gestapo-Leuten drangsaliert wurden. Von dort aus transportierte man sie am 23. Juli 1942 ins KZ nach Theresienstadt. Meine Mutter Lydia war die Einzige, die überlebte und nach der Befreiung tatsächlich in die USA emigrierte.

Das Gut wurde beschlagnahmt und später von den Nazis dem Verwalter zum Kauf angeboten. Der Sohn des

Verwalters und meine Mutter waren wohl ineinander verliebt. Zumindest Heiner in meine Mutter – so hat sie es jedenfalls behauptet. Viele Jahre später, in den Sechzigern, hat meine Mutter dann mal eine Postkarte an die alte Adresse geschickt. Sie bekam tatsächlich Antwort von ihrem »Heinerle«, wie sie ihn nannte. Es gab einen Briefwechsel über die Jahre, aber meine Mutter wollte keinen Fuß mehr auf deutschen Boden setzen. Sie ist leider schon 1981 mit nur sechzig Jahren gestorben. Nun, wo ich selbst etwa in dem Alter bin, hatte ich die Idee, mit meinem Sohn und den beiden Enkeln nach Deutschland zu reisen, ehe auch ich zu alt dafür sein werde.«

Das Haus in Hannovers Oststadt, in dem die Sommerfelds ihr Musikgeschäft hatten, existiert heute nicht mehr, es wurde bei Bombenangriffen zerstört. An seiner Stelle steht heute ein modernes Gebäude, in dem eine Versicherung ihre Büros hat.

Die Reise der Familie de Winter soll nun weitergehen, unter anderem zur Gedenkstätte Bergen-Belsen.

»Ich habe lange überlegt, ob ich das aushalte, aber ich möchte es, auch für meine Enkel. Meine Enkel finden Deutschland sehr interessant, sie haben sich das Land ganz anders vorgestellt, nicht so modern.«

Den Artikel, der vom 16. September des vergangenen Jahres stammt, vervollständigt ein Foto, das Heiner Felk und Thelma de Winter mit ihrem Sohn und den Enkeln vor dem Portal des Gutshofes zeigt. Allerdings sind die Gesichtszüge der Personen nicht sehr gut zu erkennen, es war wohl kein guter Fotograf am Werk. Die Bildunterschrift lautet:

Besuch aus Boston: Heiner Felk (89) zeigt Thelma de Winter (63), ihrem Sohn Bill (40) und den Enkeln Lydia (15) und Dany (13) das Gut ihrer Vorfahren.

»Hat Heiner Felk mit Ihnen über diesen Besuch gesprochen?«, fragt Völxen den Pfarrer.

Dieser nickt. »Ja, das auch. Ich kannte Heiner Felk von der
Beerdigung seiner Frau Roswitha auf dem Linderter Friedhof. Er selbst lebte zu der Zeit ja schon gar nicht mehr hier,
sondern im Altenheim in Waldhausen – ein sehr schönes
Heim, nebenbei gesagt, beinahe wie ein Luxushotel. Von
dort rief er mich einige Wochen nach der Beerdigung seiner Frau an und bat mich um einen Besuch. Es war eine seltsame Unterhaltung. Er redete fast nur in Andeutungen, ich
hatte den Eindruck, dass ihm einerseits etwas auf der Seele
liegt, dass er mir andererseits aber auch etwas verschweigt.
Er sprach über seine Familie, über das Gut und dessen
vorige Besitzer, über die dramatischen Umstände ihrer In-
haftierung, aber vor allen Dingen ging es ihm wohl um die
Frage, ob man als Mensch und als Christ die Pflicht habe,
für die schlechten Taten von Angehörigen – ich nehme an,
er meinte seinen Vater – geradezustehen. Er benutzte in diesem Zusammenhang das Wort Buße. Ohne damals schon
Genaueres über die Sommerfelds zu wissen – diesen Artikel
gab es ja noch nicht –, nahm ich an, dass er etwas herausgefunden hatte über die Umstände, unter denen sein Vater
das Gut erworben hat. Die waren vermutlich typisch für
die Nazizeit und warfen kein gutes Licht auf seinen Vater
Ludwig. Und das trieb ihn nach so vielen Jahren offenbar um.«

»Was haben Sie ihm geraten?«, will der Kommissar wissen und probiert den Kaffee. Zu bitter.

»Dass er tun soll, was ihm sein Gewissen sagt, dass er
aber dabei die Früchte der Arbeit seiner Kinder nicht antas-
ten soll, denn das wäre ihnen gegenüber nicht gerecht.«

»Hat er diesen Rat akzeptiert?«

»Ich glaube schon. Er hat sich jedenfalls bedankt. Wir
hielten von da an einen losen Kontakt, ich habe alle zwei,

drei Monate mal bei ihm vorbeigeschaut, wenn ich in der Stadt war. Ich muss sagen, ich mochte den alten Herrn. Er hatte Anstand. Ja, das ist wohl das richtige Wort. Nach und nach hat er mir auch von Lydia Sommerfeld erzählt, in die er damals wohl sehr verliebt gewesen war. Als er erfuhr, dass ihre Tochter nach Deutschland kommen wollte, war er ganz aus dem Häuschen, er hat mich gleich angerufen, um es mir zu sagen.«

»Wann haben Sie Heiner Felk zum letzten Mal gesehen?«

»Eine Woche vor seinem Tod war ich bei ihm. Da war er noch ganz munter, für sein hohes Alter geradezu bemerkenswert. Der Mann wirkte nicht wie neunzig, man hätte ihn höchstens auf achtzig geschätzt. Er teilte mir mit, dass er nun eine Lösung gefunden hätte, mit der alle Beteiligten gut leben könnten. Aber was genau es war, das hat er nicht gesagt. Ja, und dann erfuhr ich von seinem Tod. Ich möchte hier keine Beschuldigungen in die Welt setzen, Herr Kommissar, ich wollte nur, dass Sie das wissen.«

»Ja, das ist der Hund, den wir suchen.« Jule erkennt das Tier, das Frau Sommer, eine hagere Mitdreißigerin, an der Leine in das kleine Büro führt, von den Fotos in Felks Haus sofort wieder. Von draußen hört man Hundegebell. Jule hat darauf verzichtet, sich die Tiere in den Zwingern und Auslaufflächen selbst anzusehen. Sonst komme ich am Ende noch in Versuchung, einen davon mitzunehmen, hat sie sich gesagt. »Hallo, Oscar!« Jule beugt sich zu ihm hinunter. Der Hund leckt ihr freudig die Hand, sein Schwanz wedelt hektisch, dann springt er an ihr hoch.

»Sitz!«, befiehlt Frau Sommer mit erhobenem Zeigefinger, und prompt lässt Oscar sein kleines Hinterteil hinabplumpsen.

»Platz!« Ihre Handfläche deutet nach unten, und Oscars Schnauze berührt den Bodenbelag.

»Immerhin ist er gut erzogen. Das ist bei Terriern auch unbedingt notwendig«, erklärt Frau Sommer. »Sind Sie die Besitzerin?«

»Oh, nein.« Jule erklärt den Sachverhalt und fragt dann: »Wer hat den Hund hier abgegeben und wann?«

»Am Ostersonntag gegen Mittag wurde er gebracht. Der Herr wollte seinen Namen aber nicht nennen.«

»Und das geht so einfach?«

»Was hätte ich tun sollen? Ihn dazu zwingen? Er sagte, es sei nicht sein Hund, er habe ihn aufgelesen, wolle aber nichts damit zu tun haben.«

»Wie sah der Mann aus?«

»So Ende vierzig, Anfang fünfzig, eher dicker, ein Gesicht wie eine Bulldogge. Ich glaube, es war ein Jäger, den Klamotten nach jedenfalls. Deshalb habe ich den Hund auch lieber angenommen. Ich dachte, der nimmt ihn sonst mit und erschießt ihn. Manche dieser Typen fackeln ja nicht lange, wenn sie einen streunenden Hund in ihrem Revier sehen, man muss dankbar sein, wenn sich so einer die Mühe macht und den Hund hier abgibt.«

»Frau Sommer, würden Sie den Mann wiedererkennen?«, fragt Jule und schielt nach Oscar. Der gefleckte Hund liegt immer noch da wie festgeklebt, nur seine Ohren wandern hin und her wie bewegliche Satellitenschüsseln, als verfolge er das Gespräch genau.

»Ich denke schon«, meint Frau Sommer. »Ich habe mir aber auch vorsichtshalber das Kennzeichen seines Autos notiert. Das war so ein Geländewagen.«

Oda Kristensen tritt aus dem Aufzug und wäre fast mit Hauptkommissar Leonard Uhde vom Betrugsdezernat zusammengestoßen, der offenbar nach oben will. Man grüßt sich ein wenig steif, dann sagt Oda: »He, Uhde. Warte mal.«

»Was ist? Ich hab's eilig.«

»Das ist ziemlich mies, was du da mit Jule abgezogen hast.«

»Wüsste nicht, was dich das angeht«, antwortet er mürrisch.

»Es wäre besser für Jule, wenn sie dir hier nicht mehr begegnen würde.«

Leonard Uhde betrachtet sie mit einer Mischung aus Abscheu und Interesse von oben nach unten. Er gehört zu den Männern, die ungemein charmant und ungemein fies sein können, registriert Oda. Im Moment zeigt er sein fieses Gesicht, aber Oda ist nicht der Typ, der sich davon einschüchtern lässt, im Gegenteil.

»Und wie soll ich das, bitte schön, anstellen? Soll ich nur noch Treppen laufen, oder darf ich nicht mehr in die Kantine gehen, oder was?«

Es gibt Tage, so wie heute, da ist die sonst recht abgeklärte Oda ganz auf Krawall gebürstet. »Das ist schon mal ein guter Ansatz. Soll dir dein Weibchen halt ein Brot schmieren. Und Treppenlaufen ist gesund und macht 'nen hübschen Arsch.«

Odas Attacke verblüfft Uhde zunächst, was man ihm auch ansieht, aber er fängt sich rasch: »Hör mal, ich weiß, dass das nicht komplett korrekt gelaufen ist, aber es gehören immer zwei dazu, oder? Und wenn Jule was nicht passt, kann sie sich ja versetzen lassen.« Er will sich an Oda vorbeidrängeln, während er etwas von völlig verrückten Weibern murmelt.

»Nicht Jule wird sich versetzen lassen, sondern du.«

Hauptkommissar Leonard Uhde verharrt mitten in der Bewegung. »Sag mal, spinnst du?«

Eiskalt kreuzen sich nun ihre Blicke, ehe Oda die Katze aus dem Sack lässt: »Vergiss nicht, dass Jule bei der Ermittlung in Sachen Schwalbe vor einem halben Jahr ein paar unschöne Dinge über dich herausgefunden hat.«

Ein wütendes Funkeln tritt in seine Augen.

Oda fährt fort: »Das Problem ist: Wenn die falschen Leute erfahren, dass du seinerzeit gemeinsame Sache mit einem Versicherungsbetrüger gemacht hast, dann verlierst du nicht nur deinen Job, sondern womöglich auch noch deine Pensionsansprüche.«

Unverhohlener Hass steht nun in seinen zusammengekniffenen Augen, und Oda ist jetzt doch ganz froh, dass sie sich in einem Polizeipräsidium befinden und nicht auf einem einsamen Parkplatz.

Schließlich schüttelt er den Kopf, lächelt etwas schief und winkt ab. »Was wollt ihr eigentlich? Ihr habt doch keine Beweise.«

»Da sei dir mal nicht so sicher«, antwortet Oda. »Manchmal reichen ja auch schon ein paar Gerüchte, ein dummer Spruch an geeigneter Stelle, vielleicht beim Sommerfest, wenn man zu viel intus hat ...«

»Ihr seid doch ...«

»*Ihr* stimmt nicht. Jule ist ein anständiges Mädchen, klug, aber naiv, die würde dich nie verraten, da kannst du ganz beruhigt sein.« Oda lächelt und seufzt: »Ich dagegen bin ein abgebrühtes altes Miststück mit guten Verbindungen nach oben, und es wäre wirklich besser für deine Karriere, wenn du dir eine neue Dienststelle suchst, eine, die nicht in der PD sitzt.«

»Leck mich doch, du blöde Fotze!« Uhde verschwindet im Aufzug und hinterlässt eine Geruchsspur aus teurem Eau de Toilette und gewöhnlicher Angst.

»Ich gebe dir einen Monat«, sagt Oda, ehe sich die metallenen Flügel der automatischen Tür zwischen sie schieben. Als der Lift entschwebt, geht Oda ein seltsamer Gedanke durch den Kopf: Sie fragt sich, ob der sanfte Herr Tang mit ihrer Vorgehensweise wohl einverstanden wäre.

Bodo Völxen sitzt an seinem Schreibtisch, stützt die Ellbogen auf und massiert nachdenklich seinen zurückweichenden Haaransatz. Was jetzt? Soll er bei der Staatsanwaltschaft eine Obduktion des Leichnams von Heiner Felk beantragen? Mit welcher Begründung? Ein von der Enkelin und vom Dorfpfarrer geäußerter Verdacht ist nicht gerade viel, um die Staatsanwaltschaft und den Richter zu überzeugen. Andererseits drängt die Zeit, übermorgen ist die Beerdigung, und die Leiche vom offenen Grab wegholen zu lassen kommt sicher nicht gut an. Aber schließlich kann er nicht aus lauter Harmoniesucht seine Pflichten als Ermittler vernachlässigen. Verdammt, was für eine verzwickte Situation! Das Telefonklingeln reißt ihn aus seinen Grübeleien. Es ist Jule Wedekin, die fragt, ob er einen Jäger kennt, der einen Geländewagen fährt und dessen Gesichtszüge denen einer Bulldogge ähneln.

»Gutensohn. Da gibt's kein Vertun.«

»Dann hat er Felks Hund im Tierheim abgegeben, anonym, am Ostersonntag. Aber wir haben auch die Autonummer: H-KH ...«

»Das ist er«, unterbricht Völxen. »KH – Karl-Heinz. Gute Arbeit, Frau Kommissarin. Wo sind Sie jetzt, wenn ich fragen darf?«

»Auf der Rückfahrt von Barsinghausen. Ich habe den Hund bei mir und möchte ihn zu Anna Felk bringen.«

»Sitzt der jetzt etwa im Dienstwagen und haart?«

»Man hat mir im Tierheim einen Transportbehälter geliehen. Er ist im Kofferraum.«

»Ist es neuerdings unsere Aufgabe, herrenlose Hunde an ihre Besitzer auszuliefern?«, erkundigt sich Völxen.

»Ich habe ohnehin noch einige Fragen an Anna Felk.«

Jule zögert, was Völxen nicht entgeht. »Was ist? Raus damit!«

Jule schildert ihrem Chef das Gespräch mit dem Notar.

»Deshalb möchte ich von Anna wissen, was ihr Großvater mit dem Geld vorhatte. Ich habe auch schon mit diesem Bauern aus Völksen bei Springe telefoniert, der die Felder kaufen wollte. Er hat eingeräumt, mit dem einen oder anderen Nachbarn darüber geredet zu haben. Also könnten Ernst und Martha Felk durchaus davon erfahren haben. Vielleicht hat das Mädchen ja recht mit ihren Verdächtigungen, und wir haben einen zweiten Mordfall.«

Schweigen. Erst als Jule verunsichert nachfragt, ob er noch da sei, antwortet Völxen: »Ja. Wenn Sie schon mal da sind, fragen Sie Anna nach dem Besuch der Amerikanerin auf dem Gut vor etwa einem halben Jahr. Ich habe hier einen Zeitungsartikel darüber. Vielleicht wollen Sie vorher vorbeikommen und ihn sich ansehen?«

»Frau Cebulla kann ihn doch einscannen und mir aufs Handy mailen. Oder sie schickt mir den Link, falls es den Artikel online gibt.«

Völxen stöhnt gequält auf.

»Ist was nicht in Ordnung?«, fragt Jule besorgt.

Nein, alles sei bestens, antwortet Völxen und brummt, nachdem er aufgelegt hat: »Ich werde alt!«

Der Briefträger hält Jule die Haustür auf. Oscar lässt bei seinem Anblick ein tiefes Knurren hören. »Pscht«, macht Jule und steigt, den Hund unter den Arm geklemmt, die vier Treppen bis zu Anna Felks Wohnung hinauf. Vom Treppensteigen ein wenig außer Atem, drückt sie auf die Klingel. Sie hört Annas Schritte und klopft leise an die Tür. »So, Oscar, gleich wird sich jemand ganz fürchterlich freuen«, flüstert sie dem Hund zu, als die Bewohnerin öffnet. Ehe eine der beiden auch nur ein Wort sagen kann, windet sich Oscar aus Jules Umklammerung, springt auf den Boden, seine Krallen drehen auf den Holzdielen kurz durch, dann rast er den Flur entlang, einem schwarzen Schatten hinterher. Man hört etwas Metallenes scheppern, dann anhaltendes Gebell und ein wütendes Fauchen.

»Oscar!«

»Nero!«

Anna und Jule stürzen den Tieren hinterher. Der schwarze Kater sitzt ganz oben auf einem Bücherregal, buckelnd und fauchend, Oscar dagegen springt wie ein Flummi am Regal hoch, wobei er wie besinnungslos kläfft. Eine Schreibtischlampe liegt auf dem Boden.

»Oh, das tut mir leid, ich wusste ja nicht, dass Sie eine Katze haben«, ruft Jule, während Anna den rasenden Oscar am Halsband zu fassen bekommt und ihn nach draußen schleift und der Kater noch immer vom Regal herunterfaucht.

»Sie hätten besser vorher angerufen! Oscar hat es nicht so mit Katzen. Oscar! Still! Platz!«, brüllt Anna, aber kaum hat sie ihren Griff gelockert, wirft sich der Terrier, von schierer Mordlust getrieben, mit Anlauf gegen die Tür. Als das nichts bringt, versucht er sich durch die Dielen zu graben.

Jule packt ihn am Halsband und leint ihn an. »Ich bringe ihn wohl besser wieder ins Auto, ich habe noch ein paar Fragen an Sie.«

Oda steht vor dem putzigen Reihenhäuschen in Mittelfeld, dessen Adresse ihr Frau Cebulla gegeben hat. »Sie heißt jetzt Walter«, hat sie erklärt.

»Eine Geschlechtsumwandlung?«

»Nein, sie hat geheiratet.«

Der leere Carport nimmt den halben Vorgarten ein, an einem der Fenster kleben bunte Figuren und bunte Holzbuchstaben, die den Namen Chiara bilden. Wie praktisch, denkt Oda zynisch: So weiß ein netter Onkel gleich, wo ein Kind wohnt und wie er es ansprechen muss. Jede Wette, dass an der Heckscheibe der Familienkutsche *Chiara an*

Bord klebt. Oda will gerade durch die niedrige Pforte gehen, als die Haustür aufgeht. Ein Kinderwagen wird herausgeschoben, und eine blonde Frau, etwa in Odas Alter, kommt heraus. Sie trägt ein dickwangiges Kind auf dem Arm und stopft es in den Kinderwagen, wobei sie Oda nicht aus den Augen lässt. Die kommt näher und stellt sich vor.

»Kripo? Ist was passiert?«, fragt die nicht mehr ganz junge Mutter mit weit aufgerissenen blauen Kleinmädchenaugen, während Oda sich fragt, wie eine so zierliche, schmalgesichtige Person einen so feisten Wonneproppen zur Welt bringen kann und ob sich das wohl noch verwächst. Sie kommt zu dem Schluss, dass sie den Vater von Chiara lieber nicht sehen möchte.

»Können wir uns drinnen unterhalten?«

»Nein, jetzt habe ich Chiara schon angezogen, wir müssen zum Arzt, wir sind ohnehin schon spät dran. Sie können uns ja begleiten.«

Na bestens, ein Spaziergang durch die Bausparkassensiedlung, heute bleibt mir aber auch nichts erspart! Oda war von vornherein nicht begeistert, als ihr Völxen diese Befragung aufs Auge gedrückt hat. »Durchgeknallte sind deine Spezialität«, hat er seiner Anweisung hinterhergeschickt. Frau Walter, geschiedene Gutensohn, steckt ihrer Tochter einen Schnuller in den Mund und setzt sich in Bewegung.

»Sie wissen wahrscheinlich, dass Dr. Roland Felk ermordet wurde.«

»Es stand ja in allen Zeitungen.«

»Ich will's kurz machen«, sagt Oda. »Wo waren Sie am Ostersonntag um sechs Uhr morgens?«

»Wo schon? Zu Hause im Bett natürlich. Mit meinem Mann und meiner Tochter. Die kommt immer um diese Zeit zu uns ins Bett.«

»Es geht das Gerücht, dass Sie und Dr. Felk vor drei Jahren eine Beziehung hatten und dass das der Grund für das

Scheitern Ihrer Ehe mit Karl-Heinz Gutensohn war. Stimmt das?«

Frau Walter bleibt stehen, nestelt in ihrer Jacke herum und zündet sich eine Zigarette an, die sie im Gehen raucht. Ihr Blick hat sich verdüstert. Oda stellt fest, dass sie ihre Rillos in der PD vergessen hat. Sie kämpft einen Anflug von Panik nieder, während die Frau neben ihr verlegen erklärt, ihre Ehe sei ohnehin schon am Ende gewesen, die Beziehung zu Roland habe sie nur darin bestärkt, endlich den letzten Schritt zu tun und ihr Leben wieder selbst in die Hand zu nehmen. »Ich wäre sonst auf diesem Dorf und mit diesem Mann versauert«, meint sie, während sich Oda im Stillen fragt, ob ein Reihenhaus in Mittelfeld tatsächlich eine marginale Steigerung der Lebensqualität darstellt.

»Hat Ihr geschiedener Mann das auch so gesehen?«

»Nicht ganz«, meint Frau Walter und gibt an, Karl-Heinz Gutensohn habe sehr wütend reagiert, als sie ihm sagte, dass sie ausziehen werde. Ihr Mann habe Roland Felk für alles Unglück verantwortlich gemacht und habe nicht sehen wollen, dass schon vorher der Wurm drin war, wie sie es formuliert.

»Gab es Drohungen?«

»Ja, die gab es auch. Er konnte sehr jähzornig sein. Das ist auch ein Grund, warum ich ihn verlassen habe. Obwohl er mir nie etwas getan hat – ich meine körperlich. Aber dieses Gebrüll, diese Unbeherrschtheit … ich hatte immer Angst, dass er mich eines Tages schlägt.«

Eine ganz alte Erinnerung an Veronikas Vater durchzuckt Oda. Sie verscheucht sie und fragt: »Was genau hat er damals gesagt?«

»Dass Felk ihm bloß nicht begegnen sollte, er würde ihn erschießen wie einen räudigen Fuchs. So was in der Art. Karl-Heinz kann furchtbar herumpoltern, aber im Grunde ist er kein schlechter Kerl.«

»Wie lange dauerte Ihre Beziehung zu Roland Felk?«

»Nur vier Monate.«

»Wann genau war das?«

»Von April bis Juli 2007. Warum müssen Sie das wissen, denken Sie, ich habe ihn umgebracht? Zugegeben, ich war sauer, als es aus war. Nein, nicht nur sauer, ich war sehr verletzt. Aber das ist lange her, ich habe ein neues Leben, eine neue Familie, wie Sie ja sehen.«

Oda hat nur mit einem Ohr zugehört. Es passt zeitlich nicht ganz, überlegt sie. *Deepblue* schrieb erstmals im November 2006, und die wütenden Mails kamen im Mai 2007 – da hatte die Affäre mit Fiona Gutensohn gerade erst angefangen. »Frau Walter, haben oder hatten Sie mal eine E-Mail-Adresse, die *Deepblue1208* lautete?«

Sie schüttelt den Kopf. »Ich kann mit Computern nicht umgehen, ich habe gar keine Mailadresse. Ich bin froh, wenn ich mit dem Handy klarkomme.«

»Wissen Sie, mit wem Roland Felk vor Ihnen liiert war? Hat er mal einen Namen genannt, haben Sie mal irgendetwas mitbekommen?«

»Nein, über so was haben wir nie geredet. Wir hatten auch nicht die Art Beziehung, wie Sie denken. Also so, dass wir uns jeden Tag gesehen hätten oder so. Das war nichts für ihn.«

»Wo haben Sie sich getroffen?«

»Immer bei mir, nachdem ich ausgezogen war. Und vorher... na ja, mal im Wald, aber das war nur einmal, und ein- oder zweimal abends in der Praxis.«

»Nie bei ihm zu Hause?«

»Nein, das wollten wir beide nicht. Das hätte noch mehr Gerede gegeben.«

»Wie hat eigentlich Ihr Sohn auf Ihre Trennung reagiert?«

Sie zieht heftig an ihrer Zigarette und wirft sie dann weg. »Torsten hat das schon ganz schön belastet. Er wollte aber unbedingt bei seinem Vater bleiben. Er ist sehr verwurzelt in dem Dorf, wissen Sie. Sein bester Freund und Schulkamerad Ole wohnt in Lüdersen, schon deswegen würde er nie von dort wegziehen wollen. Außerdem geht er in Empelde zur Schule.«

»Sie hätten ja auch nach Lüdersen ziehen können. Oder nach Empelde«, meint Oda erbarmungslos.

Odas Fragen sind Fiona Walter sichtlich peinlich. »Ja, ich habe daran gedacht«, behauptet sie. »Aber Torsten hat sich regelrecht von mir abgewandt, eine Zeit lang. Inzwischen geht es wieder, wir telefonieren regelmäßig miteinander und treffen uns ab und zu in der Stadt. Ich nehme an, Karl-Heinz hat hintenrum schwer gegen mich gehetzt oder tut es noch.«

»Wusste Ihr Sohn von Ihrem Verhältnis zu Felk?«

»Ich bin nicht sicher, aber ich denke schon. Mein Mann war ja immer laut genug, wenn wir uns gestritten haben. Aber was hat denn mein Sohn damit zu tun?«

Einiges, denkt Oda. Er hätte ein Motiv, ähnlich wie sein Vater, und immerhin waren er und seine Freunde zur Tatzeit dem Tatort am nächsten.

Sie sind an der Straßenbahnhaltestelle angekommen, und Oda verabschiedet sich, ohne Frau Walter deren letzte Frage beantwortet zu haben.

»Erzählen Sie mir von dem Besuch der Familie de Winter auf dem Gut«, fordert Jule das Mädchen auf. Sie hat Oscar im Wagen verstaut und sitzt nun bei einer Tasse Tee mit Anna am Küchentisch. »Waren Sie dabei?«

»Ja«, antwortet Anna. Sie habe im letzten Sommer über *Facebook* eine Nachricht von Bill de Winter erhalten, der sich erkundigte, ob sie mit einem gewissen Heiner Felk verwandt sei. So sei der Kontakt zustande gekommen. Ihr Großvater habe sich unheimlich gefreut und wollte Lydia Sommerfelds Tochter unbedingt das Gut zeigen, obwohl Anna das von vornherein für keine gute Idee hielt. »Onkel Ernst und Tante Martha haben vielleicht Gesichter gezogen, als wir da ankamen. Ich bin sicher, wenn der Typ von der Lokalpresse nicht dabei gewesen wäre, hätten sie uns sofort vom Hof gejagt. Onkel Ernst hat sich nach der Begrüßung sofort in den Stall verpisst und ist die ganze Zeit nicht mehr rausgekommen, und Martha ist uns hinterhergeschlichen wie ein Ladendetektiv und hat kein Wort gesagt. Es war total peinlich! Wir sind dann auch ganz schnell raus, zu den Pferden.« Anna lacht kurz und bitter auf und fährt dann fort: »Dabei bin ich überzeugt, dass Martha noch heute vom Geschirr der Sommerfelds isst. Die alten Möbel sind jedenfalls noch da.«

Jule erinnert sich an den Raum, in dem sie das Gefühl hatte, dass die Zeit stehen geblieben ist. Damals, ohne den Plunder an den Wänden, war das Zimmer mit den dunklen Möbeln bestimmt sehr elegant gewesen. Sie hat Martha Felk vor Augen, wie sie auf die Urkunden an der Wand weist. *Unser Lebenswerk.* Ja, Martha und Ernst Felk haben ihr Leben lang gearbeitet, um das Gut zu dem zu machen, was es heute ist. Ist es ihre Aufgabe, die moralische Hypothek, die darauf lastet, zu tilgen? Durch Marthas Augen betrachtet, sicherlich nicht. Hat Heiner Felk das bedacht, als er Thelma dort herumführte? War ihm klar, wie viel Angst er damit auslöste? Und nicht nur Angst. Jule muss daran denken, wie kurz angebunden Ernst Felk gestern reagiert hat, als sie seine Auswanderergeschichte kommentierte. Offenbar sind ihm die Umstände, unter denen sein Großvater Ludwig an das Gut gekommen ist, noch heute peinlich. Wahrscheinlich hat Ludwig Felk es für 'nen Appel und 'n Ei, wie es so schön heißt, bekommen, und selbst dabei ist noch fraglich, ob die Sommerfelds je einen Pfennig davon gesehen haben. Wie beschämt und wütend muss Ernst gewesen sein, als Anna und ihr Großvater das alles wieder aufrührten und gleich noch einen Reporter der Heimatzeitung dazubestellten.

»Wie stand denn Ihr Vater zu dieser ganzen Angelegenheit?«

»Der hat sich da rausgehalten.«

Klar, es ging ja auch nicht um *sein* Erbe, stichelt Jule in Gedanken. Der war ja fein raus mit seinem Medizinstudium, das ihm keiner mehr wegnehmen konnte, außer er selbst, indem er seinen Beruf an den Nagel hängte. War das seine Art der Sühne? Nein, das ist jetzt wirklich zu abwegig, bremst sich Jule. Außerdem hat Felk auch als Naturheilkundler bestimmt noch von seinem Dr. med. profitiert.

»Ich fand Thelma sehr nett«, erzählt Anna weiter. »Sie hat sich sehr bemüht, um bei Opa kein schlechtes Gewissen entstehen zu lassen. Der wollte natürlich alles über ihre Mutter Lydia wissen. Sie war seine erste große Liebe, er hat mir die Briefe von ihr gezeigt, die sie später an ihn geschrieben hat.«

»Wo sind die jetzt?«, fragt Jule.

»Ich habe sie. Sie lagen im Schreibtisch meines Vaters, er muss sie aus dem Altenheim mitgenommen haben. Ich wollte nicht, dass ... ich wollte sie ihm eigentlich mit ins Grab geben, deshalb habe ich sie eingesteckt. Es sind nicht viele, es sind auch keine Liebesbriefe. Eigentlich steht darin nur belangloses Zeug: das Haus, die Gegend, ihr neues Auto, der Werdegang der Tochter Thelma ... Alltägliches eben. Über das KZ stand kein Wort drin und auch kaum eine Zeile über die Zeit davor. Es war wohl mehr der Kontakt an sich, der ihm viel bedeutet hat.«

»Ist er nie hingeflogen?«, erkundigt sich Jule. »Er hätte sie doch mal besuchen können.«

»Er hat gesagt, Roswitha, seine Frau, wäre ihm in diesem

Fall ganz schön aufs Dach gestiegen. Außerdem war Lydia ebenfalls verheiratet, und er war nicht sicher, ob ihrem Mann das gefallen würde. Sie hat ihn wohl auch nie eingeladen, zumindest nicht in den Briefen. Ich glaube, sie war damals gar nicht in ihn verliebt, nur er in sie, aber das habe ich natürlich nie angesprochen. Später, als Roswitha dann krank und im Heim war, da war Lydia auch schon tot. Bei den Briefen war eine Todesanzeige. Lydias Mann hat sie geschickt, der lebt inzwischen auch nicht mehr. Im Nachhinein hat Opa es bereut, dass er nie dort war. Er hat mal gesagt: ›Wenn ich gewusst hätte, was ich heute weiß, dann hätte die mich mal gern haben können.‹ Und mit *die* meinte er Roswitha.«

»Und um welches Wissen ging es dabei?«, fragt Jule, der auffällt, dass Anna immer nur von »Roswitha« oder »seiner Frau« spricht, aber nie das Wort Großmutter benutzt.

»Kurz nach Roswithas Tod ist er mit mir mal raus nach Ahlem gefahren ...« Sie hält inne, als müsse sie ihre Erinnerungen erst zusammenklauben.

Jule hilft ihr auf die Sprünge: »In die ehemalige Israelitische Gartenbauschule beziehungsweise die heutige Gedenkstätte.«

»Woher wissen Sie das?«, fragt Anna verblüfft.

»Dort war eines der vierzehn sogenannten Judenhäuser, die als Sammelstelle für die Deportationen dienten.«

Anna nickt. »Dort waren wir. Er hat geweint. ›Hier haben sie meine Lydia fast ein Jahr lang eingesperrt‹, hat er gesagt. ›Und ich Idiot dachte damals, sie wäre schon in Amerika und hätte mich vergessen.‹ Er war nämlich in Hamburg, ein Pferd ausliefern, als Lydia und ihre Eltern abgeholt wurden. Man hat ihm zunächst erzählt, die Sommerfelds wären Hals über Kopf ausgewandert. Er hat monatelang auf einen Brief aus Amerika gewartet.«

»Aber er muss irgendwann von ihrem Schicksal erfahren haben, spätestens nachdem sie ihm aus den Staaten geschrieben hat.«

Anna trinkt von ihrem Tee und sagt: »Ja, natürlich. Er hat es seit Kriegsende gewusst oder vielleicht sogar noch früher, durch irgendwelchen Dorfklatsch. Nein, er meinte mit ›wenn ich gewusst hätte ...‹ etwas anderes: In den Sachen, die Roswitha im Pflegeheim bei sich hatte, war ein Brief, den Lydia ihm in der Zeit, als sie in diesem Judenhaus war, geschrieben hat. Roswitha muss den Brief abgefangen und all die Jahre versteckt haben. Das hat er ihr sogar nach ihrem Tod noch übel genommen.«

»Ihre Großeltern kannten sich damals also schon?«

»Ja klar. Roswitha wohnte im Dorf, sie war sozusagen die Sandkastenfreundin meines Großvaters. Sie ging auf dem Gut ein und aus. Außerdem war sie die Tochter des Briefträgers, also konnte sie den Brief leicht abfangen. Ich nehme an, sie war eifersüchtig auf Lydia.«

Arme Roswitha, denkt Jule. Wahrscheinlich war sie zeit ihres Lebens eine ungeliebte Frau. Und ungeliebte Frauen sind eifersüchtig. »Existiert der Brief noch?«, fragt sie.

»Ich weiß es nicht. Er war jedenfalls nicht bei den anderen. Vielleicht hat er ihn auch Thelma gegeben.«

»Wäre möglich«, stimmt Jule ihr zu.

»Er hat in dem Zusammenhang auch mal das Wort *Verrat* benutzt. Obwohl ...«, Anna zuckt mit den Schultern, »... von Verrat kann man ja eigentlich nicht reden. Die Sommerfelds haben sich dort auf dem Gut ja nicht direkt versteckt. Jeder im Ort wusste, dass die da wohnen. Ich nehme an, die haben, wie viele andere auch, die Gefahr einfach unterschätzt und zu lange gehofft, dass dieser Spuk mit den Nazis bald wieder vorbei sein würde. Jedenfalls hat sich mein Opa nie verziehen, dass er nicht da war, als man sie festgenommen hat. Andererseits – was hätte er schon machen können gegen die Typen von der Gestapo? Ich habe ihn das mal gefragt, aber er sagte nur, er hätte sie alle über den Haufen geschossen.« Anna steht auf. »Warten Sie, ich zeig Ihnen was.« Sie geht hinüber in das Zimmer mit dem Schreibtisch und kommt mit einem in Leder gebundenen Buch wieder und mit einem Foto. »Das war mein Opa mit neunzehn.« Der attraktive, schmalgesichtige junge Mann trägt einen Cordanzug und lehnt lässig an einer Mauer. Eine lange Haartolle, auf die Elvis neidisch gewesen wäre, fällt ihm ins Gesicht.

»Er sieht aus wie ein Engländer«, findet Jule.

»Das war beabsichtigt. Das war ein kleiner Akt der Auflehnung gegen den Drill der HJ und den Stil der Nazis. Er ist auch immer in den Georgspalast gegangen, wo sie Swing und so was gespielt haben. Einmal wurde er deswegen drei Tage lang eingesperrt.«

»Mutig.«

»Oder unbesonnen. Er war der jüngste von drei Brüdern, deshalb durfte er hierbleiben und musste nicht an die Front. Die anderen beiden sind dann auch nicht aus dem Krieg zurückgekommen.«

»Und was ist das?« Jule tippt auf die lederne Kladde. Das Papier zwischen den Deckeln ist vergilbt.

»Das hat mir mein Vater gegeben. Er hat es aus dem Altenheim, als er am Freitag... nachdem Opa...« Annas Stimme versagt, ein unkontrollierter Schluchzer steigt aus ihrer Kehle, aber sie fängt sich wieder und spricht weiter: »Ich dachte zuerst, es wäre ein Tagebuch von Opa, aber dann habe ich gemerkt, dass es eines von Roswitha war. Ich bin noch nicht dazu gekommen, es zu lesen, ich kann diese schnörkelige Schrift auch kaum entziffern. Aber wenn Sie es anschauen wollen, leihe ich es Ihnen. Vielleicht steht ja etwas drin, das die Ermittlungen weiterbringt.«

»Gerne. Sie kriegen es wieder«, verspricht Jule und kommt nun zum eigentlichen Grund ihres Besuchs: »Anna, wissen Sie etwas über den geplanten Verkauf zweier Grundstücke Ihres Großvaters, der in diesen Tagen über die Bühne gehen sollte?«

Die junge Frau sieht Jule erstaunt an, ihre Überraschung scheint echt zu sein. »Was denn für Grundstücke?«

»Zwei Felder in Springe, die etwa 80000 Euro wert sind. Haben Sie eine Idee, was Ihr Großvater mit dem Geld wollte?«

Sie schüttelt nachdenklich den Kopf. »Ich kann mir nur vorstellen, dass er es Thelma geben wollte, für die Ausbildung ihrer Kinder. Thelma und ihr Mann sind zwar nicht arm, aber besonders dicke haben sie es auch nicht, und man weiß ja, was gute Schulen und Unis in den USA kosten.«

Der Kater hat sich von seinem Schrecken erholt und streicht um die Stuhlbeine. Anna setzt ihn sich auf den Schoß. Ein unergründlicher Blick aus grünen Augen trifft Jule, die nun fragt: »Woher stammt eigentlich Ihre Tante Martha?«

Anna stößt ein schnaubendes Lachen aus. »Aus *kleinen Verhältnissen*, wie Opa immer sagte. Ihre Eltern hatten einen Tante-Emma-Laden in Pattensen, und sie selbst war Krankenschwester im Henriettenstift. Die hat sich den Ernst nur gekrallt, weil er der Hoferbe war.«

»Hat auch Ihr Opa gesagt«, ergänzt Jule.

»Genau.« Anna krault den Kater nachdenklich zwischen den Ohren, dann hat sie eine Frage an Jule: »Hat eigentlich Tante Martha von diesem Grundstücksverkauf gewusst?«

Jule ist klar, worauf Anna hinauswill. »Das wissen wir nicht«, antwortet sie. »Ich konnte sie noch nicht dazu befragen.«

»Die lügt doch sowieso, wenn sie den Mund aufmacht«, prophezeit Anna und schlussfolgert: »Wenn sie das mit dem Verkauf spitzgekriegt hat, dann hat sie ihn umgebracht.« Sie sieht Jule mit ernstem Blick an. »Mein Großvater war ein toller Mensch. Er hat es verdient, dass man ...« Sie unterbricht sich, dann fragt sie: »Kann ich als Angehörige eigentlich eine Obduktion verlangen?«

Jule schüttelt den Kopf. »Voraussetzung für eine Leichenöffnung ist eine richterliche Anordnung, die nach einem entsprechenden Antrag der Staatsanwaltschaft getroffen wird.«

»Bächle, Rechtsmedizin.«

»Hauptkommissar Völxen hier. Verehrter Dr. Bächle, ich habe ein Anliegen. Ich lasse Ihnen noch heute die Leiche eines neunzigjährigen Mannes zukommen, es handelt sich um Heiner Felk, den Vater unserer Osterfeuerleiche. Wäre es eventuell möglich, diese Leichenschau vorzuziehen, damit, falls sich kein Verdacht einer Fremdeinwirkung ergibt, die Beerdigung am Freitag planmäßig durchgeführt werden kann?«

»Klar, Herr Kommissar, mir hend ja sonscht nix zum tun.«

»Dr. Bächle, ich flehe Sie an. Ich komme sonst arg in die Bredouille. Es ist eine überaus heikle Situation, wenn man im eigenen Dorf ermitteln muss. Und wenn ich denen die Beerdigung vermassle, womöglich grundlos, dann …«

»Ha jo, des verschteh i doch, i komm doch au' vom Dorf«, lenkt der Mediziner ein. »Also gut. Wir tun unser Beschtes, Herr Kommissar!«

»Ich danke Ihnen. Und achten Sie besonders auf den toxischen Befund.«

»Isch scho recht!«

Völxen atmet auf. So, das wäre erledigt. Aber was ist nun mit Gutensohn? Warum hat der Mann ihm gegenüber die Sache mit dem Hund nicht erwähnt? Ist es möglich, fragt sich Völxen, dass ein Mensch einen anderen erschießt und danach dessen Hund ins Tierheim bringt? Es soll ja auch tierliebe Mörder geben.

Der Kommissar nimmt einen großen Schluck Pfefferminztee aus seiner verhassten Schaftasse und überlegt weiter. Was hätte ich als Täter in dieser Situation getan? Den Hund erschießen bringe ich nicht fertig, ihn einfach dalassen geht auch nicht, weil das Tier durch sein Verhalten womöglich vorzeitig verraten hätte, wo die Leiche seines Herrchens liegt. Also muss ich den Hund entweder zu Hause einsperren, und wenn das nicht geht, weil das Gebell in der Nachbarschaft auffallen würde, muss ich ihn weit weg vom Tatort aussetzen. Das wäre vernünftig und logisch. Ihn mit dem eigenen Wagen persönlich ins nächstgelegene Tierheim zu bringen ist aus Tätersicht ziemlich dämlich. Und Gutensohn ist kein Trottel, er verfügt über eine gehörige Portion Bauernschläue, schon von Berufs wegen. Weshalb ihn diese Tierheimaktion in Völxens Augen sogar eher entlastet. Allerdings hat Völxen schon oft genug erlebt, dass sich Täter weder vernünftig noch logisch verhalten – ein Grund für die hohe Aufklärungsquote seines Dezernats. Mal angenommen, Gutensohn ist unschuldig: Warum wollte er im Tierheim seinen Namen nicht nennen? Warum bringt er den Hund überhaupt ins Tierheim und nicht zu seinem Herrn zurück? Weil er den Hund entweder nicht erkennt oder weil Felk nicht zu Hause ist. Völxen hat genug von seiner Grübelei. Er wird Gutensohn vorladen und bei der Gelegenheit sein Fahrzeug beschlagnahmen und es zur KTU bringen lassen. Aber wenn er der Täter ist? Ahnt er dann nicht, was diese Vorladung bedeutet? Was, wenn er flieht? Eine innere Stimme sagt Völxen jedoch, dass Gutensohn nicht fliehen wird. Wie bitte? Innere Stimme? Das ist bodenloser Leichtsinn, Herr Hauptkommissar. Würden seine Mitarbeiter so handeln, würde er ihnen gehörig die Leviten lesen. Egal, ich werde es dennoch riskieren, beschließt Völxen und greift zum Hörer, um den Verdächtigen einzubestellen.

Fernando brütet schon den ganzen Vormittag über den Steuerunterlagen, die Jule aus Roland Felks Haus mitgenommen hat. Seit drei Jahren wirft die Praxis einen Gewinn ab, der im letzten Jahr knapp 80 000 Euro betrug. In den Jahren davor waren es 60- und 50 000. Diese Summen musste sich Dr. Felk mit Herrn Tang teilen. Demnach schwamm er nicht im Geld, aber die Tendenz war ganz klar steigend. Schon beeindruckend, findet Fernando, wie man an leichtgläubigen Menschen Geld verdienen kann. Außerdem, so vermutet er, läuft in so einem Laden bestimmt einiges bar und unter der Hand, da Quantenheilung, Lichtarbeit, Meditations-CDs und ähnliche Leistungen ja ohnehin nicht von den Krankenkassen bezahlt werden. Wo steckt Jule überhaupt so lange? Unmöglich von ihr, mir den langweiligen Kram aufzuhalsen und auf Nimmerwiedersehen zu verschwinden. Es ist halb eins, sein Magen knurrt. Zeit fürs Mittagessen, beschließt er und begibt sich hinunter in die Kantine. An einem der Tische sitzt Oda mit einem blonden Mädchen und winkt Fernando zu. Der grüßt zurück und stellt sich mit seinem Tablett vor die Theke. Es gibt Lammbraten mit Bohnen und Bratkartoffeln. Fernando gibt seine Bestellung auf. Nachdem er bezahlt hat, hört er Odas Stimme: »Fernando, setz dich zu uns. Veronika hat mir die Ehre erwiesen, sie zum Mittagessen einladen zu dürfen.«

»Hi, Fernando.« Veronika hebt die Hand und lächelt.

Klare blaue Augen, elegant geschwungene Brauen, ein etwas strenger Mund – die Ähnlichkeit mit Oda ist frappierend. Dazu kinnlange blonde Haare, nur einen Tick dunkler als die hellblonden ihrer Mutter.

»Was ist? Hat es dir die Sprache verschlagen?«, wundert sich Oda.

»Nein. Ich ... will euch nicht stören.«

»Du störst nicht. Ich hol mir noch Kaffee. Für dich auch, Veronika?«

»Nö.«

Fernando setzt sich hin, während Oda zur Theke geht.

»Guten Appetit«, wünscht Veronika.

»Danke.«

»Ist was?«, fragt sie Fernando, der sie pausenlos anstarrt und dabei versucht, sich die Gesichtszüge des schwarzhaarigen Mädchens ins Gedächtnis zu rufen, das er im Pavillon bei der Band *Chorprobe* gesehen hat.

»Seit wann hast du blonde Haare?«, fragt er Veronika.

»Seit meiner Geburt.«

»Aber waren die nicht neulich noch schwarz?«

»Das war vor über einem Jahr«, erklärt Veronika. »Da hatte ich mal meine schwarze Phase.«

»Existenzialismus?«

»Nein. Grufti.«

»Sieht hübscher aus, das Blond.«

»Frau Wedekin, ich weiß nicht, ob es Ihnen schon aufgefallen ist, aber da ist ein Hund in Ihrem Büro.« Hauptkommissar Völxen lehnt mit verschränkten Armen und gerunzelter Stirn im Türrahmen.

»Das ist Oscar. Bei Anna Felk kann er nicht bleiben, weil die einen Kater hat. Und Oscar mag keine Katzen.«

»Verständlich. Ich habe es auch nicht gerne, wenn die Biester ihre monströsen Haufen in unsere Blumenbeete setzen, aber warum bringen Sie ihn auf unsere Dienststelle?«, fragt Völxen, wobei er versucht, dem Blick der Hundeaugen auszuweichen, die ihn anhimmeln, als sei er der Messias.

»Er ist ganz lieb«, meint Jule. »Solange keine Katze in der Nähe ist.« Jule hat ihm eine karierte Decke organisiert und ihn vorsichtshalber am Heizkörper angebunden.

»Das beantwortet nicht meine Frage.«

»Ich dachte, Sie könnten ihn vielleicht nach Feierabend

zu den Felks auf das Gut bringen, auf dem Heimweg sozusagen. Dort wäre er doch gut aufgehoben.«

»Wissen die davon?«

»Äh ... nein. Ich finde, es ist besser, wenn sie ihn gleich sehen. Dann können sie nicht so leicht Nein sagen.«

»Hm.« Völxen beugt sich hinab zu Oscar, der daraufhin in ekstatisches Schwanzwedeln verfällt. Der Kommissar kann gerade noch verhindern, dass der Hund ihm das Gesicht ableckt. »Pfui, lass das!«

»Das ist eine Beschwichtigungsgeste. Es bedeutet, dass er Sie als Alphatier anerkennt«, erklärt Jule.

»Ein kluges Tier.« Völxen richtet sich wieder auf. »Gut, meinetwegen, ich liefere ihn heute Abend dort ab«, stöhnt er. »Haben Sie sonst noch etwas erreicht an diesem Vormittag?«

»Ja, durchaus. Anna Felk wusste nichts von den geplanten Grundstücksgeschäften ihres Großvaters. Sie vermutet, dass er das Geld Thelma de Winter geben wollte, für die Ausbildung ihrer Kinder. Er scheint auf seine alten Tage ein schlechtes Gewissen bekommen zu haben, obwohl er selbst erst zwanzig war, als die Sommerfelds deportiert wurden und sein Vater Ludwig das Gut von den Nazis gekauft hat.«

»Vielleicht eine Folge von Altersdemenz«, überlegt Völxen. »Längst Vergangenes wird plötzlich wieder ganz lebendig, während man sich gleichzeitig nicht mehr daran erinnert, was man gestern getan hat.«

»Ja, könnte sein. Anna sagte außerdem: ›Wenn Martha das gewusst hat, dann hat sie ihn umgebracht.‹ Sie meinte damit den geplanten Verkauf der Felder. Deshalb wollte ich Sie fragen, ob wir nicht doch eine Obduktion beantragen sollten.«

»Das habe ich bereits in die Wege geleitet«, antwortet Völxen. »Sagen Sie, hat der Hund schon was zu fressen bekommen?«

»Nein«, gesteht Jule. »Ich wollte gerade mal nachsehen, was es in der Kantine so für ihn gibt.«

»Lammbraten!«

»Oh. Das ... das ist wohl nicht so ... geeignet.«

»Richtig«, knurrt Völxen. »Besorgen Sie Hundefutter. Und er braucht eine Schüssel Wasser.«

»Ich kümmere mich darum.« Jule stürzt eifrig aus dem Zimmer, wobei sie Frau Cebulla anrempelt, die auf der Suche nach Hauptkommissar Völxen ist. »Tschuldigung!«

»Schon gut. Herr Hauptkommissar, ein Herr Gutensohn wartet auf Sie.«

»Das trifft sich ja hervorragend«, meint Völxen erleichtert.

Karl-Heinz Gutensohn sitzt vor Völxens Schreibtisch und spielt mit dem DS-Modell, als Völxen mit dem Hund in sein Büro spaziert. Ihnen folgt Oda, die Völxen gebeten hat, mitzukommen: »Ich möchte, dass du ihn dir anschaust.«

Als Gutensohn den Hund sieht, geht ein Ruck durch seine gedrungene Gestalt, und er fängt an, nervös zu blinzeln.

»Danke, dass Sie gekommen sind, Herr Gutensohn, ich hätte noch ein paar Fragen an Sie«, begrüßt ihn Völxen. »Als Erstes: Kennen Sie diesen Hund?«

»Natürlich«, seufzt Gutensohn. »Der gehörte Felk.«

Völxen lässt sich hinter seinem Schreibtisch nieder und bringt sein DS-Modell außer Reichweite des Besuchers. Oda nimmt schräg hinter Völxen im Sessel Platz, nachdem sie Gutensohn begrüßt und sich vorgestellt hat. Völxen verschränkt die Arme vor der Brust und sagt: »Jetzt erzählen Sie mal.«

Der Jäger gibt an, er habe den Hund bei seiner Pirschfahrt am Morgen des Ostersonntags beim Streunen am Fuß des Süllbergs beobachtet, ihn gerufen und ins Auto gepackt.

Schon zigmal habe er Roland Felk darauf hingewiesen, dass es nicht ginge, dass sein Hund im Revier herumstreunt. Sogar die Erschießung des Tieres habe er ihm schon angedroht, freilich eine leere Drohung, denn so etwas würde er nie fertigbringen. Dieses Mal habe er Roland Felk eine Lektion erteilen wollen. Er habe angenommen, dass Felk seinen Hund erst ein paar Tage lang vergeblich im Revier suchen und sich Sorgen um ihn machen würde, ehe er auf die Idee käme, im Tierheim anzurufen. »Außerdem muss er dann für die Unterkunft blechen, wenn er ihn abholt. Ich dachte, das wäre mal ein guter Denkzettel für ihn. Und damit er nicht erfährt, wer den Hund abgegeben hat, wollte ich dort meinen Namen nicht nennen«, schließt Gutensohn seinen Bericht.

»Warum haben Sie mir das nicht schon gestern erzählt?«, fragt Völxen.

»Weil ich verhindern wollte, dass Sie das denken, was Sie jetzt denken.«

»Und was denke ich?«

Gutensohn sieht Völxen aus blutunterlaufenen Augen an: »Herr Kommissar, ich schwöre Ihnen, ich habe nur den verdammten Köter aufgelesen. Hätte ich Felk erschossen, würde ich doch den Hund nicht im Tierheim abliefern, so blöd wäre ich doch nicht.«

Völxen muss dem Mann im Stillen recht geben und macht Oda ein kleines Zeichen, woraufhin sie das Wort ergreift: »Herr Gutensohn, ich habe vorhin mit Ihrer Exfrau gesprochen. Sie hat angegeben, dass Sie gedroht haben, Felk zu erschießen, nachdem Sie hinter das Verhältnis der beiden gekommen sind.«

»Ja, und?«, erwidert Gutensohn mürrisch. »Das ist drei Jahre her. Inzwischen hätte ich ihn schon oft erschießen können, glauben Sie nicht?«

Keiner antwortet ihm. Völxen tut der Mann leid.

Gutensohn atmet schwer und fragt dann den Kommissar: »Haben Sie es schon mal erlebt, dass Ihr ganzes Leben auf einmal in sich zusammenfällt wie ein Kartenhaus? Da sagt man schon mal Dinge, die man nicht so meint.«

»Sicher«, sagt Oda. »Nur ist Felk jetzt tot. Und irgendwer hat ihn erschossen.«

Gutensohn schüttelt langsam seinen schweren Kopf. »Das ging ja gar nicht lange. Der hat sie ja ziemlich schnell wieder abserviert, der feine Herr Doktor. Ich hätte ihr ja verziehen, wenn sie nur zurückgekommen wäre, wenigstens dem Jungen zuliebe. Ich habe sie regelrecht angefleht. Aber sie wollte nicht. Sie hatte schon gleich den Nächsten. Den, den sie jetzt geheiratet hat, einen Kreditsachbearbeiter bei der Sparkasse. Großartig, nicht wahr?«

Dieses Mal schaut er Oda Mitgefühl heischend an. Die fragt: »War Ihr Sohn Torsten auch wütend auf Roland Felk?«

Gutensohn antwortet barsch: »Unsinn. Der weiß von nichts.«

»Ihre Exfrau sagt, es gab lautstarke Auseinandersetzungen. Und er war ja kein kleines Kind mehr. Wenn er es nicht von Ihnen gehört hat, dann durch den Dorfklatsch.«

Der Blick des Befragten wandert unruhig zwischen Oda und Völxen hin und her, dann sagt er drohend: »Lassen Sie meinen Jungen aus dem Spiel! Der hat nichts getan.«

»Woher wollen Sie das so genau wissen?«, fragt Oda.

»Weil ich ihn kenne.«

»Eltern wissen viele Dinge nicht, glauben Sie mir. Haben Sie mit ihm gesprochen, als er am Sonntagmorgen nach Hause gekommen ist?«

»Ja, aber nur ganz kurz. Er war müde, und er hat gefroren und wollte nur noch ins Bett. Das ist aber wohl normal nach so einer Nacht im Freien, oder?«

Völxen ergreift das Wort: »Sind Sie jetzt mit Ihrem Wagen hergekommen?«

»Ja, wieso?«

»Sie können gehen, Herr Gutensohn, aber wir müssen Ihren Wagen dabehalten und ihn kriminaltechnisch untersuchen lassen.«

»Wie lange dauert das?«

»Es kann schon ein paar Tage dauern. Wenn Sie wollen, bringt Sie jemand zur S-Bahn.«

»Danke. Den Weg finde ich selber«, zischt Gutensohn.

»Dann darf ich Sie um die Schlüssel bitten. Wo steht der Wagen?«

Der Jäger knallt den Schlüssel auf den Schreibtisch. »Am Schützenplatz.« Er rauscht hinaus.

»Das ist ja ein niedliches Kerlchen«, meint Oda nach einem Blick unter Völxens Schreibtisch.

»Gutensohn?«

»Der Hund. Willst du ihn nicht behalten? Der könnte deinen Schafbock zur Raison bringen.«

»Das ist ein Jagdhund, kein Schäferhund.«

»Das weiß der Bock doch nicht.«

Oscar lässt ein leises Bellen hören. Gleich darauf kommt Jule herein, eine Tüte Hundefutter im Arm. »Ach, hier ist er! Oscar, komm mit, es gibt Fresschen.« Jule raschelt mit der Tüte, aber der Angesprochene rührt sich nicht von der Stelle.

»Versuch's doch mal mit 'nem saftigen Lammkotelett«, spöttelt Oda.

Völxen überhört die Bemerkung und sagt zu Jule: »Holen Sie bitte mal den Spanier her, wir müssen besprechen, wie es jetzt weitergeht.«

Wenig später sitzen sie bei Kaffee und Keksen um den kleinen Konferenztisch. »Was den Tod von Heiner Felk betrifft, warten wir das Ergebnis der Obduktion ab, ehe wir irgendetwas unternehmen«, verkündet Völxen. »Irgendwelche Einwände?«

Kopfschütteln.

»Dann zu Roland Felk: Bis jetzt ist Gutensohn unser Hauptverdächtiger. Er hat Gründe genug, Felk zu hassen, und er hat kein Alibi für die Tatzeit. Für einen Haftbefehl reicht das natürlich nicht, wir müssen abwarten, ob sich in seinem Wagen Spuren finden. Allerdings haben seine Jagdkollegen auch nur schwache Alibis, nämlich von ihren jeweiligen Ehefrauen. Ein Motiv sehe ich bei diesen beiden aber bis jetzt keines.«

»Ernst Felk hat auch kein Alibi für den Sonntagmorgen«, sagt Jule. »Aber ich wüsste bei ihm ebenfalls keinen Grund, warum er seinen jüngeren Bruder umbringen sollte. Dasselbe gilt für die Tochter: kein Alibi, aber auch kein Motiv. Wenn man mal davon absieht, dass sie eine satte Lebensversicherung von 150 000 Euro kassiert.«

»Du denkst doch nicht, dass Anna deswegen ihren Vater erschossen hat?«, ereifert sich Fernando. »Und das zwei Tage, nachdem ihr Großvater …«

»Nein, das denke ich nicht«, wiegelt Jule ab. »Aber man kann so eine Summe ja auch nicht einfach unter den Tisch fallen lassen.«

»Dann wäre da noch Konrad Klausner, der auch kein Alibi und ein starkes Motiv hat«, meldet sich Oda zu Wort. »Allerdings glaube ich nicht, dass er es war. Der weiß ja jetzt gar nicht mehr, womit er sich die Zeit vertreiben soll. Und Frau Walter, geschiedene Gutensohn, hat ein neues Leben, die wird den Teufel tun und morgens um sechs ihrem Exgeliebten durch den Wald nachschleichen, um ihn zu erschießen.«

»Hm«, macht Völxen unzufrieden. »Also haben wir am Tag drei unserer Ermittlungen nur ein paar lausige Motive, so gut wie keine Indizien und null Beweise. Stattdessen wühlen wir gerade irgendwelchen braunen Sumpf auf und haben unter Umständen noch einen zweiten ungeklärten Mordfall am Hacken. Sehe ich das richtig?«

»Wenn du es so formulieren möchtest – ja«, meint Oda.

»Die Frage ist: Wie formuliere ich das für die Presse? Markstein von der *Bild* klebt mir am Arsch wie ein Putzerfisch!«

»Die müssen sich eben gedulden«, sagt Fernando. »Es stehen ja noch einige Untersuchungsergebnisse aus, auf die wir keinen direkten Einfluss haben. Was ist zum Beispiel mit dem Wagen von diesem verrückten Klausner, wurde der schon untersucht?«

»Noch nicht fertig. Die oberflächliche Untersuchung mit Luminol hat keine Blutflecken zutage gefördert. Ich mach denen aber gleich mal ein bisschen Dampf«, sagt Oda. »Außerdem müssen wir noch rauskriegen, wem die E-Mail-Adresse *Deepblue1208* gehört. Die Mails will Gutensohns Exfrau nicht geschrieben haben. Das war den Daten nach auch eher ihre Nachfolgerin.«

»Kriegen wir die IP-Adresse raus?«, fragt Völxen.

»Schwierig«, meint Fernando. »Die Adresse wurde in letzter Zeit nicht benutzt, so weit bin ich schon. Die Mails sind drei Jahre alt, so lange speichert kein Provider die Daten der Kunden. Wenn man bei den großen Providern wie *Hotmail* die Adresse länger nicht mehr benutzt, dann wird sie abgeschaltet oder auch neu vergeben.«

»*Merde*«, schimpft Oda.

»Keine Sorge, Babe, ich habe einen Kumpel beim LKA, der schuldet mir noch einen Gefallen.« Fernando zwinkert Oda zu und setzt sein Machogrinsen auf.

»Na, siehst du, Völxen, es läuft doch. Don Rodriguez hat alles im Griff«, lästert Oda.

»Ja, nur dauert das alles«, brummt dieser unwillig.

»Ich würde ja dafür plädieren, dass wir uns die drei Jungs, die die Nacht neben der Feuerstelle verbracht haben, noch mal vorknöpfen«, meint Oda. »Wenn ich mir nämlich dieses Vernehmungsprotokoll so ansehe – mit Verlaub:

Ich glaube, die haben euch verarscht. Erst wollen sie alle wach gewesen sein, dann haben sie plötzlich alle geschlafen ... Inzwischen wissen wir ja, dass zumindest einer von ihnen Grund gehabt hat, Felk zu hassen, nämlich Torsten Gutensohn. Vielleicht gibt er genau wie sein Vater Roland Felk die Schuld daran, dass er seine Mutter jetzt kaum noch sieht.«

»Bitte, Frau Psychologin, dann nimm sie dir noch mal vor«, sagt Fernando eingeschnappt.

Oda gönnt ihm ein charmantes Lächeln und sagt: »Das soll jetzt nicht despektierlich klingen, aber ihr jungen, kinderlosen Menschen habt keine Vorstellung davon, wie scheinheilig, hinterlistig und brutal Teenager sein können. Ich als altes Muttertier dagegen habe damit mehr Erfahrung, als ich mir wünsche. Und ich wette mit euch: Da stimmt was nicht!«

»Kann schon sein, dass die uns angelogen haben«, räumt nun auch Jule ein.

»Gut, dann fahrt noch mal raus, holt sie ab, bringt sie hierher und nehmt sie in die Mangel«, entscheidet Völxen. »Aber dieses Mal jeden einzeln.«

»Schon wieder aufs Land! Ich krieg noch den Landkoller. Und nur, weil Oda rumspinnt«, mault Fernando, als er am Steuer sitzt und Richtung Deister fährt. Jule sagt nichts dazu. Sie hat inzwischen gelernt, Odas Instinkt zu vertrauen, denn der trügt sie nur selten.

»Sag mal, wohnt dein Macker jetzt wirklich bei dir?«, fragt Fernando unvermittelt, als sie auf die Hauptstraße einbiegen.

Verflucht! Kaum ist mal eine halbe Stunde vergangen, in der sie nicht an ihr Unglück erinnert wurde, schon muss dieses unsensible Trampeltier davon anfangen. »Nein«, antwortet Jule knapp.

»Aber gestern hast du doch …«

»Gestern war gestern, und heute ist heute«, faucht Jule.

»Okay, okay«, wehrt Fernando ab. »Deswegen musst du mich nicht gleich fressen.«

»Ich möchte jetzt nicht darüber sprechen.« Jule presst ihre Lippen aufeinander. Als sie merkt, wie ihr erneut die Tränen in die Augen schießen, wendet sie den Kopf und schaut stur zum Seitenfenster hinaus. Bloß nicht heulen, nicht vor Fernando!

»Tut mir leid«, sagt Fernando nach ein paar Minuten. Ohne den Blick von der Straße zu nehmen, reicht er ihr ein Papiertaschentuch. »Deine Wimperntusche.«

»Danke.« Jule klappt die Sonnenblende herunter und flucht: »Verdammt noch mal, warum hat dieser Wagen keinen Kosmetikspiegel, wo gibt's denn so was?«

Fernando biegt wortlos den Rückspiegel in ihre Richtung, und Jule bringt den Schaden wieder in Ordnung.

»Was machst du am Samstagabend?«

»Also wirklich!«, empört sich Jule. »Denk bloß nicht, dass du mich trösten musst.« Oder dass ich eine leichte Beute bin, fügt sie in Gedanken hinzu.

Fernando seufzt gequält. »Gut, noch mal von vorn. Du warst gestern bei meiner Mutter im Laden.«

»Ja. Ist das verboten?«

Fernando reibt sich sein Kinn mit dem Dreitagebart, wie immer, wenn er verlegen ist, dann rückt er heraus. »Meine Mutter hat Mist gebaut. Sie hat dich Tante Esmeralda als meine Verlobte vorgestellt.«

»Was?!« Jule reißt die Augen auf, dann erinnert sie sich an die seltsame Szene: das Palaver der beiden Frauen, die Abschiedsküsse von Pedra. »Wieso hat sie das gemacht?«

»Weil ihre Tante, dieser garstige alte Besen, sie ständig mit Fragen genervt hat: warum ich noch nicht verheiratet bin, ob ich eine Freundin habe … Zuletzt hat sie sogar gefragt, ob ich schwul sei. Und dann kamst du in den Laden gestolpert ...«

»Na, dann ist ja alles bestens.«

»Nicht ganz«, druckst Fernando herum.

»Wieso. Müssen wir jetzt heiraten?«

»Nein. Aber am Sonntag fliegt Esmeralda zurück, und am Samstag möchte sie unbedingt, dass meine Verlobte zum Essen kommt. Es gibt Lammrücken.«

»Seid ihr verrückt?«

»Entschuldige! Dieses Mal kann ich wirklich nichts dafür. Was glaubst du, was ich Mama gestern erzählt habe? Aber jetzt sitzt sie in der Tinte und lässt dich inständig durch mich bitten, zu kommen und die Komödie mitzuspielen, damit die gute Esmeralda beruhigt nach Hause fliegen kann. Dafür darfst du auf Lebenszeit umsonst Tapas bei ihr essen.«

Jetzt ärgert sich Jule noch mehr, dass sie gestern nicht darauf bestanden hat, die Sachen zu bezahlen. »Ihr habt vielleicht Nerven!«

»Nun komm schon, das ist doch nicht schwierig. Zumal sie kein Wort Deutsch kann und du kein Spanisch. Du musst einfach nur da sein, und ich übersetze, was du sagst.«

»Muss ich dich auch küssen?«

Fernando grinst. »Schaden kann's nicht.«

»Vergiss es.«

»Nein, natürlich nicht. Tante Esmeralda würde es gar nicht schätzen, wenn man vor ihr Zärtlichkeiten austauscht, sie ist katholischer als der Papst. Ich nehme höchstens mal deine Hand und schau dir verliebt in die Augen.«

»Und ich muss verliebt zurückschauen?«

»Wenn's dir nichts ausmacht.« Fernando wirft ihr einen schmachtenden Blick zu.

»Schau gefälligst auf die Straße.«

»Also kommst du?«

Jule verdreht die Augen und fragt: »Was heißt Verlobte auf Spanisch?«

»*La prometida.*«

Jule und Fernando läuten zuerst bei den Gutensohns, aber dort öffnet niemand.

»Versuchen wir es in Lüdersen bei seinem Freund Ole«, schlägt Jule vor.

Am Zaun, der die Einfahrt zum Anwesen der Familie Lammers einfriedet, steht ein Pferd zum Ausritt bereit, in der Einfahrt parken ein *Toyota Land Cruiser* und zwei Mopeds. »Respektabler Landsitz«, bemerkt Fernando, als er den Motor abstellt. Sie steigen aus und gehen auf eine schlanke Frau mit zimtfarbenem Haar zu, die bei ihrem Pferd gerade den Sattelgurt anzieht. Jule stellt ihren Kollegen und sich selbst vor. »Frau Lammers, nehme ich an? Wir würden gern noch einmal mit Ihrem Sohn sprechen. Und mit dessen Freund Torsten, falls der auch da ist.«

»Worum geht es denn?« Sie kommt langsam näher. Mit den teuren Reitstiefeln, den lederbesetzten Reithosen und der karierten Steppweste sieht sie aus wie eine Landadelige aus einem Pilcher-Film. »Die Jungs waren doch erst gestern bei Ihnen zum Verhör.«

»Das war kein Verhör, sondern eine Zeugenbefragung«, stellt Fernando richtig.

»Es haben sich neue Fakten ergeben, und wir müssen noch ein paar Details abklären«, erklärt Jule, während Fernando die ansprechende Fassade des zur Nobelresidenz umfunktionierten Bauernhauses mustert. Ihm ist, als ob in einem der oberen Fenster für einen Sekundenbruchteil ein Kopf sichtbar geworden ist.

»Kommen Sie herein«, sagt Friederike Lammers. Falls sie sich über die erneute Befragung ihres Sohnes ärgert, verbirgt sie es geschickt hinter einer Maske der Höflichkeit. Die beiden Beamten folgen ihr und werden in eine Bibliothek mit einem Kamin geführt. Der Herr des Hauses scheint nicht da zu sein.

»Nehmen Sie doch Platz.« Sie deutet auf ein ledernes Sofa. »Kann ich Ihnen etwas anbieten?«

»Nein danke«, sagt Fernando, und auch Jule schüttelt den Kopf. Noch lassen sie Frau Lammers in dem Glauben, dass sie die Jungs hier im Haus befragen wollen.

»Die beiden sind oben und lernen, ich hole sie.« Sie entschwindet, man hört die Tritte ihrer Reitstiefel auf der hölzernen Treppe.

Fernando sieht sich in dem Raum um. »Doch, ja, sehr nett hier. Gibt es eigentlich auch eine Sendung, die *Bäuerin sucht Mann* heißt?«

Von draußen klingt es, als würde man dicke Holzscheite die Stufen hinunterwerfen. Jule und Fernando sind aufgestanden, um die Jungs in Empfang zu nehmen, aber es geschieht nichts. Niemand betritt den Raum. Vor dem Haus knattert ein Motor.

»Verdammte Scheiße, der haut ab!« Fernando stürzt aus dem Zimmer, gefolgt von Jule. In der Eingangshalle, deren Tür weit geöffnet ist, stehen Ole Lammers und seine Mutter, Letztere hat eine Hand auf den Mund gepresst, als wolle sie einen Schrei zurückhalten. Jule und Fernando rennen ins Freie. Hinter der Pferdekoppel holpert ein Moped über die Wiese. Fernando rennt zum Auto, aber Jule ruft ihm zu: »Lass! Damit kommen wir nicht weit.« Sie hat eine bessere Idee. »Sie gestatten«, sagt sie zu Frau Lammers, die nun ebenfalls auf dem Hof steht. Ehe sie begreift, was Jule vorhat, und antworten kann, hat diese das Pferd losgebunden, sich in den Sattel geschwungen und prescht aus der Einfahrt, dem fliehenden Torsten Gutensohn hinterher.

Frau Lammers ist für ein paar Momente sprachlos,

ebenso Fernando, der sich jedoch rasch fängt, sein Telefon zückt und eine Streife ruft.

»Komm ja nicht auf dumme Ideen, sonst verpass ich dir Handschellen«, sagt er dann zu Ole Lammers, der seinem Kumpel mit offenem Mund hinterherstarrt.

Oles Mutter wirft Fernando einen tadelnden Blick zu. Sie verliert angesichts der Ereignisse keineswegs die Fassung, sondern ist noch immer ganz Dame. »Wenn dem Pferd etwas passiert, werde ich Ihre Kollegin haftbar machen«, kündigt sie an, und zu ihrem Sohn sagt sie: »Was immer geschieht, Ole, du sagst kein Wort, ohne vorher mit unserem Anwalt gesprochen zu haben, hast du verstanden?« Der Junge nickt kaum merklich, und seine Mutter verschwindet im Haus, vermutlich, um mit dem Anwalt zu telefonieren, während Ole und Fernando beobachten, wie Jule mit fliegendem Haar in Richtung Süllberg reitet.

Die Stute kommt auf dem weichen Boden des frisch eingesäten Ackers nicht allzu schnell voran. Jule verzichtet darauf, das Tier anzutreiben, es hätte im Moment wenig Sinn. Auch das Moped sinkt tief in die Erde ein und bewegt sich nur schlingernd vorwärts. Torsten hat den Acker nun fast durchquert und hält auf einen ungepflasterten Weg zu, der an einem Hang entlang zum bewaldeten Süllberg hinaufführt. Ein Graben am Rand des Feldes kostet ihn Zeit, er muss sogar absteigen und sein Gefährt durch den Graben wuchten. Doch kaum hat er den Feldweg erreicht, kann Jule hören, wie der Junge Gas gibt. Sand und Dreck spritzen auf, eine bläuliche Abgasfahne steht in der Luft. Kurze Zeit später hat auch das Pferd den Weg erreicht, doch anders als das Moped nimmt die braune Stute den Graben mit einem lässigen Sprung. Nun hat sie wieder festeren Boden unter den Hufen, und Jule lässt dem Tier auf dem sandigen Weg freien Lauf. Der Abstand zu dem Flüchtenden verringert sich rasch, und kurz vor dem Waldrand ist das Moped nur noch wenige Pferdelängen weit entfernt. Jule steht jetzt im Sattel und treibt das Pferd zur Eile an. Wenn es Torsten gelingt, im Wald zu verschwinden, hat sie schlechte Karten, denn das Moped ist kleiner und wendiger als sie mit dem Pferd. Außerdem möchte sie die Gesundheit des Tieres nicht gefährden. »Polizei. Anhalten und absteigen!«, brüllt Jule, doch wahrscheinlich kann Torsten sie wegen des Geknatters des überdrehten Motors gar nicht hören. Normalerweise wäre nun ein Warnschuss angebracht, doch Jule will weder die Zügel loslassen noch das Pferd durch den Schuss erschrecken.

Der Wald besteht an dieser Stelle aus hohen Bäumen, zwischen denen sich Brombeerranken ausgebreitet haben. Da hinein wagt sich auch Torsten nicht, er bleibt am Waldrand. Der Weg, der dort entlangführt, ist nicht gerade das, was man einen gepflegten Reitweg nennt. Er liegt auf der Nordseite des Waldes, wo kaum ein Sonnenstrahl hinkommt, der Boden ist aufgeweicht, schwere Fahrzeuge haben bei der Holzernte tiefe Spurrillen hinterlassen. Zweimal rutschen der Stute die Hinterbeine weg, danach bevorzugt Jule den Acker. Doch auch hier ist Jule nicht schneller als Torsten, die beiden bleiben eine ganze Weile gleichauf. Ein eingezäuntes Grundstück zwingt Jule auf den schlammigen Weg zurück. Vor ihr rutscht das Moped über den Dreck. Der Fahrer ist inzwischen so schmutzig, dass man ihn kaum noch erkennt. Ähnliches gilt für das Pferd, das noch vor wenigen Minuten frisch gestriegelt in der Einfahrt gestanden hat. Frau Lammers wird nicht begeistert sein, befürchtet Jule.

Rechts neben dem Weg taucht eine Senke auf, die mit Gras bewachsen ist. Torsten sieht offenbar ein, dass er auf dem matschigen Weg nicht schnell genug vorankommt, und biegt auf die Stoppelweide ein. Unterhalb der Senke verläuft ein asphaltierter Weg, offenbar das Ziel des Flüchtenden. Der jedoch hat die Beschaffenheit der Weide unterschätzt. Sein Moped hat schwer mit den Unebenheiten zu kämpfen, im Slalom geht es zwischen den Maulwurfshügeln hindurch, immer wieder muss er sich mit den Beinen abstützen.

Für das Pferd hingegen ist die Weide ein akzeptabler Untergrund. Die Hufe greifen weit aus, und würde Jule nicht gerade einen Verdächtigen verfolgen, dann würde sie den Ritt sogar genießen. Die Stute überholt das Moped in einem weiten Bogen, und Jule bringt das Pferd zwischen dem Weg und dem Verfolgten zum Stehen. Doch Torsten hat nicht die Absicht, klein beizugeben. Er ändert die Richtung und versucht, links von ihr die Asphaltpiste zu erreichen. Jule durchschaut den simplen Plan und schneidet ihm den Weg ab.

»Gib's auf!«, ruft sie ihm zu.

Torsten hält an. Hat er begriffen, dass er keine Chance hat? Noch nicht. Er wendet auf der Stelle und will den Berg wieder hinauf. Er gibt viel zu viel Gas, Gras und Erde spritzen in die Höhe, die Reifen fressen sich tief in den Boden. Als sie endlich greifen, steht Jule mit dem Pferd längst vor ihm wie der Igel vor dem Hasen. Nun wartet sie keine weiteren Manöver des Jungen ab. Sie springt aus dem Sattel, stellt sich ihm in den Weg und richtet ihre Waffe auf ihn. »Absteigen! Sofort! Oder ich schieße.«

Doch Torsten gibt Gas. Jule reicht es jetzt endgültig. Der Knall aus ihrer Waffe hallt von den Hängen wider. Torsten würgt vor Schreck den Motor ab, das Moped fällt zur Seite, er springt ab. Der Vorderreifen, der sich noch immer in der Luft dreht, hängt in Fetzen. Das Pferd hat, bis auf einen kleinen Sprung zur Seite, gelassen auf den Schuss reagiert. Nicht so Torsten. Mit zitternden Beinen steht er da. »Sie … Sie haben auf mein Moped geschossen«, stellt er fassungslos fest.

»Hab ich doch gesagt«, antwortet Jule. »Und ich tue es wieder, wenn du nicht spurst. Auf den Boden mit dir, Beine auseinander, Hände an den Hinterkopf.«

Eingeschüchtert gehorcht der Junge und legt sich ins feuchte Gras. Jule will gerade ihr Handy aus der Jackentasche holen, als sie ein Motorengeräusch hört. Ein schwarzer *Toyota Land Cruiser* donnert über die Wiese, sie kann Fernando am Steuer bis hierher grinsen sehen. Offenbar findet er gerade Gefallen am Landleben. Er hält an, steigt aus – »Geil, so ein Geländewagen!« – und deutet auf den Jungen, der noch immer am Boden liegt. »Blutiger Anfänger. Mich hättest du nicht gekriegt.«

»Schon klar«, antwortet Jule, die noch immer ihre Waffe in der rechten Hand hält und in der linken die Zügel. »Du kannst ihn mitnehmen. Ich reite zurück.« Sie steckt ihre Waffe ein.

»Du reitest am besten gleich bis in die PD«, meint Fernando. »So dreckig kommst du mir nicht in den Dienstwagen.«

»Nun mal im Ernst, Ole. Zuerst wollt ihr alle die ganze Nacht wach geblieben sein, dann habt ihr plötzlich alle tief und fest geschlafen – was stimmt denn nun?«

Der Junge mit dem ernsthaften Gesicht und dem zerzausten Haar reagiert auf Odas Frage, indem er seine abgekauten Fingernägel fixiert.

»Das stinkt doch zum Himmel! Meinst du nicht, es wäre an der Zeit, mit der Wahrheit herauszurücken?«

Schweigen.

»Ich unterstelle dir ja nicht, dass du etwas getan hast, aber du hast mit Sicherheit etwas beobachtet.«

Keine Antwort.

»Ole, du begreifst schon, dass eine Aussage in einem Mordfall nichts ist, was man aussitzen kann, nicht wahr?

Du kannst dir jetzt nur einen Gefallen tun, indem du uns hilfst. Einen Mörder zu decken ist keine Frage der Ehre, sondern ein Straftatbestand. Und einem Mörder zu helfen, eine Leiche zu verstecken, ist Beihilfe zum Mord, dafür wanderst du in den Knast, besonders dann, wenn du nicht geständig bist«, versucht es Oda – vergeblich. Ole Lammers hält sich an die Anweisung seiner Mutter und sagt kein Wort.

»Ole, es gibt zwei Möglichkeiten: Ich befrage dich jetzt hier als Zeugen, dann kannst du deine Aussage machen und kannst danach sofort gehen. Aber du musst eine Aussage machen, du hast als Zeuge kein Verweigerungsrecht. Hast du das verstanden?«

»Ja.«

»Aber wenn du weiterhin nichts sagst, dann vernehme ich dich als Beschuldigten. Dann hast du das Recht, die Aussage zu verweigern, aber dann gehst du erst einmal da drüben ...«, sie deutet aus dem Fenster auf den historischen Gefängnisbau gegenüber, »... für vierundzwanzig Stunden in Haft, und morgen lasse ich dich dem Haftrichter vorführen. Wenn der einen Haftbefehl ausstellt, dann kann das mit einigen Wochen oder Monaten U-Haft für dich enden. Und U-Haft ist kein Spaß, glaub mir ...«

»Torsten, warum bist du geflohen?«

»Ich hatte Panik.«

Immerhin! Der erste Satz, den Torsten seit einer Viertelstunde von sich gibt. Völxen tastet sich voran. »Was hat dich in Panik versetzt?«

Achselzucken.

»Torsten, hast du von der Beziehung deiner Mutter mit Roland Felk gewusst?«

Die Augen des Jungen verengen sich, aber er hält dem bohrenden Blick des Kommissars stand. Und schweigt.

»Du hast ihm die Schuld daran gegeben, dass sie jetzt nicht mehr bei euch wohnt, genau wie dein Vater, stimmt's?«

Torsten antwortet nicht.

»Du musst eine saumäßige Wut auf ihn gehabt haben. Das kann ich gut verstehen.«

Der Junge schaut durch ihn hindurch. Hauptkommissar Völxen holt tief Atem. »Also, noch mal ganz von vorn. Gestern habt ihr alle drei zunächst behauptet, dass ihr den ganzen Abend wach gewesen seid? Warum?«

Keine Antwort.

Völxen beißt die Zähne zusammen. Entgegen seiner sonstigen Gewohnheit vernimmt er den Jungen nicht in seinem Büro, sondern in dem winzigen Vernehmungszimmer, dessen schäbige Möbel nicht den geringsten Hauch von Gemütlichkeit aufkommen lassen. Oscar, der ihm seit heute Morgen wie ein Schatten folgt, liegt unter seinem Stuhl und schnarcht leise.

»Bei der Osterfeuerwache einzuschlafen wäre gegen die Ehre, nicht wahr?«

Torsten Gutensohn nickt kaum merklich. Völxen wirft einen Blick ins Protokoll. »Und das wolltet ihr vor eurem Kumpel Matze geheimhalten, kann das sein?«

Ein kurzes Flackern tritt in Torstens Blick, aber er hält standhaft den Mund.

»Aber als dann von dem Schuss die Rede war, wollt ihr plötzlich alle tief und fest geschlafen haben. Was ist nun wahr, Torsten? Wart ihr wach, oder habt ihr geschlafen?«

Schweigen.

»Torsten, es sieht nicht gut für dich aus. Du bist vor meinen Kollegen geflohen, also hast du etwas zu verbergen. Wenn du den Mund nicht aufmachst, dann landest du in U-Haft. Und das kann Monate dauern, ehe du da wieder rauskommst. Hast du eine Ahnung, wie es da zugeht? – Nein? – Das ist weit schlimmer als die normale Strafhaft.

Zuerst nehmen sie dir alle persönlichen Dinge ab, auch deine Kleidung, dann filzen sie alle deine Körperöffnungen, dann stecken sie dich in Anstaltskleidung, und du verschwindest in der Zelle. Dort gibt es kein Radio, kein Fernsehen, kein Handy, keinen Computer – nichts. Auch keine Süßigkeiten. Nur schlechtes Essen, faden Tee und einmal die Woche duschen. Du darfst auch nicht arbeiten, damit die Zeit schneller vergeht. Du hast pro Tag eine Stunde Hofgang, die restlichen dreiundzwanzig Stunden hängst du mit deinen Mitgefangenen – Schläger, Vergewaltiger, Drogendealer, was immer gerade so anfällt – in eurer kuscheligen Viererzelle herum, mit dem Klo hinter dem Plastikvorhang. Ja, guck mich ruhig groß an, ich übertreibe kein bisschen. Die Haftanstalt Hannover ist ein alter Muffkasten und nicht gerade für ihren Komfort bekannt. Darin sind schon andere Kaliber als du nach kurzer Zeit durchgedreht. Also erspar dir das lieber, und sag mir jetzt, was an diesem Ostermorgen da oben auf dem Berg los war.«

Auch dieser Vortrag zeigt keinerlei Wirkung. Torsten zupft an seinen Nagelhäuten und wippt mit den Knien, aber er sagt nichts.

»Gut, wie du willst.« Völxen steht auf und verlässt, gefolgt von Oscar, den Raum, vor dem ein junger Polizist in Uniform Wache hält.

Nach einer Stunde der einseitigen Unterhaltung mit Ole Lammers muss sich Oda Kristensen schließlich eingestehen, dass sie auf Granit beißt. Seit man Ole im Streifenwagen in der PD abgeliefert hat, hat der Junge lediglich auf die Frage, warum Torsten denn geflohen sei, mit einem Schulterzucken und den Worten: »Keine Ahnung. Müssen Sie ihn fragen«, geantwortet.

Und nun ist es ganz vorbei: Frau Cebulla ruft an und lässt sie wissen, dass die Mutter und der Rechtsbeistand im Flur warten. Der Anwalt wolle sofort seinen Mandanten sprechen.

Oda begleitet den Jungen hinaus. Er wird von seiner Mutter und einem kahlköpfigen Mann mit randloser Brille und einem dunklen Anzug empfangen. Frau Cebulla bringt die drei in ein leeres Büro am Ende des Flurs. Vor dem Aufzug steht Jule, die soeben Carsten Meier und eine verhuschte Frau, vermutlich seine Mutter, verabschiedet.

»Na, Winnetou, wie sieht's aus?«, erkundigt sich Oda.

Jule, die die Fahrt im Dienstwagen auf einer Plastiktüte sitzend verbracht und inzwischen ihre Jeans notdürftig gesäubert hat, seufzt: »Wir lassen ihn gehen. Er sagt, er sei so betrunken gewesen, dass er eher im Koma lag als im Schlaf. Seine Mutter stützt diese Aussage. Sie meint, sie habe sich ernsthaft Sorgen gemacht, nachdem Torsten und Ole ihren Sohn zu Hause abgeliefert hatten. Sie sagte: ›Das war schon eine kleine Alkoholvergiftung, der Junge hat den ganzen Tag nur gereihert.‹ Für mich klang es glaubhaft. Carsten war ja tatsächlich auch erst am nächsten Abend wieder einigermaßen fit. Ich fürchte, den können wir vergessen. Und wie sieht es bei dir aus?«, erkundigt sich Jule. »Hast du Ole schon weichgekocht?«

»Nicht die Bohne«, knurrt Oda. »Dieses raffinierte Bürschchen schweigt wie ein Grab. Sein Anwalt ist jetzt da. Man kann nur hoffen, dass der ihn zur Vernunft bringt. Aber wenn er den genauso anlügt wie uns, dann sehe ich schwarz.«

Die beiden sind in Frau Cebullas Büro angekommen, wo sich Oda einen Becher Kaffee eingießt. »Mein neues Gift.«

»Stimmt es, dass du nicht mehr rauchst?«

»Mal sehen«, antwortet Oda vage.

»Tja, dann ist jetzt unser Chef gefragt«, meint Jule. »Bin gespannt, was der aus Torsten Gutensohn rausquetscht.«

Kaum hat sie den Satz vollendet, erscheint Völxen in der Tür. Oscar klebt ihm an den Fersen, mit den Ohren auf Halbmast bringt er Völxens Übellaunigkeit ebenso deutlich zum Ausdruck wie dieser mit Worten: »So was Stures! Sitzt da wie ein Denkmal, egal, was ich sage.«

»Hast du schon die U-Haft-Nummer gebracht?«, fragt Oda.

»Ja. Hilft nichts.«

»Bei mir auch nicht. Wir müssen uns langsam etwas anderes ausdenken, womit wir sie erschrecken können.«

»Was kann es für einen Teenager Schrecklicheres geben als kein Handy und kein Internet? Würde man meiner Tochter Wanda so etwas androhen, sie würde mich verraten, noch bevor Köpckes Hahn auch nur dazu käme, den Schnabel zu öffnen.«

»Sagt Torsten wenigstens, warum er vor uns geflohen ist?«, will Jule wissen und steckt Oscar einen von Frau Cebullas Keksen zu, den dieser innerhalb von Sekunden zu einem Berg Krümel schreddert.

»Er sei in Panik geraten. Das ist alles. Gleich wird sein Vater hier antanzen und Wirbel machen. Ist denn kein Kaffee mehr da, zum Kuckuck? Immer wenn ich komme, ist die Kanne leer!«

»Ich setze gleich welchen auf«, beschwichtigt ihn Frau Cebulla, die eben hereinkommt. »Und Kekse sind keine artgerechte Hundenahrung, Frau Wedekin!«

»Verzeihung. Ich konnte nicht ahnen, dass er so eine Sauerei damit macht. Immerhin hat Carsten Meier zugegeben, dass Torsten und Ole sich abgesprochen haben, zu behaupten, dass alle drei wach waren«, berichtet Jule. »Er war ganz froh, sagt er, dass er gestern im Lauf der Befragung zugeben durfte, dass er geschlafen hat.«

»Das war doch ihr Trick«, stöhnt Oda augenrollend. »Torsten und Ole haben nicht nur ihren Kumpel Carsten, sondern auch dich und Fernando geschickt manipuliert, indem sie zunächst so dermaßen frech behaupteten, sie wären die ganze Zeit wach gewesen, dass es wie eine Lüge klang. Ihr wart zufrieden damit, dass ihr ihnen scheinbar auf die Schliche gekommen seid, aber genau das wollten die: dass wir glauben, sie hätten die ganze Zeit geschlafen. Hätten sie das nämlich von vornherein angegeben, dann wären wir vielleicht misstrauisch geworden.«

»Schon möglich«, gibt Jule zu. »Dann hat Carsten Meier die Komödie aber auch nicht durchschaut, weil er der Einzige war, der wirklich die ganze Zeit geschlafen hat.«

»Sag ich doch.«

»Moment mal!« Jule fällt etwas ein. »Ich bin gleich wieder da.« Vom Windzug ihres eiligen Abgangs geraten die Zweige des Ficus in Bewegung. Sie stürmt den Flur hinab und verschwindet in Richard Nowotnys Büro. »Ich muss was in der Akte nachschauen.«

»Bitte. Dafür ist sie doch da«, erklärt Richard Nowotny, der gerade einen Mohnkuchen verdrückt.

Hastig blättert Jule die Protokolle der Zeugenbefragungen durch, die sie am Ostermontag mit Hauptkommissar Völxen zusammen durchgeführt hat. »Wo ist die Aussage des Mannes mit dem schwarzen Hund?«, murmelt sie vor sich hin. »Ah, hier!« Ihr Blick haftet auf ihrem Eintrag: *Der Zeuge Jochen Raufeisen gibt an, gegen sechs Uhr die Mitglieder der Landjugend schlafend vorgefunden zu haben, beinahe habe der Hund auf einen von ihnen uriniert.*

»Mist«, murmelt Jule. Sie versucht, sich die Aussage des Mannes ins Gedächtnis zu rufen. Da war etwas gewesen, das sie störte. Aber aus irgendeinem Grund – wahrscheinlich dachte sie an ihr Rendezvous mit Leonard – hat sie es wieder vergessen.

»Wie bitte?«, nuschelt Nowotny, den Mund voller Kuchen.

»Danke schön«, sagt Jule, klappt die Akte zu und geht in ihr Büro, wo Fernando missgelaunt den Bericht des heutigen Tages in die Tastatur hackt. Sie sucht die Telefonnummer des Mannes heraus und hofft, dass er nicht gerade auf Hundespaziergang ist. Sie hat Glück, die Ehefrau verkündet, die beiden seien eben zur Tür hereingekommen. Tatsächlich hört man eine Tür klappen, das Geklirr einer Leine, Stimmen, Krallen scharren auf hartem Untergrund. Es dauert eine Ewigkeit, ehe sich der Hundebesitzer meldet. Wahrscheinlich musste er erst noch sein Hörgerät aktivieren. Jule bringt sich dem Mann ins Gedächtnis und fragt dann: »Herr Raufeisen, wie viele Jungs lagen neben der Feuerstelle, als Sie und Ihr Hund am Sonntagmorgen dort oben vorbeigekommen sind?«

»Das waren drei Schlafplätze. So mit Isomatten und Schlafsack und jeder Menge Flaschen dazwischen. Aber nur zwei Jungs konnte ich sehen. Der dritte Platz sah leer aus.«

»Und das war wie spät, als sie da vorbeigekommen sind?«

»Etwa halb sechs. Eher Viertel vor sechs.«

»Wie viele Mopeds standen da?«

»Ja, drei Mopeds, ganz bestimmt.«

»Könnten Sie die Jungs beschreiben, die da noch lagen?«

»Nein, man sah ja nur die Haare oben rausschauen.«

»Die Haarfarbe vielleicht?«

»Tut mir leid, nein. Da habe ich überhaupt nicht drauf geachtet. Ich hab halt gesehen, dass, wenn man so vom Weg aus da hinschaut, dann lag da einer rechts, etwa fünf Meter neben dem großen Haufen, einer lag ein bisschen weiter vorne … und etwas nach links versetzt … und noch ein Stück weiter links, aber weiter hinten, lag der Dritte. Und dieser hintere Platz war leer.«

»Ich danke Ihnen sehr«, sagt Jule und legt auf.

»Jule, warte mal, ich habe …«

»Moment, Fernando, ich muss ganz schnell zu Völxen.«

Sie rennt hinaus. Gerade steuert Völxen mit einer vollen Tasse in der Hand sein Büro an und sagt zu Oda: »Das kann doch nicht sein, dass uns diese drei Lümmel hier nach Strich und Faden verarschen!«

Jule hat die beiden eingeholt. »Ich habe da was«, platzt sie heraus. »Der Zeuge Raufeisen, dieser schwerhörige ältere Mann mit dem großen schwarzen Hund – erinnern Sie sich an den?«

Völxen bleibt stehen. »Natürlich.«

»Mit dem habe ich gerade telefoniert. Er hat ausgesagt, dass er nur zwei schlafende Jungs auf dem Berg gesehen hat. Der dritte Schlafplatz war leer.«

»Sieh mal an. Das ist ja interessant.«

»Der Mann konnte zwar nicht beschreiben, wer da lag und wer fehlte, aber er hat sich an die Anordnung der Schlafplätze erinnert. Also müssen wir nur noch rauskriegen, wer wo gelegen hat. Ich zeichne das gleich mal auf.« Jule stürmt zurück in ihr Büro.

»Seit sie verbeamtet ist, ist sie ganz schön in Fahrt«, bemerkt Oda.

Hinter ihnen quietschen Gummisohlen, Frau Cebulla räuspert sich und sagt: »Verzeihung, die Herrschaften, der Anwalt der Familie Lammers lässt ausrichten, dass sein Mandant eine Aussage machen möchte.«

Der Dienstapparat klingelt. »Dezernat 1.1.K, Oberkommissar Fernando Rodriguez.«

»Hier ist Anna Felk.«

»Anna! Was kann ich für Sie tun?«

»Eigentlich wollte ich Frau Wedekin sprechen und sie fragen, ob sie das Tagebuch schon gelesen hat.«

Fernando schaut hinüber zu Jules Schreibtisch. Dort liegt ein großes Notizbuch mit Ledereinband, das Papier dazwischen sieht vergilbt aus. »Ich glaube nicht. Wir waren heute sehr beschäftigt. Sie ist gerade nicht im Zimmer, ich werde sie bitten, dass sie Sie anruft.«

»Danke. Wie weit sind Sie denn mit den Ermittlungen?«

»Es gibt Verdächtige, die gerade vernommen werden. Wir machen große Fortschritte. Ich würde fast sagen, wir stehen kurz vor einem Durchbruch.«

»Wer ist es?«

»Einzelheiten darf ich Ihnen nicht nennen, tut mir leid.«

»Ja, sicher«, kommt es enttäuscht. Dann fragt sie: »Was ist eigentlich mit Oscar, hat man ihn ins Tierheim zurückgebracht?«

»Nein, den wird unser Chef behalten, der wohnt ja auf dem Land«, antwortet Fernando und fügt in Gedanken hinzu: Er weiß es nur noch nicht.

»Oh, das freut mich. Ich habe mir schon den ganzen Tag Sorgen um Oscar gemacht, aber mit dem Kater – das geht einfach nicht.«

»Klar«, antwortet Fernando. »Sagen Sie, etwas anderes: Wollen Sie immer noch das Zimmer in Ihrer WG ... ich meine, in der Wohnung, vermieten?« Die Frage ist Fernando einfach so herausgerutscht, denn eigentlich ist dies nicht ganz der richtige Zeitpunkt, sie zu stellen. Zum einen aus Gründen der Pietät, zum anderen zählt Anna offiziell noch immer zum Kreis der Verdächtigen. Aber es muss ja auf der Dienststelle keiner erfahren, er wird ja nicht gleich morgen umziehen.

»Ja, wieso?«, kommt es etwas zögerlich.

»Ich ... also, ich würde mich dafür interessieren«, gesteht Fernando. »Für mich selbst.«

»Aha. Haben Sie denn schon WG-Erfahrung?«

»Ja«, sagt Fernando voller Überzeugung. Das Wohnheim, das zur Polizeischule gehörte – die Wände waren so dünn, dass man durchaus von einer WG mit hundert Leuten sprechen kann. Und was ist das Zusammenleben mit seiner Mutter denn anderes als eine WG? »Wenn Sie nicht wollen ... ich bin Ihnen nicht böse, ehrlich. Nicht jeder mag einen Polizisten in der Wohnung haben, das verstehe ich.«

»Nein, nein, das wäre schon in Ordnung«, sagt sie.

Fernando findet, dass sie ruhig ein bisschen enthusiastischer klingen könnte. »Ich könnte ja heute Abend so gegen sechs Uhr noch mal vorbeikommen, damit wir ein paar Einzelheiten besprechen können.«

»Ja, gut.«

Fernando fällt etwas ein, das sie aufmuntern könnte: »Übrigens, ich kann Ihnen mitteilen, dass die Staatsanwaltschaft eine Obduktion der Leiche Ihres Großvaters angeordnet hat.«

»Tatsächlich?«, kommt es bedeutend lebhafter. »Dann passen Sie bloß auf, dass sie nicht abhaut.«

»Meinen Sie Ihre Tante?«

»Wen denn sonst?«

»Nun mal ganz langsam«, wehrt Fernando ab. »Eine Obduktion ist eine Sache, einen Mörder zu überführen eine andere. Selbst wenn ... ich sage ausdrücklich *wenn* man im Körper Ihres Großvaters noch Gift oder Medikamente nachweisen kann, dann ist noch lange nicht bewiesen, wer sie ihm verabreicht hat. Also erwarten Sie da nicht zu viel.«

»Trotzdem danke für die Auskunft.«

»Bitte«, antwortet er, aber sie hat schon aufgelegt, und Fernando beglückwünscht sich zu seinem Mut, nach dem Zimmer gefragt zu haben. Aber sollte er nicht erst einmal seiner Mutter schonend beibringen, dass er ausziehen möchte? Die Aussicht auf dieses Gespräch liegt ihm wie Blei im Magen. Das wird ein Theater geben! Er mag gar nicht daran denken und muss es doch pausenlos.

Ole Lammers und sein Anwalt, ein gewisser Dr. Hofer, der in der Stadt kein Unbekannter ist, sitzen vor Völxens Schreibtisch. Frau Lammers hält sich etwas im Hintergrund, ihre Lippen sind zusammengepresst wie ein fest verschnürter Tabaksbeutel. Auch Oda ist mitgekommen, man begrüßt sich und stellt sich vor, dann rattert der Anwalt die Aussage seines Mandanten herunter. Demnach will Ole Lammers im Halbschlaf einen Schuss gehört und dann bemerkt haben, dass sein Freund Torsten nicht da war. Er habe sich nichts dabei gedacht, sich umgedreht und weitergeschlafen, bis er von Torsten geweckt worden sei. Oles Frage, wo er gewesen sei, soll Torsten mit »spazieren« beantwortet haben. Den zuvor gehörten Schuss will Ole zu diesem Zeitpunkt nicht erwähnt haben, denn er sei nicht sicher gewesen, ob er das nicht nur geträumt habe. Dann hätten sie Carsten geweckt, was schwierig gewesen sei, und wären zusammen nach Hause gefahren.

Völxen wendet sich nun direkt an Ole Lammers. »Dann bist du also am Tatort vorbeigekommen?«

Ole schüttelt den Kopf. »Nein. Ich bin erst noch mit runter nach Holtensen.«

»Warum?«

»Weil Carsten noch immer so blau war«, erklärt Ole. »Ich wollte lieber mit, falls uns der noch in den Graben kippt.«

Oda wispert Völxen zu: »Das deckt sich laut Jule mit der Aussage von Carstens Mutter.«

»Und wie bist du zurückgefahren? Über den Berg oder außen herum über Linderte?«, fragt der Kommissar.

»Außen herum.«

»Ist es über den Berg nicht kürzer?«

»Ja, aber es ist verboten.«

»Bist du immer so korrekt?«

»Da wohnt so ein blöder Rentnerarsch an der Ecke, der hat mal zu mir gesagt, wenn er mich noch mal mit dem Moped da langfahren sieht, dann zeigt er mich an.«

»Ole, bitte«, ermahnt Frau Lammers ihren Sohn.

»Aber als dann bekannt wurde, wie, wo und wann Dr. Felk ermordet worden ist – hast du da mit Torsten darüber gesprochen?«, fragt Völxen.

»Ja, hab ich. Er hat gesagt, dass er nichts gesehen hat. Er ist auf der anderen Seite rumgelaufen.«

»Und das glaubst du ihm?«

Ole zuckt die Schultern und wirft Dr. Hofer einen raschen Blick zu. Der blinzelt hinter den Gläsern seiner randlosen Brille und sagt mit müder, schleppender Stimme, als würde ihn das alles zu Tode langweilen: »Mein Mandant hat Ihnen nichts mehr zu sagen. Wenn Sie nichts gegen ihn vorzubringen haben, dann würden wir jetzt gerne gehen.«

Der Kommissar nickt, steht auf und sagt knapp: »Bitte.«

»Dieser Ole lügt uns an«, meint Oda ärgerlich. »Wir sollten Torsten aber trotzdem mit seiner Aussage konfrontieren, vielleicht wird er dann weich.«

»Torsten kann Felk zwar erschossen haben, aber allein konnte er ihn nicht wegbringen«, stellt Völxen fest. Er und Oda Kristensen sitzen noch in seinem Büro und beratschlagen. Oscar, der während der Besprechung mit dem Anwalt bei Frau Cebulla bleiben musste, hat sich wieder unter dem Schreibtisch eingeringelt, als wäre dies seit Jahren sein Platz.

»Aber zu zweit ginge es schon«, überlegt Oda.

»Selbst zu zweit ist es ein riesiger Kraftakt, die Leiche eines über achtzig Kilo schweren Mannes über mehrere hundert Meter zu transportieren«, gibt Völxen zu bedenken.

»Aber nicht unmöglich«, beharrt Oda. Sie ärgert sich, dass dieses neureiche Bürschchen mit seinem Promianwalt einfach so verschwinden durfte. »Sie könnten ihn über eines der Mopeds gelegt haben.«

»Die Geruchsspur von Felk hört am Tatort auf. Der Hundeführer hat mir das erklärt. Und die Jungs hätten Blut an der Kleidung gehabt, das wäre Carstens Mutter doch aufgefallen. Nein, die Leiche wurde mit einem Wagen vom Tatort zum Fundort bewegt, da bin ich ganz sicher.«

»Torstens Vater?«, schlägt Oda vor. »Torsten schweigt ihm zuliebe, klar, und Ole seinem Freund zuliebe.«

»Hm«, macht Völxen nachdenklich. »Es kann auch jemand sein, der ihnen für ihr Schweigen etwas versprochen hat. Geld zum Beispiel.«

»Konrad Klausner«, schlägt Oda vor. »Der hat genug Kohle.«

»Oder Anna Felk. Die hat auch ein Auto, nicht wahr? Und demnächst auch genug Kohle. Vielleicht fing es ganz harmlos an: Sie hat ihren Vater auf diesen Spaziergang begleitet, sie haben Streit bekommen ...«

Es klopft. Fernando kommt herein: »Ich habe da in Felks Steuerunterlagen etwas gefunden. Eine gewisse Josephine Kolbe war Patientin bei Felk, vor etwa drei Jahren. Ich habe Rechnungen über Aurafotografien und eine Engelberatung entdeckt. Das Datum der letzten Rechnung stimmt in etwa mit dem Einsetzen der nicht mehr ganz freundlichen E-Mails von *Deepblue* überein. Ist das eventuell die Mutter von unserem Großmaul Matze?«

»Ja«, bestätigt Völxen einigermaßen erschüttert darüber, dass diese gestandene Handwerkersgattin Geld für derart hanebüchene Prozeduren ausgibt. »Als ich vorhin den Namen nannte, hat Ole immerhin gezuckt«, berichtet Völxen. »Und Matze hat ein Auto, einen alten weißen Golf.«

»Aurafotografie ...« Fernando schüttelt den Kopf. »Ob das die Nacktscanner an den Flughäfen ersetzen könnte?«

Völxen steht auf. »Ich muss da was überprüfen. Deshalb mache ich jetzt auch Feierabend. Und ihr meinetwegen auch.«

»Was ist mit Torsten Gutensohn?«, erkundigt sich Oda. »Soll ich es mal bei ihm versuchen?«

»Ach, lass nur. Der soll ruhig mal eine Nacht drüben im Bau verbringen. So was kann unter Umständen läuternd wirken, nicht wahr, Fernando?«

»Wie oft willst du mir meine Jugendsünden eigentlich noch vorhalten?«, stöhnt Fernando und sucht eilig das Weite.

»Wanda?«

»Ja, Dad, was gibt es?«

»Sag mal, kennst du die Freundin von Matze, dem Sohn vom Schreiner? Eine gewisse Maren ...«

»Maren Rokall«, tönt es aus seinem Mobiltelefon. »So ein blonder Pummel, Lehrerstochter.«

»Genau. Weißt du, wo sie wohnt?«

»Irgendwo in Linderte, ich glaube, an der Hauptstraße.«

»Danke.«

»Hat sie was mit dem Mord zu tun?«

»Nein. Ich brauche nur eine Aussage von ihr. Ich sitze in der Bahn, ich dachte, ehe ich Frau Cebulla belästige, frage ich dich.«

»Immer gerne. Dann sag ich Mama, dass du heute pünktlich zum Essen da bist. Sie hat wieder irgendwas Indisches fabriziert, es riecht jedenfalls so.«

»Oje.« Wenn er das gewusst hätte, hätte er noch rasch irgendwo eine Currywurst gegessen. Er beugt sich zu Oscar hinunter und krault ihn zwischen den Ohren. »Tja, mein Lieber. Bald heißt es Abschied nehmen. Aber auf so einem großen Gut, da gefällt es dir bestimmt.«

»Fahrkartenkontrolle, die Fahrscheine bitte!« Zwei ältere Herren in blauen Anoraks kommen auf ihn zu. Völxen zeigt seine Monatskarte her.

»Und der Hund?«

»Was ist mit dem?«

»Wo ist der Fahrschein für den Hund?«

»So ein kleiner Hund braucht einen Fahrschein?« Völxen merkt, wie ihm heiß und kalt wird.

»Jeder Hund braucht einen Fahrschein, egal wie groß oder wie klein«, klärt ihn einer der beiden Kontrolleure auf.

Nun gut. Sie wollen es ja nicht anders. Völxen zückt seinen Dienstausweis. »Hauptkommissar Bodo Völxen, Kripo Hannover. Dies ist ein Einsatz, und der Hund ist ein … ein Beweismittel.« Das Wort Diensthund hat Völxen schon auf der Zunge gelegen, aber das würden sie ihm niemals abnehmen.

Dennoch antwortet der Kontrolleur unbeeindruckt: »Das glauben Sie doch wohl selbst nicht. Ich muss Sie bitten, am nächsten Bahnhof mit uns auszusteigen, damit wir Ihre Personalien aufnehmen können.«

Die ersten Köpfe wenden sich ihnen zu, in Völxen regt sich Unmut. »Jetzt passen Sie mal auf: Ich ermittle in einem Tötungsdelikt. Möchten Sie, dass morgen in der Presse steht *Üstra-Kontrolleure vereiteln Festnahme eines Mörders*? Sie können meine Personalien haben, meinetwegen, dann wird mein Chef, der Polizeipräsident des Landes Niedersachsen, das mit Ihrem Chef regeln. Aber ich steige aus, wann es der Einsatz erfordert, haben wir uns verstanden?« Ohne es zu merken, ist Völxen laut geworden. Die anderen Passagiere verfolgen das gebotene Schauspiel interessiert. Oscar knurrt die beiden Männer an.

Der zweite Kontrolleur, der bisher geschwiegen hat, zupft den Kollegen am Ärmel und wispert ihm etwas zu, es entspinnt sich ein kurzer Dialog. »Gut, Sie können sitzen bleiben, aber ich nehme Ihre Personalien auf, und Sie bekommen einen Bußgeldbescheid«, lenkt der Ältere schließlich ein.

Völxen hält ihm zähneknirschend seinen Personalausweis hin und sagt: »Und Ihre Personalien hätte ich dann auch gerne.«

»Unsere?«

»Ja, allerdings. Als Polizeibeamter bin ich zur Personenkontrolle berechtigt. Also, Ihre Personalausweise bitte, aber rasch, gleich kommt meine Station. Sonst muss ich Sie bitten, mit mir auszusteigen.«

»Komm, lass gut sein«, sagt der zweite Kontrolleur zu seinem Kollegen.

»Meinetwegen«, knurrt der erste widerstrebend. »Wir drücken noch mal ein Auge zu. Aber in Zukunft muss der Hund einen Fahrschein haben.«

»Selbstverständlich«, antwortet Völxen. Als er wenig später sein Fahrrad loskettet, sagt er zufrieden: »Siehst du, Oscar, so muss man mit denen reden.«

Im Grunde spricht nichts dagegen, den Hund zuerst bei den Felks abzuliefern und dann die anderen Gänge zu erledigen, aber etwas in Völxen sträubt sich dagegen, deshalb führt ihn sein Weg zuerst zu einem älteren Backsteinhaus an der Ortsdurchfahrt von Linderte. Das Gehen an der Leine neben dem Fahrrad scheint für Oscar nichts Neues zu sein. Fix wie eine Nähmaschine tippelt er neben Völxen her.

Frau Rokall steigt gerade aus einem *Peugeot 206*. Sie ist eine dieser sehr dünnen, stark geschminkten Frauen, die sich gerne mit voluminösem Schmuck, breiten Gürteln und schnallenbewehrten Handtaschen behängen, ein Typus, den man sonst eher in Hannovers City oder in der List zu sehen bekommt. Sie zeigt sich etwas verwundert über das Anliegen des Kommissars und seine Begleitung, aber dann ruft sie durch das Haus nach ihrer Tochter.

Maren, blond, mopsgesichtig und ganz im Gegensatz zu ihrer Mutter eher zur Molligkeit tendierend, kommt die Treppe herunter.

»Die Polizei will dich sprechen«, sagt Frau Rokall, und die Frage »Hast du was angestellt?« liegt greifbar in der Luft.

Völxen stellt sich noch einmal vor und fragt das Mädchen: »Können wir ein paar Schritte spazieren gehen?«

Maren nickt und streichelt Oscar. »Süßer Hund.« Ihre Fingernägel sind schwarz lackiert. Zu dritt gehen sie die Straße hinunter, wobei Oscar alle paar Meter seine Duftmarken setzt.

»Du bist Matzes Freundin?«

»Ja. Seit einem Jahr«, bestätigt das Mädchen.

»Wie alt bist du?«

»Achtzehn.«

»Bist du auch in der Landjugend?«

»Nein. Aber ich bin ganz oft dabei. Eigentlich schon, ja.« Sie biegen in einen Feldweg ein, der durch die Äcker führt.

»Dein Freund ist da so eine Art Autorität, oder? Was er sagt, wird gemacht.«

»Meistens. Einer muss ja das Sagen haben bei diesen Chaoten.«

»Erzähl mir von der Nacht von Samstag auf Sonntag. Du warst doch auch bei der Feuerwache dabei, nicht wahr?«

Maren bestätigt dies. Sie sagt, sie habe von acht Uhr abends bis etwa drei Uhr morgens mit den anderen dort oben gefeiert. Dann seien sie zu Matze nach Hause gefahren.

»Wie?«, fragt der Kommissar.

»Mit seinem Auto.«

»Wer ist gefahren?«

Sie zögert. Völxen beruhigt sie: »Maren, es geht hier nicht darum, dass irgendwer besoffen Auto gefahren ist, auch wenn ich das sehr idiotisch finde, sondern um ein paar Abläufe, die wichtig sein könnten. Du kannst ruhig die Wahrheit sagen, das mit dem Auto bleibt unter uns.«

»Matze ist gefahren. Er würde nie jemand anderen an sein heiliges Auto lassen, mich schon gar nicht. ›Frau am Steuer, Ungeheuer‹, sagt er immer. Es sind ja auch nur ein paar Meter den Berg runter und an der Beeke einmal um die Kurve«, beschreibt Maren den Weg zu Matzes Elternhaus.

»War er nicht schon ganz schön betrunken?«, erkundigt sich Völxen.

»Ging so. Der verträgt 'ne Menge.«

»Gut. Wie ging der Abend weiter?«

»Wir sind dann zu ihm gegangen ...« Sie wird tatsächlich ein wenig rot. Aus Scham? Oder weil Matze sie instruiert hat zu lügen?

»Du hast also dort übernachtet.«

Sie nickt.

»Wann bist du nach Hause gekommen?«

»Ihr Kopf neigt sich nach unten, hinter dem blonden Haarvorhang murmelt sie: »Um Viertel vor sechs, so ungefähr.«

»Ganz schön früh, nach so einem Abend«, bemerkt Völxen freundlich.

»Ich wollte ... ich mag nicht seinen Eltern begegnen.«

»Wieso nicht?«

»Nur so.«

»Mögen sie dich nicht?«

»Doch. Sie haben nichts gegen mich, sie wissen auch, dass ich da ab und zu übernachte, aber ich mag es halt nicht.«

Solch schamhaftes Benehmen kennt Völxen auch von Wanda, die, obwohl man es ihr nie verboten hat, bis heute noch keinen ihrer Freunde bei sich übernachten ließ. Zumindest hat er es nicht mitbekommen, und er war darüber auch nie traurig.

»Wie bist du denn nach Hause gekommen?«, fragt Völxen und versucht, seine Stimme möglichst beiläufig klingen zu lassen.

»Matze hat mich gefahren«, antwortet Maren. Völxen bleibt stehen, denn Oscar hat angefangen, nach einer Maus zu buddeln. Matze hat also seine Freundin nach Hause gefahren. Nach Linderte. Und wo man schon aufgestanden ist und im Auto sitzt, was liegt da näher, als dann gleich noch mal beim Osterfeuer vorbeizuschauen und zu kontrollieren, ob die Freunde noch wach sind? Sie möglicherweise beim Schlafen zu erwischen und sie damit wochenlang aufzuziehen?

Völxen fragt Maren, ob ihr Freund derlei Absichten geäußert habe, aber sie verneint. Völxen hat genug gehört, er zerrt Oscar von seiner Baustelle weg und dreht um.

Erst jetzt scheint Maren zu begreifen, was los ist. »Der Matze hat mit dem Mord an dem komischen Doktor nichts zu tun! Der macht nur immer den Dicken, in Wirklichkeit ist der butterweich. Als neulich sein Meerschweinchen gestorben ist, hat der Rotz und Wasser geheult.«

Aber den Jagdschein machen, hält Völxen in Gedanken dagegen. »Augenblick bitte«, sagt er zu Maren. Er entfernt sich ein paar Schritte, um zu telefonieren. Eine Streife oder besser zwei sollen sofort zu Familie Kolbe fahren und Matthias und seine Mutter zur PD bringen. Außerdem muss das Auto von Matthias Kolbe beschlagnahmt werden. »Es besteht Fluchtgefahr, schickt ein paar junge, kräftige Kerle«, setzt er hinzu. Nein, kein SEK, der Kommissar will möglichst wenig Aufsehen im Dorf.

Stumm gehen sie zurück zu Marens Haus. Das Mädchen verabschiedet sich eilig und rennt die Treppe hinauf. Garantiert wird sie ihren Freund jetzt anrufen und ihn warnen.

»Frau Rokall, ich hätte an Sie auch noch ein paar Fragen«, sagt er dann zu Marens Mutter, die inzwischen im Garten ist und ihre Rosen mit etwas Stinkendem besprüht.

»Brennnesseljauche. Ist gut gegen Blattläuse«, lässt sie den Kommissar wissen. Ja, ihre Tochter sei am Sonntagmorgen in aller Frühe nach Hause gekommen. Sie sei davon aufgewacht, und sie hätte den Wagen von Matze gehört. »Den hört man sofort, der röhrt so laut.«

»Inzwischen hat er den Auspuff repariert«, bemerkt der Kommissar und verabschiedet sich.

Danach ruft er Oda an und setzt sie über die Entwicklung des Falles in Kenntnis. »Möglich, dass Matze da raufgefahren und dem Felk begegnet ist. Vielleicht haben sie Streit bekommen, wegen Felks Affäre mit Matzes Mutter oder wegen was anderem. Matze ist ein Kerl wie ein Kleiderschrank, der kann Felk das Gewehr leicht abgenommen haben. Torsten Gutensohn hat das möglicherweise beobachtet oder ihm sogar geholfen, die Leiche zu beseitigen. Jedenfalls sollte Torsten erfahren, dass wir Matze am Wickel haben, dann redet er vielleicht endlich.«

»Das bedeutet wohl Überstunden!«, erkennt Oda glasklar.

»Sieht so aus. Du kannst dir ja schon mal Frau Kolbe vornehmen und rauskriegen, ob diese *Deepblue*-Mails wirklich von ihr stammen.«

»Wie sieht Frau Kolbe aus?«, will Oda wissen.

»Auf den ersten Blick so eine farblose Blonde, aber auf den zweiten recht hübsch. Nette Figur, ausdrucksvolle blaue Augen. Sind Jule und Fernando schon weg?«

»Jule ist noch da. Wo der schönste Mann der PD ist, weiß ich nicht«, antwortet Oda.

»Ich bringe jetzt den Hund zu den Felks und komm dann wieder in die PD«, seufzt Völxen. »Ich fürchte beinahe, wir haben unseren Täter.«

»Willst du den Hund nicht behalten? Der himmelt dich so an, das tut doch sonst keiner.«

»Werd nicht frech! Ich kann den nicht behalten, meine Frau reißt mir den Kopf ab.«

»Schon möglich«, räumt Oda ein. »Immerhin werden siebzig Prozent aller Tötungsdelikte vom Intimpartner der Opfer begangen.«

Bis die Verdächtigen zur Vernehmung eintreffen, telefoniert Oda mit Herrn Tang. »Sagt Ihnen der Name Josephine Kolbe etwas?«

Tian Tang lässt einen kurzen Augenblick verstreichen, dann sagt er: »Der Name ist mir in diesen Tagen in Rolands Patientendatei begegnet. Aber die Behandlung liegt schon eine Weile zurück, bestimmt drei Jahre.«

Oda wiederholt Völxens Beschreibung von Josephine Kolbe und fragt: »Könnte das die Frau sein, die ihm diese Szene in der Praxis gemacht hat?«

»Das wäre möglich, ja.«

»Vielen Dank. Ihre Auskunft hat mich meinem Feierabend ein gutes Stück näher gebracht. Diese Massage, oder was immer es war, hat meinem Rücken übrigens sehr gutgetan.«

»Das freut mich außerordentlich«, sagt die sanfte Stimme des Chinesen.

Irgendwas ist in dieser Stimme, das macht einen ganz schummrig im Kopf, findet Oda und fragt: »Könnten wir das wiederholen?«

»Jederzeit. Von mir aus noch heute. Ich bin in der Praxis, ich habe viel Papierkram zu erledigen. Sie wären mir eine willkommene Abwechslung.«

»Ich weiß noch nicht, wann ich hier rauskomme, aber ich melde mich.«

Fernando stellt sein Motorrad ab. Sein Blick tastet sich an der Fassade des Altbaus am Schneiderberg hinauf. Sein neues Zuhause? Ein seltsames Gefühl. Sein ganzes Leben hat er in der geräumigen Fünfzimmerwohnung verbracht, die über dem Laden liegt. Ist es nicht Hochverrat, wenn ein Lindener in die Nordstadt zieht? Sein Freund Antonio würde ihm das nie verzeihen. Ein Lindener verlässt normalerweise seinen Stadtteil nicht ohne wirklich triftigen Grund, von einem

Umzug ganz zu schweigen. Wie wird das sein, wenn er seine Sachen packt und auszieht? Wird seine Mutter überhaupt ohne ihn zurechtkommen? Er wird ihr natürlich nach wie vor helfen, wenn es im Laden etwas zu tun gibt: schwere Weinkisten von hier nach dort zu tragen, ganze Schinken vom Großmarkt zu holen ... aber dennoch. Es wird ein Einschnitt in ihrer beider Leben sein. Aber ein notwendiger! Und da ist auch noch Anna, dieses bezaubernde, zerbrechliche Wesen. In so einer WG kommt man sich ja automatisch näher, er kann es ganz ruhig angehen lassen. Fernando nimmt den Helm ab, beugt sich vor und betrachtet sich im Rückspiegel. Alles bestens. Er schüttelt sein Haar auf, das sich schwarz und glänzend wie das Gefieder eines Amselmännchens bis auf den Hemdkragen ringelt. In diesem Moment sieht er es. Es ist ein Anblick, der ihm das Blut in den Adern gefrieren lässt. Ein graues Haar! Dick, wellig und ... ja, grau, fast weiß schon, ringelt es sich von der Stirn bis zum Hinterkopf. Bisher hat Fernando immer nur verächtlich geschmunzelt, wenn Kollegen über diverse Alterserscheinungen klagten. Nun hat ihn die Krise kalt erwischt und mit einem gekonnten, heimtückischen Hieb niedergeschmettert. Das ist der Anfang vom Ende! Ab jetzt wird es rasant bergab mit ihm gehen, an diesem Punkt im Leben erst einmal angekommen, ist es nicht mehr weit bis zum betreuten Wohnen.

Als er sich daran macht, das Unaussprechliche auszureißen, zittern seine Hände so sehr, dass ein ganzes Büschel schwarzer Haare mit dran glauben muss. Fieberhaft durchwühlt er seine Lockenmähne auf der Suche nach weiteren Zeichen des Verfalls.

»Ey, Alter, haste Läuse?«, fragt ein älterer Punker, der kettenrasselnd vorbeischlurft.

Fernando richtet sich erschrocken auf. Lieber Himmel, was, wenn Anna zufällig aus dem Fenster schaut? Er holt tief Luft, blinzelt in den makellos klaren Abendhimmel und zählt langsam bis zehn. Er wird das mit Fassung tragen, wie ein Mann. Als sich sein Puls wieder einigermaßen beruhigt hat, drückt er auf die Klingel. Niemand öffnet, die Sprechanlage schweigt. Er versucht es noch einmal und noch einmal. Dann ruft er Annas Festnetznummer an, aber es meldet sich nur der Anrufbeantworter. Eine Handynummer hat sie nicht hinterlassen. Seltsam. Eigentlich schien sie ihm eher der zuverlässige Typ zu sein. Sechs Uhr. Vielleicht hat sie ihn später erwartet, oder sie steht gerade unter der Dusche. Ein durchaus angenehmer Gedanke. Fernando beschließt, es in zehn Minuten noch mal zu versuchen und inzwischen ein bisschen die Gegend zu erkunden. Mal sehen, ob es neue Kneipen gibt und wo er in Zukunft seine Brötchen holen wird und seine Morgenzeitung.

Schweren Herzens lässt Hauptkommissar Völxen den mächtigen Türklopfer in Form eines Pferdekopfes gegen das Holz donnern. Oscar erschrickt und bellt kurz auf. »Ruhig! Du willst doch keinen schlechten Eindruck machen, oder?« Es vergehen zehn, zwanzig, dreißig Sekunden, aber niemand öffnet. Vergeblich wiederholt der Kommissar die Prozedur. Keiner da. Vielleicht ist der Bauer auf dem Feld und die Bäuerin im Garten?

Den Hund an der Leine, schaut Völxen um die Ecke. Der Gemüsegarten mit den akkuraten Furchen ist menschenleer. Weit können die Felks allerdings nicht sein, ein Opel Omega steht auf dem Hof und dahinter ein älterer Ford Fiesta. Martha Felks Wagen? Das Tor zur Scheune steht offen, der Trecker steht darin. In der Koppel hinter dem Stall drängeln sich drei Stuten und ein Fohlen vor der verschlossenen Stalltür. Offenbar naht ihre Futterzeit. Der Pferdeduft weckt bei Völxen ein paar wehmütige Kindheitserinnerungen. Er wirft einen Blick in die Scheune und ruft »Hallo, ist wer da?« in das Dunkel. Niemand antwortet. Würden die Felks die Scheune, in der außer dem Trecker jede Menge landwirtschaftlicher Geräte und teures Handwerkszeug lagern, einfach so offen stehen lassen, wenn sie aus dem Haus gehen? Und wo könnten sie sein, ohne ihr Auto, ohne den Trecker? Ohne die Leute persönlich zu kennen, glaubt Völxen nicht, dass sie zu der Sorte gehören, die am Abend eine Runde joggen oder Rad fahren. Von den Ferienaufenthalten bei seinem Großvater hat er noch in Erinnerung, dass die frühen Abendstunden eine Zeit reger Betriebsamkeit auf einem Gut sind. Die Tiere, sofern sie nicht über Nacht auf der Weide bleiben, wollen gefüttert werden, und oft ist sein Großvater um diese Zeit die Koppeln abgegangen, hat die Zäune kontrolliert oder Elektrozäune umgesteckt, um Grasflächen zu schonen. Seine Großmutter befand sich um diese Zeit in der Küche und bereitete das Abendbrot zu. Es gab immer Brot, Wurst und Käse, manchmal eingelegten Hering, nur mittags wurde warm gegessen. Völxen geht zum Küchenfenster, das neben der Haustür liegt, und späht durch die Scheibe. Niemand ist zu sehen.

Zu den Gewohnheiten auf dem Hof seines Großvaters gehörte auch, dass die Haustür den ganzen Tag unverschlossen blieb, erst bei Einbruch der Dunkelheit wurde sie verriegelt. Auf den meisten Höfen in seiner Nachbarschaft wird dies auch heute noch so gehandhabt, und als Völxen nun die Klinke der Haustür herunterdrückt, ist er nicht überrascht, als sie sich öffnet.

Um sein Anliegen erst einmal schonend vorzubereiten, bindet er Oscar an einem der Balken an, die das kleine Vordach tragen. »Platz!« Oscar gehorcht, wenn auch sichtlich widerstrebend. Völxen durchquert die dämmrige Diele, wobei er ruft: »Hallo? Ist jemand da?«

Statt der erwarteten Antwort hört er einen schrillen Schrei aus einer Frauenkehle, der sich wie »Hilfe!« anhört.

Der Laut kam aus dem hinteren Gebäudeteil. Völxen tastet sich vorsichtig voran. »Hallo?«, ruft er, aber statt einer Antwort hört er nur ersticktes Stimmengemurmel. Es dringt aus einem Zimmer am Ende des Flurs. Die Tür ist offen.

»Bleiben Sie stehen!«

Anna Felk steht mit dem Rücken zur Wand, an der zahlreiche Urkunden hängen. Vor ihr sitzen eine dünne Frau und ein untersetzter älterer Mann stocksteif auf ihren Stühlen und starren verängstigt in die Läufe einer Bockdoppelflinte.

»Anna, was treiben Sie denn da? Legen Sie die Waffe weg«, sagt Völxen, der in der Tür stehen geblieben ist.

Anna fährt herum, die Waffe richtet sich nun auf den Kommissar. »Sie! Das trifft sich ja gut. Setzen Sie sich hin! Meine Tante hat Ihnen was zu sagen. Nämlich, wie sie meinen Großvater umgebracht hat.«

»Nun tun Sie doch schon was!«, fordert Martha Felk.

Leicht gesagt, nur was? Völxen hat seine Dienstwaffe in der PD gelassen. Er könnte versuchen, zu fliehen und Hilfe zu holen, das SEK, das volle Programm. Aber etwas sagt ihm, dass das Mädchen von selbst aufgeben wird, wenn sie erreicht hat, was sie erreichen wollte.

»Hinsetzen, los!« Völxen tut, was Anna sagt, und setzt sich auf den noch freien Stuhl zwischen Ernst Felk und dem Fenster.

»Das darf doch nicht wahr sein!«, keift Martha Felk. »Was sind Sie denn für ein Polizist?«

»Lass ihn in Ruhe, Martha«, sagt nun Ernst Felk. »Anna, mach dich nicht unglücklich.«

»Ich möchte jetzt von Martha hören, was sie mit Opa gemacht hat!« Annas Stimme zittert, aber die Waffe hält sie ruhig. Sie wird ihr auf die Dauer zu schwer werden, spekuliert Völxen.

»Anna, warum warten Sie nicht erst mal das Ergebnis der Autopsie ab?«

»Es gibt Substanzen, die bauen sich nach wenigen Stunden im Körper ab«, gibt Anna zurück. »Insulin zum Beispiel. Sie war Krankenschwester, sie kennt die Tricks.«

»Anna, Sie wissen bestimmt, dass ein unter solchen Umständen erzwungenes Geständnis vor Gericht wertlos ist?«, versucht es Völxen erneut. »Sie machen es uns dadurch nur schwerer.«

»Vor *meinem* Gericht ist es nicht wertlos«, antwortet Anna kalt, und als Völxen nun den hasserfüllten Blick sieht, mit dem Anna ihre Tante über die Flintenläufe hinweg fixiert, ist er gar nicht mehr so sicher, ob sie ihr Urteil nicht auch gleich vollstrecken wird.

»Los jetzt, rede. Wie hast du es angestellt?«, herrscht Anna ihre Tante an.

»Ja, wie soll ich das denn angestellt haben? Ich war seit Neujahr nicht mehr in diesem Altenheim.«

»Das behauptest du! Aber das ist kein Knast, jeder kann da ungesehen rein, der es drauf anlegt.«

»Du warst doch die Letzte, die ihn besucht hat«, widerspricht Martha stur.

Anna fuchtelt mit dem Gewehrlauf unruhig vor ihren Gesichtern herum. An der Wand lehnt ihr Rucksack, vom Reißverschluss baumelt ein kleines Plüschschaf. Völxen spürt, wie das Hemd an seinem Rücken klebt, obwohl durch das geöffnete Fenster ein angenehmer Luftzug hereinweht. Er versucht, das Textil durch kreisende Bewegungen der Schulter von der Haut zu lösen, aber es gelingt ihm nicht. Also hält er die Hände auf dem Schoß gefaltet, um das Mädchen nicht durch unkontrollierte Bewegungen zu provozieren.

Martha Felk dagegen scheint die auf sie gerichtete Waffe völlig vergessen zu haben, sie ist richtig in Fahrt: »Ich werde dir mal was sagen über deinen ach so geliebten Großvater: Mein Leben lang hat der mich behandelt wie seine Dienstmagd, hat mich immer spüren lassen, dass ich nicht aus einem reichen Stall komme. Seine Frau, Ernsts Mutter, durfte ich jahrelang pflegen, sie füttern wie ein Kleinkind, ihr die Windeln wechseln und die Scheiße von den Wänden kratzen, wenn sie mal wieder völlig durchgedreht ist! Ja, dafür war ich gut genug, um diese verrückte Alte zu bändigen, damit man sich das Geld fürs Pflegeheim möglichst lange spart. Da war es wieder praktisch, dass ich *nur* Krankenschwester war, nicht wahr, Ernst?«

»Martha, lass meine Mutter aus dem Spiel. Sie war krank und ist schon lange tot!« Ernst Felk sieht nun ebenfalls wütend aus.

»Ach ja?«, höhnt Martha. »Ich sag dir, was Roswitha war: Ein böses Weib war sie, lange bevor sie krank wurde. Herumkommandiert hat sie mich, nichts konnte man ihr recht machen. Sie hat ja nicht einmal Du zu mir gesagt! Ich war einfach keine gute Partie für ihren Sohn und für das Gut. Das Gut!« Sie lacht freudlos auf. »Als Ernst und ich mit der Zucht angefangen haben, taugten die Gäule gerade mal als Kutschpferde!«

»Martha, halt den Mund!« Ernst Felks Gesicht ist jetzt rot vor Zorn, und Völxen hat das Gefühl, dass er seiner Frau am liebsten eine Ohrfeige verpassen würde, um sie zum Schweigen zu bringen.

Aber Martha denkt gar nicht daran. Die verbitterte Frau nutzt die Situation, um ihrem über lange Jahre angestauten Zorn endlich Luft zu machen. »Aber als es darum ging, uns endlich das Gut zu überschreiben, für das wir unser Leben lang geschuftet haben, da wollte dein feiner Großvater nichts davon hören. Und du, Ernst, du hättest einfach mal auf den Tisch hauen sollen, aber dazu warst du ja viel zu feige.« Ihr Blick wandert von Anna zu ihrem Mann, der den

Kopf eingezogen hat unter ihren verbalen Nackenschlägen, und dann wieder zu Anna: »Denk nicht, dass ich nicht dran gedacht hätte, ihn zu vergiften. Oft sogar. Ich hab mir sogar die Tabletten aufgehoben, von Roswitha, eine ganze große Schachtel voller Schlaftabletten, Schmerzmittel, Psychopharmaka. Aber weißt du, wenn man jahrelang vergeblich um etwas kämpft, dann wird es einem plötzlich ganz egal. Ich dachte: Die paar Jährchen, bis der Alte stirbt, kannst du jetzt auch noch warten.«

Völxen überlegt gerade, ob sich Anna mit dieser Antwort zufriedengeben wird, als Martha Felk fortfährt: »Aber dann kam er mit dieser Frau hier an, der Tochter seiner jüdischen Jugendliebe. Er hat es nicht einmal für nötig gehalten, uns zu fragen, ob wir damit einverstanden sind. Musste er ja nicht, es war ja sein Eigentum.« Wieder lacht sie bitter auf und sieht dabei Völxen an. »Ernst und ich wurden zwei Tage vorher von ihm über den Besuch informiert. Nicht etwa gefragt, nein, informiert. Damit auch alles schön ordentlich aussieht. Als wären wir hier nur die Lakaien. Das waren wir ja auch. Wie ein Gockel ist er hier herumstolziert, sogar einen Reporter von der Zeitung hat er mitgebracht, damit der ganze alte Dreck wieder aufgerührt wird. Ich habe gleich geahnt, dass das noch ein Nachspiel haben wird, dass der Alte irgendwas plant, irgendeine späte Reue oder Wiedergutmachung – mit unserem Geld!«

Martha verstummt, als müsse sie Kraft schöpfen, Annas Augen sind nur noch wütende Schlitze, da sagt Ernst Felk plötzlich tonlos: »Du hast mir vor Ostern zwei Flaschen Holundersaft für ihn mitgegeben.«

Für einen Moment herrscht Stille im ehemaligen Sommerfeld'schen Salon, nur die Pendeluhr tickt. Völxen glaubt, den Plan des Pferdezüchters zu durchschauen. Wenn seine Frau zum Schein diesen Mord gesteht, wird Anna vielleicht endlich zufrieden sein und die Waffe weglegen. Oder

sie erschießen. Völxen überlegt, ob er einen Überraschungs-
angriff versuchen soll. Aber er ist über fünfzig und leicht
übergewichtig und kennt seine Grenzen.

»Ja, genau. Meinen Holundersaft mochte er immer gern.
Wenigstens etwas, womit man es dem feinen Herrn mal
recht machen ...«

Im Augenwinkel nimmt Völxen eine Bewegung wahr,
und schon scheppert es. Martha Felks Blumentöpfe gehen
zu Bruch, als Fernando durch das offene Fenster flankt. Er
schlägt auf dem Boden auf, zwischen Tonscherben, Erde
und zerfledderten Begonien. Ehe jemand reagieren kann,
ist er wieder aufgestanden, hechtet auf Anna zu und bekommt die Waffe zu fassen. Aber die junge Frau setzt sich
energisch zur Wehr. Ein Schuss löst sich. Eine Schrotflinte,
die in einem Zimmer losgeht, wirkt ohrenbetäubend, alle
im Raum sind sekundenlang wie gelähmt. Putz rieselt von
der Decke herab und in Völxens Kragen. Martha kreischt
auf, Ernst starrt mit schreckweiten Augen ins Leere.

Fernando hat Anna nun die Waffe entrissen und reicht
sie an Völxen weiter, der sie rasch entlädt. Anna zetert: »Ihr
müsst sie verhaften! Sie hat ihn umgebracht!«

»Denk bloß nicht, dass du was erreicht hast, du Wahn-
sinnige! Im Gegenteil: Ich werde *dich* anzeigen, wegen Be-
drohung und Nötigung. Und den Schaden, den ersetzt du
uns!«, giftet Martha ihre Nichte an und wischt sich angewidert den Putz vom Ärmel.

»Ruhe!«, brüllt Völxen. Augenblicklich verstummen
Anna und ihre Tante. Draußen kläfft Oscar. »Fernando,
schön dich zu sehen«, bekennt Völxen.

»Ich hatte so ein Gefühl ...«, grinst Fernando und sagt zu
Anna: »Muss ich Ihnen Handschellen anlegen, oder kommen Sie freiwillig mit zur Dienststelle?«

»Ich komme mit«, sagt Anna, die sich erstaunlich schnell
wieder gefasst hat und nun ganz unaufgeregt wirkt.

Fernando bringt sie hinaus. Völxen folgt ihm und beruhigt den aufgeregten Hund, der zwar aufhört zu bellen, dafür aber die Lefzen hochzieht und den Hausherrn anknurrt, der ihnen nach draußen gefolgt ist.

»Das ist ja der Köter von Roland«, bemerkt Ernst Felk und weicht erschrocken zurück. Offenbar ist er kein Hundefreund. »Was macht der denn hier?«

»Nichts«, sagt Völxen. »Der gehört zu mir.« Er geht zu seinem Fahrrad und telefoniert dabei: »Frau Wedekin, ich habe einen Auftrag für Sie ...«

»Die Sachen von Herrn Felk?«, wiederholt die Pflegerin, deren Namensschild auf dem hellblauen Kittel sie als Inge Becker ausweist. »Die Möbel, das Geschirr und die Bücher wurden dem Sozialkaufhaus gespendet, die haben die Sachen schon abgeholt. Das Zimmer ist seit gestern wieder belegt. Wir haben eine lange Warteliste.« Das wundert Jule nicht, obwohl das Heim sicherlich nicht billig ist. Es ist klein und fein, liegt direkt an der Eilenriede und hat wenig mit den Altenheimen gemein, in die Jule sonst gerufen wird, wenn es einen ungeklärten Todesfall gibt. Nicht einmal den Geruch, der sonst diese Einrichtungen prägt, kann sie hier ausmachen. Frau Becker steht in der Teeküche und ist damit beschäftigt, Tassen auf einen Rollwagen zu stapeln. Sie macht den Eindruck einer resolut-herzlichen Frau, die ihren Beruf mag. Ihr etwas breites Gesicht ist ohne eine Spur Make-up, der Ehering an ihrer geröteten rechten Hand zeigt Spuren von Abnutzung.

»Und wo sind die anderen Dinge?«, fragt Jule, die versucht, zwischen Schrank und Wagen möglichst wenig im Weg herumzustehen. Vor der Tür schiebt eine sehr alte Frau im Schneckentempo einen Rollator den Gang entlang. Sie tut das, ohne ihre Fußsohlen auch nur einen Millimeter vom Boden zu heben.

»Joggen Sie nicht so weit weg, Frau Lohse, es gibt gleich Essen«, ruft ihr die Pflegerin hinterher. Die Gemeinte zeigt keinerlei Reaktion. Jule muss an das Foto von Heiner Felk denken, auf dem er so lebenslustig und fit wirkte. Ob er sich trotz des luxuriösen Ambientes hier wirklich wohlgefühlt hat?

»Ein paar persönliche Sachen – Papiere und so – hat der Sohn am Freitag gleich mitgenommen. Die Kleidung liegt noch im Keller, die soll an die Kleiderkammer vom Arbeiter-Samariter-Bund gehen«, erklärt Frau Becker.

»Was ist mit den Lebensmitteln?«

»Die werden alle weggeworfen. Viel ist das ja nicht, meistens nur ein bisschen Naschzeug oder ein Fläschchen Schnaps.«

»Wurde der Müll seit Ostern schon abgeholt?«

»Ja, gestern.«

»Was geschieht mit leeren oder angebrochenen Flaschen?«

»Wonach suchen Sie denn?«, erkundigt sich die Pflegerin, nun schon leicht ungeduldig.

»Nach zwei Flaschen selbstgemachtem Holundersaft.«

»Was ist denn damit?«

Jule erklärt es ihr.

Die Frau, die eben noch über eine gesunde Gesichtsfarbe verfügte, wird plötzlich bleich wie ein Chicorée und stammelt, sie müsse dringend telefonieren. Ehe Jule sie aufhalten kann, rennt sie mit wehendem Kittel den Flur hinunter.

»Bodo Völxen, was hat das zu bedeuten?« Sabine Völxen stemmt die Hände in die Hüften und mustert ihren Gatten und den Hund mit dem Blick eines Schweizer Zollbeamten.

»Das? Ach, das ist nur der Hund von Roland Felk. Ich wollte ihn bei den Felks auf dem Gut abgeben, aber bei diesen Leuten kann man das Tier unmöglich lassen. Morgen bringe ich ihn zurück ins Tierheim, aber jetzt habe ich dazu keine Zeit, ich muss leider noch mal zur Dienststelle. Wir haben zwei Festnahmen in Sachen Roland Felk.«

Vor zwei Minuten hat der Kommissar einen Anruf erhalten, dass sich Matthias Kolbe und seine Mutter auf dem Weg zur PD befinden. Ehe Sabine antworten kann, stolpert Wanda aus der Tür, stürzt sich auf Oscar und flötet: »Ach, ist der süüüüß!«

»Es kann spät werden, kann ich dein Auto haben?«, fragt Völxen seine Frau, aber er bekommt keine Antwort. Sabine und Wanda sind dabei, Oscar ins Haus zu bringen, wobei er Sabine sagen hört: »Klar ist der süß, aber er bleibt nicht hier. Auf gar keinen Fall!«

Als der Hauptkommissar wenig später in der PD eintrifft, findet er Oda und Fernando in Odas Büro bei einer Tasse Kaffee sitzend und plauschend vor. Fernando hat Oda gerade seine Heldentat auf dem Gut in den buntesten Farben geschildert.

»Wie, Käffchen? Habt ihr nichts zu tun?«

»Im Grunde nicht«, antwortet Oda. »Ich habe gerade Josephine Kolbe entlassen. Sie gibt zu, seinerzeit die bösen E-Mails verfasst zu haben, und eine kleine Szene in Felks Praxis geht ebenfalls auf ihr Konto. Danach habe sie keinen Kontakt mehr mit Felk gehabt. Ihre Familie hat angeblich von ihrem Verhältnis nichts mitbekommen, davon scheint sie überzeugt zu sein. Natürlich will sie nicht gehört haben, dass ihr Sohn am Sonntagmorgen um halb sechs weggefahren ist.«

»Das war ja klar.«

»Mütter!«, seufzt Fernando.

Woraufhin Oda und Völxen hinter seinem Rücken ein verschmitztes Grinsen tauschen, ehe Oda fortfährt: »Herr und Frau Kolbe möchten, dass ihr Sohn zuerst mit einem

Anwalt redet, bevor er mit uns spricht. Das konnte ich ihnen nicht verwehren. Ich habe ihnen aber gesagt, dass ihr Sohn in dem Fall über Nacht in Gewahrsam bleiben muss, weil wir nicht ewig warten werden, bis ihr Herr Anwalt hier irgendwann aufkreuzt. Dasselbe gilt für Torsten Gutensohn, sein Anwalt stand vorhin schon auf der Matte. Ich hab ihn rübergeschickt.«

»Dann bin ich ja ganz umsonst hier«, stellt Völxen fest.

»Wenn du das sagst.«

»Was ist mit dem Durchsuchungsbeschluss für Kolbes Haus?«

»Ist durch, die Spurensicherung ist bereits unterwegs.«

»Braves Mädchen. Ohne forensische Beweise kommen wir in diesem Fall nämlich nicht weiter. Dass Matze zur Tatzeit in der Gegend herumfuhr und dies bis jetzt verschwiegen hat, ist zwar hochverdächtig«, resümiert Völxen, »aber gesehen wurde er bis jetzt nur vor dem Haus seiner Freundin in Linderte, nicht oben auf dem Wolfsberg.«

Oda fasst zusammen: »Also heißt es jetzt warten: auf die Spurensicherung, auf die kriminaltechnische Untersuchung und auf Dr. Bächle.«

»Dann könnten wir doch jetzt Feierabend machen«, schlägt Fernando vorsichtig vor.

»Meinetwegen. Du warst ja heute schon recht nützlich, du hast ihn dir verdient«, gibt Völxen zu.

»Kannst du mich mitnehmen? Mein Hobel steht noch auf dem Gutshof, ich bin mit Anna in ihrem Wagen hergekommen.«

»Hast du mit ihr ein Protokoll aufgenommen?«

»Klar. Sie weiß, dass ein Verfahren auf sie zukommt. Die Waffe stammt übrigens aus dem Haus ihres Vaters. Vielleicht sollten wir die anderen auch kassieren, ehe sie noch mal Unsinn damit anstellt.«

»Gute Idee«, findet Völxen. »Hat sie sich denn inzwischen einigermaßen beruhigt, oder ist sie noch immer eine Gefahr für die Menschheit?«

»Ich denke, die Luft ist raus. Ich werde später noch mal bei ihr vorbeifahren.«

»Wie aufopfernd von dir«, zirpt Oda.

Völxen fährt zusammen, als das Telefon auf Odas Schreibtisch losschrillt. »Herrgott, das Ding bringt mich noch mal ins Grab!«, schimpft er.

Oda nimmt ab, und während sie ihrem Gesprächspartner zuhört, seufzt Völxen schwer und sagt zu Fernando: »Was für ein Durcheinander. Einerseits wäre es schön, wenn wir den Fall morgen geklärt hätten, andererseits ... verdammt, ich kenne Matze Kolbe von klein auf!«

»Das war Fiedler«, sagt Oda. »Der Luminoltest im Kofferraum des Wagens von Matthias Kolbe hat Reste von Blutspuren sichtbar gemacht, die jemand wegwaschen wollte.«

Als Völxen nach Hause kommt, liegt bereits ein rotglühender Kamm über dem Deister. Die Luft ist samtig wie ein Maulwurfsfell und riecht nach Blüten, Erde und Dung, den die Bauern an diesem schönen Tag in Mengen ausgebracht haben. Sabine steht auf der Veranda, ihr Profil mit der kecken Nase zeichnet sich gegen den Abendhimmel ab, das Haar schimmert wie flüssiges Gold im letzten Licht des Tages, und Völxen kommt der Gedanke, dass er diese Frau irgendwie gar nicht verdient.

»Habt ihr den Täter?«

»Noch nicht. Es fehlen noch ein paar Beweise oder ein Geständnis.«

»Schade. Es haben nämlich schon drei Leute angerufen und sich darüber beschwert, dass du die netten Jungs von der Landjugend verhaftet hast.«

»Scheiß drauf, das ist nun mal mein Job«, explodiert Völxen. »Denken die, dass mir so etwas Spaß macht? Glauben die, dass ich täglich mit Genugtuung irgendwelche armen Teufel festnehme, nur um der Gerechtigkeit willen? Und ja, verflucht noch eins, es gibt auch verdammt sympathische Mörder und verdammt unsympathische Opfer, und manchmal möchte man einem lieber einen Orden geben anstatt ihn zu bestrafen, und manche tun einem einfach nur leid, so wie diese Jungs, falls das einer von denen war. Was glauben diese Einfaltspinsel denn, dass mir das so runtergeht wie nichts, dass ich diese Jungs nur mal eben so einloche, damit die Zellen nicht umsonst geheizt werden? Ich zieh gleich den Telefonstecker raus.«

»Hab ich schon gemacht«, meint Sabine gelassen.

Manchmal kann sich seine Frau über Nichtigkeiten wie herumliegende Socken oder die seit Jahren fehlende Randbefestigung der Garageneinfahrt über die Maßen aufregen, aber Dinge wie diese unverschämten Anrufe, die Völxen auf die Palme treiben, bringen sie nicht im Geringsten aus der Ruhe, im Gegenteil. Sie legt ihm die Hand auf den Arm. »Beruhige dich.«

Völxen drückt ihre Hand. »Entschuldige. Du bist die falsche Adresse.« Die Situation von vorhin, als er dasaß und in zwei Gewehrläufe in der Hand eines hysterischen Mädchens schaute, hat ihn anscheinend doch mehr Nerven gekostet, als er zunächst dachte. »Ich bin erledigt, ich brauche eine Dusche. Und Urlaub!«

Die Räume des Dezernats sind ausgestorben, alle sind schon gegangen. Jule fühlt sich hier dennoch ganz wohl. Sie setzt sich an ihren Schreibtisch. Gegenüber, an Fernandos Platz, hängt die Hannover-96-Fahne schlaff von der Wand und spiegelt damit den Zustand der Mannschaft exakt wider. Ob er sie wohl abnimmt, wenn sie absteigen?

Sie nimmt sich das Notizbuch vor, zu dessen Studium sie den ganzen Tag noch nicht gekommen ist. Natürlich könnte sie Roswithas Aufzeichnungen auch zu Hause auf dem Sofa lesen, das wäre bequemer. Es ist idiotisch, erkennt sie. Leonard war gerade mal einen Tag bei mir, und ich tue so, als sei eine leere Wohnung etwas Neues für mich. Habe ich es nicht sogar genossen, bevor ich ihn kannte?

Sie verbannt die Gedanken an ihn aus ihrem Kopf und schlägt das Buch auf. Anna hatte recht, die Schrift ist nicht gut zu lesen, und stellenweise ist die Tinte schon sehr blass. Aber Jule, die sich seit ihrer Jugend für Geschichte interessiert, ist hartnäckig, und nach einer Weile klappt es ganz gut. Seite für Seite arbeitet sie sich voran. Es sind die typischen Tagebucheinträge eines verliebten jungen Mädchens. Fast alle handeln von »ihm«. Wer gemeint ist, ist sehr schnell klar: Heiner Felk. Die ersten Einträge stammen aus dem Jahr 1937 und schildern das Bemühen des Mädchens, die freundschaftliche Aufmerksamkeit, die ihr Angebeteter ihr zukommen lässt, anders zu interpretieren. Ganz klar: Sie ist verliebt in ihn, während er in ihr nur die Sandkastenfreundin sieht. Roswitha ist fast täglich auf dem Gut, wenn sie nicht gerade Einsätze beim Bund Deutscher Mädel hat. Sie bringt die Post dorthin, sie hilft bei der Heuernte, sie mistet Ställe aus, striegelt die Pferde, darf wohl auch mal eines reiten, aber darauf kommt es ihr gar nicht an, es sei denn, Heiner begleitet sie. Nach diesen seltenen Ausritten kennen ihre Freude und ihre Schwärmerei kaum noch Grenzen. Einmal kommt es wohl zu einem flüchtigen Kuss, danach sieht sich Roswitha schon mit ihm vor dem Traualtar stehen. Dann aber, im Mai 1939, tritt eine Veränderung ein, die ihre Pläne in Gefahr bringt. Die Sommerfelds ziehen auf das Gut. Ein paar Tage genügen, und Roswitha begreift, dass Gefahr droht.

20.6.1939

Dieses verdammte Judenpack, oh, wie ich sie hasse. Und ganz besonders diese Lydia. Sieht er denn nicht, was das für eine eitle Gans ist? Den ganzen Tag sitzt sie da und malt die Pferde, und Heiner findet das auch noch schön! Dabei hat sie keine Ahnung von Pferden, die kann nicht mal eine Mistgabel halten. Kommt sich aber ganz famos vor, das dürre Luder. Stolziert herum wie eine Gräfin in ihren Stadtkleidern. Mich hat sie hintenherum ein Landei genannt. Das werde ich ihr heimzahlen!

In dem Ton geht es eine ganze Weile. Als Roswitha beobachtet, wie Heiner und Lydia sich küssen, schäumt sie vor Wut. Die Tiraden, die sie von da an ihrem Tagebuch anvertraut, sind eine wüste Mischung aus den Hassgefühlen eines verschmähten, eifersüchtigen Teenagers und antisemitischer Nazipropaganda, welche das Mädchen aufgesogen haben muss wie eine Zecke, die endlich ihr Wirtstier gefunden hat.

15.11.1939

Dauernd faseln sie von Auswanderung. Wenn sie es doch endlich täten. Aber diese Schmarotzer scheuchen auf dem Gut die Leute herum und spielen sich auf, während unsere Soldaten für den Führer und unser Vaterland kämpfen. Reicht es ihnen nicht, dass man diesen Vaterlandsverrätern letzten Herbst die Häuser angezündet hat? Worauf warten sie denn noch? Max war dabei, als die Synagoge in der Bergstraße brannte. Dieses Freudenfeuer hätte ich auch gerne gesehen. Endlich hat das Pack den gerechten Volkszorn zu spüren bekommen. Sie soll endlich verschwinden, diese jüdische Hexe. Ein Ozean ist gerade mal ausreichend als Abstand zwischen dem Miststück und meinem Heiner. Und ich darf nicht mal was gegen sie oder die Juden allgemein sagen, sofort wird er böse. Ich bete jede Nacht, dass sie endlich geht!

Max, der ab und zu in ihren Einträgen auftaucht, ist Roswithas älterer Cousin. Er lebt mit seiner Familie in der Südstadt, und wenn Jule es richtig deutet, ist Max Mitglied der SS.

2. September 1941
Es ist nicht zu fassen, diese Madame trägt keinen Judenstern, obwohl das seit gestern Vorschrift ist. Ihre Eltern haben im Haus alle Bilder vom Führer abgenommen! Aber es gibt einen Lichtblick. Lange wird das eingebildete Fräulein nicht mehr auf dem Gut herumspazieren wie eine Gräfin. Max hat mir von einem Plan von Gauleiter Lauterbacher erzählt. Ich musste bei allem, was mir heilig ist, schwören, dass ich nichts verrate. Schon sehr, sehr bald soll es in Hannover und Umgebung der Judenplage an den Kragen gehen. Ab morgen, hat Max gesagt, beginnt das große Aufräumen. Ich habe ihn gefragt, ob das auch für uns gilt, und er hat mir versprochen, dass keiner vergessen wird. Ich bin schon sehr gespannt. Das haben sie nun davon, die Sommerfelds. Hätten ja schon längst auswandern können, sind doch eh keine Staatsbürger, was haben die hier noch verloren?
PS: Morgen reist Heiner nach Hamburg. Er muss dort einen Deckhengst ausliefern und nimmt an einer Auktion teil. Ist vielleicht ganz gut, wenn er nicht da ist. Ich hoffe nur, Max hat keinen Humbug erzählt!

6. September 1941
Hurra, sie sind weg! Ich kann mein Glück kaum fassen, ich hatte schon Angst, man würde sie übersehen, aber als ich gestern nach der Schule auf das Gut kam, da war alles

schon passiert. Die Gestapo hat das Pack in der Früh
um fünf aus ihren Betten gezerrt, das hat mir der Stall-
knecht Jan erzählt. Pro Person durften sie ein Bett, einen
Stuhl und einen Koffer mit Kleidung mitnehmen. Da wird
die exquisite Garderobe von unserer Madame gar nicht
ganz reingepasst haben! Der Rest von ihrem ergauner-
ten Vermögen soll demnächst zugunsten deutscher Bom-
benopfer versteigert werden, aber Heiners Vater sagt, er
hätte ihnen die Möbel schon vorher abgekauft.
Sie sind jetzt in einem Judenhaus in Ahlem, das weiß ich
von Max. Ich werde mich aber hüten, Heiner davon zu er-
zählen. Würde gerne sein Gesicht sehen, wenn er mor-
gen aus Hamburg zurückkommt. Natürlich darf ich meine
Freude nicht zeigen, ich werde mich vorsichtshalber ein
paar Tage nicht sehen lassen. Jetzt habe ich ja Zeit, alles
wieder ins Lot zu bringen. Endlich!

Es folgen noch ein paar Beiträge, in denen neben Roswithas
zarten Bemühungen um die Gunst ihres am Boden zerstörten Liebsten auch der Erwerb des Gutes für den Spottpreis
von 20 000 Reichsmark durch dessen Vater Ludwig Felk zur
Sprache kommt.

Jule lehnt sich erschöpft zurück und massiert sich die Na-
senwurzel mit den Fingern. Was für eine üble Lektüre, wie
viel Hass und Häme aus diesen Worten spricht. Kein Wunder, dass Heiner Felk danach nicht mehr gut auf seine Frau
zu sprechen war. Wie schrecklich muss es sein, so etwas zu
erfahren, nachdem man all die Jahre mit dieser Person zu-
sammengelebt hat. Zu wissen, dass sie die Mutter seiner Kinder ist. Seine Kinder ... Haben Roland und Ernst Felk diese
Zeilen jemals gelesen? Roland Felk hat das Buch nach dem
Tod seines Vaters am Karfreitag aus dem Heim mitgenommen. Ihm blieben zum Lesen nur zwei Tage – was er nicht
wissen konnte. Nein, das stimmt ja gar nicht, fällt Jule ein.

Roland Felk kam aus dem Altenheim direkt zu Anna und hat das Buch bei ihr deponiert. Vermutlich kannte er den Inhalt, wahrscheinlich hat sein Vater ihn die Aufzeichnungen schon früher lesen lassen. Warum gibt Roland Felk sie an Anna weiter?

Fraglich ist, ob Ernst Felk das Buch jemals gelesen hat. Und Martha? Sie hat Roswitha gepflegt, das Zimmer gesäubert, ihr die Koffer für den endgültigen Auszug ins Pflegeheim gepackt. Sie muss zumindest auf die Aufzeichnungen gestoßen sein. Hat sie Ernst davon erzählt? Ich an ihrer Stelle hätte das Buch vernichtet, überlegt Jule. Es ist nicht schön, wenn man als Sohn erfährt, dass die eigene Mutter ein Ungeheuer war – so eine Erfahrung würde ich meinem Ehemann ersparen wollen. Oder hat Martha das Buch ungelesen zu Roswithas Sachen gepackt – aus Respekt vor Roswithas Privatsphäre oder aus Desinteresse?

Aber war Roswitha denn wirklich das Ungeheuer, das sie auf den ersten Blick gewesen zu sein scheint? Immerhin ist sie unter der Naziherrschaft groß geworden, sie hat nie etwas anderes gehört, als dass Juden schlecht und minderwertig seien. Und dann kommt so eine aus der Stadt und erobert ihren Liebsten im Sturm. Ist es da nicht menschlich, wie sie sich verhalten hat? Ja – sagt sich Jule. Das Problem ist nur, dass der Mensch im Kern meist schlecht ist und nur selten edel, hilfreich und gut. Roswitha hätte die Sommerfelds ja auch vor der bevorstehenden *Aktion Lauterbacher*, wie diese Maßnahme später in den Geschichtsbüchern genannt wurde, warnen können. Auf diese Art wäre sie ihre Rivalin Lydia ebenfalls losgeworden und hätte vor Heiner sogar noch als deren Retterin dagestanden. Aber vor ihrem Cousin Max als Verräterin. Dazu hätte Mut gehört, Mut und Größe, die sie nicht hatte. Vielleicht hat sie auch befürchtet, Heiner würde Lydia im Fall einer Auswanderung folgen.

Jule klappt das Buch zu und fragt sich, ob sein Inhalt irgendeine Bedeutung für ihren Fall – für einen ihrer Fälle – hat. Indirekt vielleicht. Die Lektüre dieser Zeilen und die Entdeckung des von Roswitha unterschlagenen Briefes von Lydia an ihn haben in Heiner Felk vielleicht das Bedürfnis geweckt, vergangenes Unrecht zu sühnen. Was ihn womöglich das Leben gekostet hat.

Zum Glück hatten die Beckers die Saftflasche noch nicht geöffnet. Laut Frau Becker hatte nur eine Flasche in Heiner Felks privatem kleinen Kühlschrank gestanden, die zweite ist offenbar konsumiert und entsorgt worden. Die Pflegerin, die Heiner Felk am Freitagmorgen tot aufgefunden hat, war bis jetzt nicht erreichbar, sie hat erst morgen früh wieder Dienst. Die Saftflasche, die Frau Becker entgegen der Vorschrift mit nach Hause genommen hat, befindet sich jetzt im Rechtsmedizinischen Institut.

Jule steht auf. Nun, wo sie eben der kalte Hauch der Geschichte gestreift hat, kommt ihr ihr eigenes kleines Unglück geradezu lächerlich vor. Sie macht die Bürotür hinter sich zu und geht, wie heute Morgen schon, zu Fuß nach Hause. Neun Uhr, ein schöner Abend, fast schon sommerlich. Eigentlich könnte sie noch bei Thomas und Fred klingeln und mit den beiden ihre Verbeamtung mit einer Flasche Rotwein und einem dicken Joint feiern.

Pedra Rodriguez hat ihre Lesebrille auf und sitzt über ihrer Buchführung, als Fernando die Küche betritt. »Ist Esmeralda schon im Bett?«, fragt er leise.

Seine Mutter nickt. »Ja, zum Glück. Sie ist ganz schön anstrengend. Gott möge mir verzeihen, aber was bin ich froh, wenn sie wieder weg ist!«, stöhnt Pedra und schlägt ein Kreuz über ihrer Brust.

»Ich auch. Ach, und schöne Grüße von meiner Verlobten Jule. Sie kommt am Samstag zum Essen.«

»Danke«, murmelt Pedra verlegen.

Fernando setzt sich verkehrt herum auf einen Stuhl und sagt: »Mama, ich möchte was mit dir besprechen.«

Pedra nimmt die Brille ab und sieht ihren Sohn an. Fernando bekommt prompt ein mulmiges Gefühl im Magen. Er fühlt sich schlecht. Schlecht und undankbar und hinterlistig. Er sucht noch nach Worten, als seine Mutter fragt: »Möchtest du ausziehen?«

Fernando bleibt vor Verblüffung der Mund offen stehen. Hat er richtig verstanden? »Was?«

»Möchtest du ausziehen, in eine eigene Wohnung?«

»Wo... woher weißt du das?«

»Ich bin deine Mutter!«

»Also, ich habe da eventuell ... es ist noch gar nichts entschieden, aber ich könnte vielleicht ein Zimmer in einer WG bekommen, in der Nordstadt. Das ist ja nicht gar so weit weg, ich würde dir natürlich weiterhin im Laden helfen, und am Samstag ...«

»Es ist gut, Fernando«, unterbricht Pedra das Gestammel. »Du bist in der Tat alt genug, höchste Zeit, dass du hier rauskommst. Vielleicht lernst du dann endlich, Ordnung zu halten, und findest ein vernünftiges Mädchen. Ich komme schon zurecht. Wenn ich einsam bin, kann ich ja an einen Studenten vermieten, und wenn ich Hilfe im Laden brauche, dann stelle ich eine Hilfskraft ein. Willst du deine Möbel mitnehmen, oder kaufen wir was bei *Ikea*?«

Oda streckt sich lang auf dem Sofa aus. Die Massage von Herrn Tang war noch viel besser als beim letzten Mal, auch wenn er dabei wieder das Blaue vom Himmel erzählt hat. Als er sie nach dem Rauchen fragte, hat Oda nur gesagt, es sei alles in Ordnung – was er nun ganz nach seinem Gusto interpretieren kann.

»Mama?« Oda schreckt zusammen und blinzelt, sie muss eingeschlafen sein. Veronika steht vor ihr. »Ich muss dir was erzählen.«

»Was denn?«

Veronika lässt sich in den Sessel plumpsen und sagt: »Als du an Ostern bei Opa in Frankreich warst, haben wir hier gefeiert.«

»Ich weiß.«

»Wir haben auch gekokst.«

»So so.« Oda versucht, überrascht, aber nicht zu entsetzt auszusehen. »Weißt du, das finde ich nicht so schlimm. Es ist normal, dass man als Jugendlicher was ausprobiert, das habe ich auch gemacht, man muss nur ...«

»Ja, ja, das weiß ich doch alles«, unterbricht Veronika den Sermon. »Aber darum geht es doch gar nicht.«

»Nicht?«

»Nein. Dieses Zeug, das war ... wie soll ich sagen, das war anders, als wenn man kifft.«

»So so.«

»Ich bin davon gar nicht high geworden oder so. Ich war nur furchtbar wach und auf einmal ganz klar in der Birne.«

»Das ist auch der Grund, warum viele gestresste Manager und Künstler koksen. Es putscht auf. Aber das bittere Ende kommt, glaub mir. Ich habe schon zu viele ...«

»Mama! Kannst du *einmal* deine Vorträge lassen und mir zuhören?«

»Entschuldige.«

»Was ich sagen wollte: Als ich das Zeug genommen hatte, da habe ich plötzlich eine Sache glasklar erkannt: Jo ist nicht der richtige Mann für mich.«

Oda unterdrückt den Impuls, laut aufzulachen. »Aha«, sagt sie mühsam beherrscht.

»Ja, und dann hab ich am nächsten Tag mit ihm Schluss gemacht.«

»Und jetzt tut es dir leid?«

»Nein, kein bisschen. Aber ich finde das schon komisch. Ohne das Koks hätte ich das vielleicht nie gemerkt.«

»Doch, mein Schatz, das hättest du«, versichert Oda, die sich gerade so leicht wie ein Blatt im Wind fühlt. Dann fällt ihr etwas ein. »Warst du denn noch bei Jos Konzert im Pavillon?«

»Nö, kein Bock«, antwortet Veronika. »Wenn Schluss ist, ist Schluss, da renn ich doch in kein Konzert mehr, ich war mit ein paar Leuten in der Glocksee. Wieso?«

»Ach, schon gut«, antwortet Oda.

»Du bist nicht sauer?«, erkundigt sich Veronika vorsichtig.

»Nein, warum sollte ich?«

Veronika steht auf und haucht ihrer Mutter einen Kuss auf die Wange. »Du bist cool, Mama«, sagt sie dann und verschwindet die Treppe hinauf in ihr Zimmer.

Oda strahlt. *Cool.* So ein Kompliment bekommt man nicht alle Tage. Sie nimmt ihre Rillos aus der Handtasche, setzt sich auf die Terrasse und steckt sich einen an. Er schmeckt köstlich wie nie zuvor.

Die *Tagesthemen* sind gerade zu Ende, und es läuft der Wetterbericht, als es an der Tür klingelt. Völxen und seine Frau wechseln einen fragenden Blick. Oscar, für den Wanda ein Schaffell als Liegeplatz organisiert hat, springt auf, rennt zur Tür und fängt an zu bellen und zu knurren. Seine Nackenhaare sind zur Bürste aufgestellt.

»Aus! Platz!«, befiehlt Völxen dem Hund. Zu seiner Frau sagt er: »Bleib sitzen, ich mach auf.« Er stemmt sich müde aus dem Sofa, während er sich fragt, ob tatsächlich jemand die Frechheit besitzt, sich spätabends bei ihm über seine Art der Dienstausübung zu beschweren. Seltsam auch, dass der Hund so einen Zirkus veranstaltet. Vorhin, als ein junger Mann klingelte und seine Tochter abholte, hat das Tier nur dezent gewufft. Mit einem zornigen Ruck öffnet Völxen die Tür. Draußen steht Ernst Felk. Der Pferdezüchter trägt einen Anzug samt Krawatte und entschuldigt sich förmlich für sein spätes Erscheinen: »Ich komme gerade aus einer Gemeinderatssitzung. Dort wurde erzählt, dass Sie Torsten Gutensohn und Matthias Kolbe verhaftet haben.«

»Und?«, knirscht Völxen, während drinnen Oscar erneut einen Tobsuchtsanfall erleidet.

»Sie müssen die Jungs wieder laufen lassen, die haben nichts getan. Ich war es. Ich habe meinen Bruder erschossen.«

Torsten Gutensohn und Matthias Kolbe sitzen artig vor Völxens Schreibtisch. Es ist kurz vor Mitternacht. Völxen hat die beiden aus dem Gewahrsam holen und wissen lassen, dass der Täter gestanden hat und sich in Haft befindet. Dennoch sind noch etliche Fragen offen. Völxen hat gerade den Begriff »Beihilfe zum Mord« fallen lassen, was die beiden dazu veranlasst hat, sich bereit zu erklären, auch ohne Anwälte eine Aussage zu machen.

Matthias Kolbe alias Matze macht den Anfang: »Nachdem ich Maren zu Hause abgeliefert hatte, wollte ich noch hoch zur Feuerstelle fahren, mal sehen, ob die da oben auch nicht pennen. Aber erst bin ich noch unten am Süllberg entlanggefahren.«

»Warum das?«, fragt der Kommissar.

»Da unten schleichen im Morgengrauen oft Füchse herum«, erklärt der Sohn des Schreiners. »Es war aber keiner da.«

»Was wolltest du denn von dem Fuchs?«, forscht Völxen.

Matze fährt sich verlegen durch sein Haar, dann sagt er: »Ich hatte die Schrotflinte meines Vaters dabei. Ich mach doch gerade den Jagdschein ...«

»Unerlaubtes Führen einer Schusswaffe nennt man das, aber das lassen wir jetzt mal unter den Tisch fallen. Wie ging es weiter?«, drängelt Völxen, der müde ist und ins Bett möchte.

»Kurz vor Lüdersen bin ich dann links abgebogen in Richtung Feuerstelle. Als ich das kleine Wäldchen auf der linken Seite erreicht hatte, habe ich dort Ernst Felk stehen sehen, mit einer Flinte in der Hand, und jemand lag vor ihm am Boden. Ich habe angehalten – er stand ja auch mitten im Weg. Ich dachte erst, da hätte einer einen Herzanfall oder so was. Aber dann habe ich gesehen, dass es der Dr. Felk war, der am Boden lag und blutete wie ein Schwein. Der Ernst Felk hat dagestanden und hat in einer Tour gemurmelt, dass er ihn erschossen hätte und dass er das nicht gewollt hätte. Ich hab mir den Roland Felk dann genauer angesehen, aber da war nichts mehr zu machen, der war mausetot. Der Ernst war völlig durch den Wind, der hat mir direkt leidgetan. Ich habe zu ihm gesagt, er soll verschwinden, ich würde mich um die Sache kümmern. Er hat mich angestarrt wie ein Auto. Keine Ahnung, was der dachte. Dass ich die Polizei hole oder so? Jedenfalls ist er weggegangen, den Berg runter. Der war völlig neben der Spur, der hatte 'nen Schock oder so was.«

»Wo war die Flinte?«

»Die hat er einfach hingeschmissen. Ich habe sie ins Auto gelegt, bei uns im Schuppen versteckt und sie später am Süllberg in einem Fuchsbau verbuddelt.«

»Was war mit Roland Felks Hund? War der auch da?«

»Ja, der ist da rumgelaufen. Ich hab dann mein Auto nah an den Toten rangefahren, um ihn in den Kofferraum zu heben, und in dem Moment ist Torsten aus dem Wäldchen gekommen.«

Matze hält inne und schaut hinüber zu Torsten, der der Schilderung seines Freundes mit offenem Mund zugehört hat.

»Wie war das nun, Torsten?«, fragt Völxen.

Der Junge sieht einen Moment irritiert aus, dann erzählt er seine Version: »Ich war gerade unterhalb des Wäldchens unterwegs. Ich bin da einfach so rumgelaufen, weil mir kalt war und ich nicht schlafen konnte, und gerade dachte ich: Scheiße, jetzt weck ich Ole und Carsten, und wir hauen ab, da habe ich den Schuss gehört. Dann bin ich nachsehen gegangen. Ich hab natürlich gedacht, dass Matze den Felk erledigt hat.« Torsten hält inne und sieht seinen Kumpel unsicher und etwas vorwurfsvoll an.

Matze berichtet weiter: »Ich hab Torsten gesagt, der Felk hätte mich angepflaumt, weil ich da oben mit dem Auto rumfahre, wir hätten Streit gekriegt, und ein Schuss hätte sich gelöst. Torsten hat gesagt, er würde mir helfen, die Leiche verschwinden zu lassen. So kamen wir auf die Idee mit dem Osterfeuer. Wir haben eine alte Decke vom Rücksitz in den Kofferraum gelegt und den Toten da reingepackt. Dann sollte Torsten zusehen, dass Ole und Carsten da wegkommen. Das hat ja auch geklappt.«

Wieder meldet sich Torsten zu Wort. »Ole und ich haben Carsten bei seiner Mutter abgeliefert, der war ja noch immer hackedicht. Dann ist Ole zu sich nach Hause, und ich bin wieder hoch zur Feuerstelle, um Matze zu helfen.«

»Und wo warst du in der Zwischenzeit?«, fragt Völxen Matze.

»Da oben konnte ich nicht bleiben, ich wollte ja nicht, dass mich jemand sieht«, erklärt der Gefragte. »Außerdem musste der verdammte Köter verschwinden, der hat da dauernd rumgekläfft. Ich hab den angelockt und ins Auto gepackt. Dann bin ich ein Stück gefahren und hab ihn zwischen Bennigsen und Springe aus dem Auto gelassen. Zu weit weg konnte ich ja auch nicht fahren, denn als ich auf dem Rückweg war, hat mich Torsten schon angerufen, der wartete bereits bei der Feuerstelle. Wir haben die Strohballen weggeschoben und ziemlich viel von dem Gestrüpp unten rausgezogen. Plötzlich ist Ole zurückgekommen, mit dem Fahrrad.«

»Ach, sieh an«, wundert sich Völxen. »Warum das?«

»Der hat sein Handy gesucht«, erklärt Matze. »Das muss ihm nachts aus der Tasche gefallen sein. Der wollte natürlich wissen, was wir da tun, und da haben wir es ihm gesagt. Wir dachten schon, der dreht jetzt durch, aber er hat ganz cool reagiert. Er meinte, er würde die Leiche nicht anfassen, aber er stand die ganze Zeit Schmiere, falls jemand gekommen wäre. Das war auch gut so, denn es war gar nicht so einfach, die Leiche da möglichst weit reinzukriegen. Aber zu zweit ging es dann doch. Wir haben das Ganze mit den Büschen wieder zugedeckt, sodass niemand was sieht, haben die Strohballen wieder hingelegt und sind alle nach Hause gefahren. Ich konnte aber nicht schlafen und bin gleich nach dem Frühstück als Erster wieder hoch, um aufzupassen, dass keiner den Haufen umwühlt oder dass irgendein Köter Rabatz macht. Aber es ist alles gutgegangen. Bis Kalle, der Idiot, am Abend …« Matze schenkt sich den Rest und lässt den Kopf auf die Brust sinken.

»Müssen wir dafür in den Knast?«, fragt Torsten.

»Das habe ich nicht zu entscheiden«, brummt Völxen. »Eins ist mir noch nicht klar. Matze, warum hast du gegenüber deinen Freunden so getan, als hättest du Roland Felk erschossen?«

»Weil ich dann sicher sein konnte, dass sie mir helfen und dass sie den Mund halten. Torsten hat eh 'nen Hass auf den Doktor geschoben, und dass Ole dazukam, war ja nicht geplant. Aber der hat geschworen, dass er nichts verrät.«

»Einer für alle, alle für einen, das ist bei der Landjugend wie bei den Musketieren«, erklärt Torsten stolz.

»Warum lag dir überhaupt so viel daran, Ernst Felk zu helfen?«, bohrt Völxen nach. »Kennst du ihn näher?«

»Er ist ein guter Kunde von uns«, antwortet Matze, und seine Pupillen wandern unruhig hin und her. »Manchmal helfe ich da im Sommer bei der Heuernte.«

»Er ist vor allen Dingen ein wohlhabender Kunde«, hilft der Hauptkommissar dem Jungen auf die Sprünge. »Wie viel hat er dir bezahlt?«

»8000«, murmelt Matze mit hochrotem Gesicht. »Die hatte er im Safe, als ich ihn am Montagmorgen besucht habe. Er wollte mir später noch mehr geben. Ich ... ich wollte das nicht für mich allein. Wenigstens nicht alles. Die Schreinerei läuft im Moment nicht so gut. Wegen der Wirtschaftskrise wird weniger gebaut, und die Leute haben kein Geld mehr für maßangefertigte Möbel. Die rennen lieber zu *Ikea*, anstatt sich Regale vom Schreiner machen zu lassen. Wenn es so weitergeht, hat mein Vater gesagt, dann müssen wir in einem halben Jahr Konkurs anmelden. Also dachte ich, die Felks sind doch stinkreich, und wenn ich dem Ernst helfe, dann kann der uns helfen. Deshalb habe ich das gemacht.« Matze zögert kurz, dann fügt er hinzu: »Und weil ich diesen Roland Felk sowieso nicht mochte. Ich fand es gut, dass der tot war. Das Schwein hatte mal was mit meiner Mutter. Ist zwar schon eine Weile her, aber das ist mir in dem Moment wieder eingefallen. Und Torstens Eltern haben sich ja wegen dem Arsch sogar scheiden lassen. Um den ist es echt nicht ...«

Völxens Faust kracht auf die Tischplatte, während er brüllt: »Raus hier, sofort! Bevor ich mich vergesse!«

Matze fährt erschrocken zusammen.

»Macht, dass ihr nach Hause kommt, ich kann euch nicht mehr sehen! Der Pförtner soll euch ein Taxi rufen. Morgen Mittag erscheint ihr hier noch mal, dann nehmen wir ein Protokoll auf. Dazu könnt ihr von mir aus eure Anwälte mitbringen.«

Nahezu fluchtartig verlassen die Freunde das Büro.

»Saukerle«, schimpft Völxen und schaut auf die Uhr. Halb eins. Seine Mitarbeiter schlafen wahrscheinlich schon, aber damit sie auf dem Laufenden sind, schickt er an Oda, Jule und Fernando eine SMS mit der Nachricht, dass Ernst Felk die Tötung seines Bruders gestanden hat.

Zwei Minuten später ruft Oda zurück. »Was ist sein Motiv?«

»Er sagt, er hätte seinen Wagen am Friedhof stehen sehen und sei auf gut Glück den Berg hinaufgegangen, um eine Aussprache mit seinem Bruder zu suchen. Dabei sind sie in Streit geraten.«

»Aussprache worüber?«

»Es ging um ein Tagebuch ihrer Mutter, das Roland aus dem Altenheim mitgenommen hat und nun nicht herausrücken wollte. Ernst wollte die Aufzeichnungen vernichten. Den Grund dafür hat er mir nicht sagen wollen. Er ist drüben im Bau, und ich geh jetzt ins Bett, mir reicht es für heute.«

Donnerstag

Hauptkommissar Bodo Völxen hat die beiden Streifenbeamten angewiesen, im Wagen zu warten. Er ist in Begleitung von Oda Kristensen. Sie finden Martha Felk im Pferdestall, wo sie gerade eine Box säubert. Als sie die beiden sieht, stellt sie den Besen zur Seite und blafft: »Sind Sie jetzt zufrieden?«

Ist sie so dumm oder so dreist, überlegt Völxen einigermaßen verwundert. Er stellt Oda vor und fragt dann zurück: »Wussten Sie eigentlich, was in dem Tagebuch Ihrer Schwiegermutter stand?«

Sie winkt ab. »Lassen Sie mich doch mit dem alten Kram in Ruhe.«

»Für Ihren Mann war es kein alter Kram. Ihm war es sogar so wichtig, dass er deswegen seinen Bruder erschossen hat.«

Martha schnaubt. »Der Alte hat es ihm mal gezeigt, aber das hätte er wohl besser nicht getan. Ernst hat immer große Stücke auf seine Mutter gehalten, obwohl sie ein Drachen war. Mich wundert das alles nicht. Nein, ich habe das Tagebuch nicht gelesen, obwohl ich es eines Tages gefunden habe. Das war mir zu mühsam. Hätte ich es bloß damals schon weggeworfen! Wo ist es denn jetzt eigentlich?«

»Im Büro meiner Mitarbeiterin.« Völxen öffnet nun einen Stoffbeutel, den er bei sich trägt. In einem durchsichtigen Plastikbeutel befindet sich eine weiße Mineralwasserflasche aus Glas mit einem Schraubverschluss. Es ist ein kleiner Rest einer roten Flüssigkeit darin, die gerade noch den Boden bedeckt.

»Kennen Sie die?«

Martha Felk kneift die Lippen zusammen wie die Bügel einer Geldbörse.

»Sie müssen nicht antworten, ich bin sicher, von den Fingerabdrücken, die man darauf gefunden hat, sind auch welche von Ihnen.« Der Kommissar reicht die Tüte an Oda weiter und zieht ein Schriftstück aus seiner Westentasche, das er umständlich auseinanderfaltet und dann Martha Felk vors Gesicht hält. »Können Sie das ohne Brille lesen? Wenn nicht, sage ich Ihnen, was drinsteht: In dem Holundersaft, den Sie Ihrem Mann für seinen Vater mitgegeben haben, war eine tödliche Dosis Beruhigungsmittel. Was sagen Sie dazu?«

Martha Felk betrachtet stumm ihre Gummistiefel.

Nun greift auch Oda in ihre Jackentasche. »Und ich habe hier einen Durchsuchungsbeschluss für Ihr Anwesen. Ich bin sicher, wir werden in Ihrem Medikamentenschrank fündig werden.«

»Das können Sie sich sparen«, sagt Martha. »Ja, ich habe ihn umgebracht, diesen arroganten, selbstgerechten Gutmenschen. Weil ich die Nase voll hatte. Ernst und ich sind nach dem Krieg geboren, wir haben nichts mit dieser elenden Judengeschichte zu schaffen, wir haben immer gearbeitet und uns nichts zuschulden kommen lassen. Ich sehe nicht ein, dass wir für etwas bezahlen sollen, wofür wir nichts können. Unser Geld wollte der einer wildfremden Frau in den Rachen werfen. In dem Saft habe ich Rohypnol aufgelöst, das stammt noch von Roswitha.«

»Martha Felk, ich verhafte Sie hiermit wegen des dringenden Verdachts auf versuchten Mord. Bitte folgen Sie mir.«

Martha verlässt den Stall hinter Völxen, ohne sich noch einmal umzudrehen. Oda folgt ihr dicht auf den Fersen.

»Wer soll sich nun um die Pferde kümmern?«, fragt Martha.

»Haben Sie Nachbarn, die das übernehmen könnten?«

Sie schüttelt den Kopf.

»Wir werden schon eine Lösung finden«, meint Völxen.

Ehe Martha in den Streifenwagen einsteigt, fragt sie plötzlich: »Wieso eigentlich *versuchter* Mord?«

»Weil Ihr Schwiegervater den Saft nicht getrunken hat. Eine Flasche war noch verschlossen und hätte um ein Haar eine nette, unschuldige Familie ausgelöscht, die zweite Flasche ist Ihrem Schwiegervater versehentlich heruntergefallen und zerbrochen, das hat eine Pflegerin heute Morgen ausgesagt. Ihr Schwiegervater starb eines natürlichen Todes, das steht im Obduktionsbericht. Das hier, in dieser Flasche, ist übrigens nur Hagebuttentee. Tja, hätte Ihr Mann den Holundersaft nicht erwähnt ... Vorsicht beim Einsteigen, Frau Felk.«

Montagabend

Oda räumt gerade die Spülmaschine ein, als ihr Handy klingelt. Jetzt nur kein Leichenfund! Sie hat sich auf einen gemütlichen Fernsehabend gefreut. »Oda Kristensen.«

»Einen wunderschönen guten Abend, Frau Krischtensen.«

»Ihnen auch einen guten Abend, Dr. Bächle. Was gibt es denn?« Oda wundert sich. Bächle auf ihrem Handy, noch dazu um sieben Uhr abends?

»Sind Sie allein?«, kommt es verschwörerisch.

»Ja«, antwortet Oda verwirrt.

»Frau Krischtensen, ich rufe an wegen Ihrer privaten Angelegenheit...« Der Mediziner ist in einen Flüsterton übergegangen, während Oda vor Scham ganz heiß wird. Die Haarprobe! Die hat sie inzwischen völlig vergessen. Wie peinlich, dass sie Bächle überhaupt damit beauftragt hat, wie konnte sie das nur tun?

»Es... es hat sich erledigt. Es ist mir sehr unangenehm, dass ich Sie deswegen belästigt habe ... Trotzdem danke.«

»Scho recht«, sagt Dr. Bächle gutmütig. »'s isch eh nix dabei rauskomme'.«

»Was um Himmels willen ist das?«, fragt Jule, nachdem sie ihre Wohnungstür geöffnet hat.

»Ein Blumenstrauß, sieht man das nicht?«, antwortet Fernando und strahlt.

Sie haben sich heute noch nicht gesehen, denn Jule hat

sich einen Tag frei genommen – Überstunden abbummeln und Frühjahrsputz in der Wohnung machen. Sie betrachtet den Strauß. Frühlingsblumen, für 30 Euro, mindestens. »Komm rein.« Sie lotst Fernando in die Küche. »Wofür?«

»Für deine schauspielerische Leistung am Samstag. Du warst wirklich sehr überzeugend.«

»Ach das.« Jule winkt ab. »Grüß deine Tante von mir. Wenn sie jetzt glücklicher ist, dann ist ja alles gut.«

»Und wie gut das ist«, frohlockt Fernando. »Sie hat mir zum Abschied einen dicken Scheck ausgeschrieben. 5000 Euro! Jetzt steht meinem neuen Motorrad nichts mehr im Weg!«

»Wieso Motorrad?«, fragt Jule und sucht nach einer Vase. »Das Geld ist doch sicherlich für unseren zukünftigen Hausstand bestimmt, oder?«

Fernando reibt sich verlegen das stoppelige Kinn. »Ja, schon …«

Jule sieht ihren Kollegen streng an und stellt empört fest: »Du hast deine arme alte Tante über den Tisch gezogen, und ich habe dir dabei auch noch geholfen!«

»Alt ja, arm bestimmt nicht.«

»Du solltest dich schämen, Fernando!«

»Gut, ich schäme mich«, behauptet Fernando.

Jule stopft die Blumen in einen Bierkrug. »Kauf dir davon wenigstens Möbel, wenn du dann demnächst auszieht.«

»Äh, das hat sich wohl erst mal zerschlagen.«

»Wieso das denn?«

»Annas Freund ist zurückgekommen. Der war für ein Semester in den Staaten. Der wohnt in dem anderen Zimmer.«

»Ja, und?«

»Wie, und? Hätte ich gewusst, dass sie einen Freund hat … nein, das ist nichts für mich. Da wäre ich ja das dritte Rad am Wagen.«

»Das fünfte!«

»Meinetwegen. Ich such mir in aller Ruhe was anderes.«

»Schon klar«, antwortet Jule. »Hast du Lust auf Spaghetti? Ich wollte mir gerade welche machen.«

»Ja, gerne.« Fernando setzt sich an den Küchentisch.

Jule füllt Wasser in einen Topf und öffnet eine Flasche Rotwein.

»Kannst du eigentlich außer Spaghetti noch was anderes kochen?«

»Nein. Wozu?« Jule gießt Wein in zwei Gläser.

»Siehst du, deshalb finde ich nie eine Frau«, jammert Fernando. »Früher konnten die Mädchen kochen wie Mutti, heute können sie nur noch saufen wie Vati.«

»*Salud*, Fernando.«

Als Hauptkommissar Völxen von seiner abendlichen Fahrradtour nach Hause kommt, fällt ihm der seltsame Geruch auf, der durchs Haus zieht. Naserümpfend untersucht er seine Schuhsohlen. Ist er etwa in einen Hundehaufen getreten?

Die Sache klärt sich auf, als Sabine in der Küche den Deckel vom Wok hebt. »Ich habe was Neues ausprobiert.«

»Es riecht etwas streng.«

»Das ist Teufelsdreck, ein indisches Gewürz.«

»Ach so. Wo ist denn der Hund?«, erkundigt sich Völxen.

»Bei den Schafen.«

»Was macht er da?«

»Frag Wanda, die ist auch dort.« Sabines Tonfall ist nicht zu entnehmen, ob sie diese Tatsache gutheißt oder nicht.

Voller Argwohn eilt Völxen zu seinem Lieblingsplatz. Wanda steht vor dem Bretterzaun, neben ihr sitzt Oscar, von den Ohren bis zur Schwanzspitze gespannt wie eine Feder. Er hat nicht einen Blick für seinen Herrn übrig, sondern er fixiert den Schafbock.

»Was treibt ihr hier?«

»Das siehst du gleich, Dad«, antwortet Wanda. »Pass auf.«

Völxen passt auf. Fünf Minuten lang stehen Vater und Tochter schweigend und regungslos wie die Salzsäulen vor der Schafweide. Langsam schleicht die Dunkelheit heran, der Duft nach frischem feuchtem Gras steigt auf. Amadeus, der bis jetzt unter dem Apfelbaum gestanden hat, setzt sich langsam in Bewegung. Sein Ziel ist die Grundstücksgrenze zu Köpcke. Die Zaunlatte, die Völxen notdürftig wieder angenagelt hat, übt offenbar eine magische Anziehungskraft auf ihn aus, obwohl dort drüben gar nichts mehr zu holen ist. Eine Tatsache, die nicht für seine Intelligenz spricht, wie Völxen zugeben muss. Amadeus senkt den Kopf und wird schneller. Wanda flüstert: »Fass!«

Ein gefleckter Blitz rast unter dem Zaun hindurch und fährt kläffend auf den Schafbock los. Vor Schreck gerät der Bock ins Straucheln, fängt sich wieder, dann rennt er um sein Leben, verfolgt von dem fröhlich bellenden Terrier. Auch die anderen Schafe stieben panisch in alle Himmelsrichtungen auseinander. Wanda pfeift. Der Hund kehrt um und kommt stolz auf sie zu. Sie greift in ihre Hosentasche und gibt ihm etwas zu fressen. »Braver Hund!«

Erst jetzt hat Oscar Zeit, seinen Herrn nach Hundeart zu begrüßen. Die Schafe haben sich unter dem Apfelbaum versammelt und blicken scheu zu ihnen herüber.

»Ich werde das noch weiter ausbauen«, erklärt Wanda. »Diesem saublöden Schafbock werden Oscar und ich noch Manieren beibringen!«

Sämtliche in dieser Geschichte handelnden Personen sind frei erfunden und haben keine realen Vorbilder. Dies gilt insbesondere für die Familiengeschichten der Felks und der Sommerfelds. Das Gut der Familie Felk in der Ortschaft Linderte existiert ebenso wenig wie das Heim von Hauptkommissar Völxen.

Quellen

Geschichte der Stadt Hannover, hrsg. v. Klaus Mlynek u. Waldemar R. Röhrbein, Band 2: *Vom Beginn des 19. Jahrhunderts bis in die Gegenwart,* Schlütersche Verlagsanstalt, Hannover 1994